AURORA ASCENDE

AURORA ASCENDE

CICLO AURORA_01

AMIE KAUFMAN
&
JAY KRISTOFF

TRADUÇÃO DE LAURA POHL

Rocco

Título Original
AURORA RISING

Este livro é uma obra de ficção. Nomes, personagens, lugares e incidentes são produtos da imaginação dos autores, foram usados de forma fictícia. Qualquer semelhança com pessoas reais, vivas ou não, acontecimentos, eventos ou localidades é mera coincidência.

Copyright © 2019 *by* La Roux Industries Pty Ltd. e Neversfter Ltd.
Arte de capa: Charlie Bowater
Edição brasileira publicada mediante acordo com
Sandra Bruna Agencia Literaria, SL,
em parceria com Adams Literary.

Todos os direitos reservados incluindo o de reprodução
no todo ou em parte sob qualquer forma
sem a prévia autorização do editor.

Direitos para a língua portuguesa reservados
com exclusividade para o Brasil à
EDITORA ROCCO LTDA.
Rua Evaristo da Veiga, 65 – 11º andar
Passeio Corporate – Torre 1
20031-040 – Rio de Janeiro – RJ
Tel.: (21) 3525-2000 – Fax: (21) 3525-2001
rocco@rocco.com.br
www.rocco.com.br

Printed in Brazil/Impresso no Brasil

preparação de originais
GISELLE BRITO

CIP-Brasil. Catalogação na fonte nacional.
Sindicato Nacional dos Editores de Livros, RJ.

K32a
Kaufman, Amie
Aurora ascende / Amie Kaufman, Jay Kristoff ; tradução Laura Pohl. – 1. ed. – Rio de Janeiro : Rocco, 2021.

(Ciclo Aurora ; 1)
Tradução de: Aurora rising
ISBN 978-65-5532-103-6
ISBN 978-65-5595-067-0 (e-book)

1. Ficção australiana. 2. Ficção científica. I. Kristoff, Jay. II. Pohl, Laura. III. Título. IV. Série.

21-70038
CDD: 828.99343
CDU: 82-3(94)

Camila Donis Hartmann – Bibliotecária – CRB-7/6472

O texto deste livro obedece às normas do
Acordo Ortográfico da Língua Portuguesa.

Se sua turma foi difícil de encontrar,
ou se ainda está procurando por ela,
então esta aqui é para você.

PARTE 1

A GAROTA FORA DO TEMPO

1

TYLER

Eu vou perder o Alistamento.

A *Hadfield* desintegra ao meu redor. Arcos negros de raios quânticos derretem o casco da nave até sobrarem entulhos. Meu traje espacial está berrando dezessete tipos de avisos diferentes, a trava dessa desgraça de cápsula criogênica não abre, e *esse* é o único pensamento que fica na minha cabeça. Não que eu deveria ter ficado no meu beliche e tido uma boa noite de sono. Não que eu deveria só ter ignorado essa droga de pedido de socorro e voltado para a Academia Aurora. E não que esse seja um jeito muito burro de morrer.

Não. Olhando a morte bem nos olhos, Tyler Jones, Líder do Esquadrão, Primeira Classe, está pensando em uma coisa, e só nessa coisa.

Eu vou perder a desgraça do Alistamento.

Quer dizer, você trabalha a vida inteira por uma Coisa, então é natural que essa Coisa seja importante para você. A maioria das pessoas racionais iria considerar ser vaporizado dentro de uma nave abandonada à deriva no espaço interdimensional um pouco mais importante do que a escola. É só isso que estou dizendo.

Olho para a garota dentro da cápsula criogênica. Ela tem um cabelo preto curto, com uma única mecha branca na franja. Sardas. Um macacão cinza. A expressão dela é daquelas tão pacíficas que você só vê em bebês ou nos que foram congelados nas câmaras criogênicas.

Me pergunto qual o nome dela.

Me pergunto o que ela diria se soubesse que seria a causa da minha morte.

E eu sacudo a cabeça, murmurando por cima dos berros dos avisos do meu traje conforme a nave ao meu redor começa a se desfazer em um milhão de pedaços flamejantes.

— É melhor ela valer a pena, Jones.

• • • • • • • • • • • • •

Vamos voltar um pouquinho.

Umas quatro horas, pra ser exato. Eu sei o que eles dizem sobre começar a história no momento empolgante, mas você precisa saber o que está acontecendo para que se importe que eu esteja sendo vaporizado. Porque eu ser vaporizado vai ser uma droga.

Então. Quatro horas atrás. Estou no meu dormitório na Academia Aurora. Estou encarando a parte de baixo do colchão de Björkman e rezando ao Criador para que nossos oficiais de treino nos mandem em uma simulação de falha-grav ou incêndio. Na noite antes do Alistamento, eles provavelmente nos deixam descansar. Estou rezando de todo modo, porque:

(a) *Mesmo que nunca ronque, Björkman está roncando agora, e eu não consigo dormir.*
(b) *Queria que meu pai pudesse me ver amanhã, e não consigo dormir.*
(c) *É a noite antes do Alistamento e EU. NÃO. CONSIGO. DORMIR.*

Não sei por que estou tão agitado. Deveria estar calmo como o mar. Eu gabaritei todas as provas. Terminei no topo de quase todas as aulas. Noventa e nove por cento de todos os cadetes na Academia.

Jones, Tyler, Líder do Esquadrão, Primeira Classe.

O Garoto de Ouro. É assim que os outros Alfas me chamam. Alguns falam como se fosse um insulto, mas eu sempre levo como elogio. Ninguém trabalhou mais duro do que eu para chegar aqui. Ninguém trabalhou mais duro desde que chegou. E agora todo esse trabalho duro vai ter valido a pena, porque amanhã é o Alistamento e eu terei direito a quatro das cinco escolhas principais, e o melhor esquadrão que um aluno do último ano na Academia Aurora já teve.

Então, por que eu não consigo dormir?

Desistindo com um grande suspiro, saio do meu beliche e me arrasto para botar o uniforme, deslizo uma das mãos pelo meu cabelo loiro. E dando uma última olhada em Björkman, que eu gostaria de poder matar — ou ao menos colocar no mudo —, eu boto a mão no painel de controle da porta e vou para o corredor, cortando os roncos dele atrás de mim.

É tarde, 02:17 segundo o relógio da estação. A iluminação está reduzida, para simular que é noite, mas as faixas fluorescentes no chão acendem conforme passo pelo corredor. Mando uma mensagem para minha irmã, Scarlett, do meu univídro, mas ela não responde. Penso em mandar uma mensagem para Cat, mas ela provavelmente está dormindo. Assim como eu deveria estar.

Eu passo por uma grande janela de plastil, olhando para a estrela de Aurora que queima ao fundo, delineando as beiradas em tons de dourado-claro. Na antiga mitologia Terráquea, Aurora era a deusa do amanhecer. Ela anunciava a chegada da luz do sol, o fim da noite. Alguém deu o nome dela para a estrela, e essa estrela deu o nome para a Academia que agora a orbita, e à Legião Aurora, pela qual dei minha vida.

Vivi aqui por cinco anos. Eu me alistei no dia em que fiz treze anos, com minha irmã gêmea ao meu lado. O recrutador na estação de Nova Gettysburg se lembrava do nosso pai. Disse que sentia muito. Prometeu que faríamos os desgraçados pagarem. Que o sacrifício de meu pai — o sacrifício de todos os soldados — não seria em vão.

Me pergunto se ainda acredito nisso.

Eu deveria estar dormindo.

Não sei para onde estou indo.

Exceto que sei exatamente onde estou indo.

Marchando pelo corredor até o atracadouro.

Mandíbula apertada.

Mãos nos meus bolsos para esconder os punhos.

• • • • • • • • • • • •

Quatro horas depois, estou batendo com esses mesmos punhos no selo da cápsula criogênica.

A câmara ao meu redor está repleta de cápsulas exatamente iguais a essa, todas envoltas em uma camada fina de gelo pálido. O gelo quebra um pouco com meus golpes, mas o selo ainda não se abre. Meu univídro está tentando hackear o sistema da tranca, mas é devagar demais.

Se eu não sair daqui rápido, eu vou morrer.

Outra onda de choque atinge a *Hadfield*, sacudindo toda a nave. Não há gravidade nos destroços, então não posso cair. Estou me segurando na cápsula, o que quer dizer que ainda assim sou chacoalhado como o brinquedo de uma criança, batendo o capacete do meu traje em outra cápsula e acrescentando mais um alarme aos outros dezessete já no meu ouvido.

Aviso: rompimento na integridade do traje. Reservatório de H_2O comprometido.

Oh-oh.

A garota na cápsula criogênica franze o cenho em seu sono como se estivesse tendo um pesadelo. Por um momento, eu considero o que vai acontecer com ela se sairmos dessa vivos.

Eu sinto algo molhado na base do meu crânio. *Dentro* do meu capacete. Viro meu pescoço e tento enxergar o problema, mas a água se movimenta atrás do meu pescoço, a tensão da superfície grudando na minha pele. Percebo que meu tubo de água foi rompido. Que meus tanques de hidratação estão sendo esvaziados *dentro* do meu capacete. Que mesmo se essa Dobrastade não me matar, em mais ou menos sete minutos, meu capacete vai se encher de água e eu serei o primeiro humano noticiado que já se afogou no espaço.

Se sairmos dessa vivos?

— Sem chance — eu murmuro.

• • • • • • • • • • • •

— *Sem chance* — diz a tenente.

Três horas e meia antes, estou no Controle de Voo da Academia Aurora. O nome da tenente de pilotagem é Lexington, e ela é só dois anos mais velha do que eu. Uns meses atrás na festa de Dia da Fundação, ela bebeu demais e disse que gostava das minhas covinhas, então agora eu sorrio para ela sempre que posso.

Ei, se você tem algo para exibir, exiba.

Mesmo a essa hora, as docas estão agitadas. Desde o mezanino, consigo ver um dos cargueiros do setor Trask sendo descarregado. A nave enorme fica pousada na estação, seu casco batido devido aos bilhões de quilômetros pelos quais viajou. Drones Alimentadores voam ao seu redor como um enxame de metal barulhento.

Viro de novo para a tenente. Aumento ainda mais meu sorriso.

— Só por uma hora, Lex — eu imploro.

A segundo-tenente Lexington ergue uma sobrancelha escura em resposta.

— Você não quer dizer "só por uma hora, senhora", Cadete Jones?

Ops. Fui longe demais.

— Sim, senhora. — Dou a ela minha melhor continência. — Minhas desculpas, senhora.

— Você não deveria estar aproveitando para tirar algumas horas de sono? — ela suspira.

— Não consigo dormir, senhora.

— Preocupado com o Alistamento amanhã? — Ela sacode a cabeça e finalmente sorri. — Você é o Alfa com o maior ranking do seu ano. Por que está se preocupando?

— Só estou com um pouco de energia nervosa. — Indico com a cabeça as fileiras de Fantasmas na Doca 12. As naves escoteiras são elegantes. Em formato de lágrimas. Escuras como o vazio lá fora. — Pensei que poderia colocá-la em uso e aproveitar para pegar algumas horas na Dobra.

O sorriso dela desaparece.

— Negativo. Os cadetes não são permitidos na Dobra sem um parceiro, Jones.

— Eu tenho uma recomendação de cinco estrelas do meu treinador de voo. E também serei um legionário pleno amanhã. Não vou mais longe do que um quarto de parsec.

Me aproximo mais. Coloco meu sorriso no modo ofuscar.

— Eu mentiria para você, senhora?

E lentamente, muito lentamente, vejo seu sorriso reaparecer.

Obrigado, *covinhas*.

Dez minutos depois, estou sentado na cabine da Fantasma. O motor aquece e o sistema das docas coloca minha nave no tubo de decolagem, e com um rugido surdo estou voando na direção da escuridão. Estrelas brilham do lado de fora das janelas. O vazio se estende na direção do sempre. A Estação Aurora está acesa atrás de mim, os cruzeiros e navios pesados da capital atracados em suas pontas ou cortando a escuridão ao seu redor. Eu mudo de direção, sentindo uma leve desorientação conforme a gravidade some, substituída pela leveza que está fora da superfície da estação.

O Portão da Dobra se aproxima à minha frente, mais ou menos a cinco mil quilômetros à frente da proa da estação. Gigantesco. Hexagonal. Seus pilares piscam esverdeados na escuridão. Dentro dele, consigo ver um campo cintilante, pontilhado por partículas de luz.

Uma voz crepita em meu comunicador.

— Fantasma 151, aqui é o Controle Aurora. Está liberado para entrar na Dobra. Câmbio.

— *Entendido, Aurora.*

Eu ativo os propulsores, arremessado contra o assento na velocidade conforme acelero. O piloto automático se ajusta, e o Portão da Dobra se acende mais brilhante que o sol. E, sem nenhum som, me arremesso na direção de um céu infinito e sem cor.

Um bilhão de estrelas esperam para me cumprimentar. A Dobra se abre e me engole por inteiro, e nesse instante, não consigo ouvir o rugido dos propulsores ou a mensagem do meu navegador. Nem minhas preocupações sobre o Alistamento ou as memórias do meu pai.

Por um breve instante, toda a Via Láctea é feita de silêncio.

E eu não ouço nada.

· · · · · · · · · · · · ·

Eu não ouço nada.

A massa amorfa de água no fundo da minha cabeça já chegou aos meus ouvidos quando finalmente consigo destrancar a cápsula criogênica, deixando os alarmes do meu traje no mudo. Sacudo a cabeça vigorosamente, mas o líquido só passa pela minha pele na gravidade zero, uma grande massa se acumulando perto do meu olho esquerdo e me deixando quase cego. Tentando ao máximo não xingar, rompo o selo da cápsula e abro a porta.

O espectro de cores aqui na Dobra é monocromático, tudo reduzido a tons de preto e branco. Quando a luz da cápsula muda para uma tonalidade um pouquinho diferente de cinza, não tenho certeza de que cor é até que...

ALERTA VERMELHO. INÉRCIA INTERROMPIDA. CÁPSULA 7173 COMPROMETIDA. ALERTA VERMELHO.

O monitor brilha um aviso conforme enfio minhas mãos no gel viscoso, encolhendo conforme o frio penetra meu traje. Não consigo imaginar o que poderia acontecer ao tirar essa garota prematuramente, mas deixar ela na Dobrastade *definitivamente* vai matá-la. E se eu não andar rápido, vai me matar também.

E vai continuar sendo uma droga.

Por sorte, o casco da *Hadfield* parece que foi violado há décadas, então não há atmosfera para drenar o resto do calor do corpo dessa garota. Infelizmente, também significa que não tem nada que ela possa respirar. As drogas que eles injetaram nela antes de congelá-la ainda devem desacelerar seu metabolismo por tempo suficiente para que consiga sobreviver alguns minutos sem oxigênio. Com minhas reservas de água ainda vazando dentro do meu capacete, estou mais preocupado comigo no departamento de Não Conseguir Respirar.

Ela está suspensa sem peso acima da cápsula, ainda ancorada ao acesso intravenoso, ainda envolta no gel criogênico. A *Hadfield* estremece de novo, e estou feliz que não consigo ouvir de verdade o que a Dobrastade está fazendo com o casco. Uma explosão de raios pretos irrompe na parede ao meu lado, derretendo o metal. A água vazando no meu capacete está cada vez mais próxima da minha boca. Começo a limpar o gel da cara da garota, jogando-o para longe na câmara e fazendo-o aterrissar em outras cápsulas. Fileiras e fileiras delas. Todas cheias com o mesmo gel congelante. Cada uma delas contendo um cadáver enrugado flutuando.

Todos mortos. Centenas. Milhares.

Todas as pessoas nessa nave estão mortas, exceto ela.

O display holográfico dentro do meu capacete brilha outro aviso conforme os relâmpagos liquefazem outro pedaço do casco. É uma mensagem do computador de bordo da Fantasma.

Aviso: intensidade da dobrastade aumentando. Partida imediata é recomendada. Repito: partida imediata é recomendada.

É, valeu pelo aviso.

Eu deveria deixar essa garota aqui. Ninguém iria me culpar. E a galáxia na qual ela vai acordar? Criador, é provável que ela me agradecesse se deixasse ela para a tempestade. Olho para os outros cadáveres nas outras cápsulas. Todas essas pessoas que saíram da Terra anos atrás, caindo no sono com a promessa de um novo horizonte, sem saber que nunca mais acordariam. E eu percebo que não posso deixá-la aqui para morrer.

Essa nave já tem fantasmas demais.

• • • • • • • • • • • •

Meu pai costumava nos contar histórias de fantasmas sobre a Dobra.

Nós crescemos com elas, minha irmã e eu. Papai costumava ficar acordado até tarde da noite e falar sobre o passado quando a humanidade deu seus primeiros passos fora da Terra. Na antiguidade, quando descobrimos o espaço entre o espaço, onde o tecido do universo não estava costurado do mesmo jeito. E porque nós, Terráqueos, somos tão criativos, nós a denominamos como o substantivo da única coisa mágica que ela nos permitia fazer.

Dobra.

Então. Pegue um pedaço de papel. Imagine que é a Via Láctea. É muita coisa para se imaginar, mas confie em mim. Quer dizer, olhe para as minhas covinhas.

Bem, agora imagine que um canto desse papel é onde você está sentado. E o canto oposto fica do oooooooutro lado da galáxia. Mesmo que viaje na velocidade da luz, demoraria milhares de anos para chegar até lá.

Mas o que acontece se dobrar o papel ao meio? Esses cantos estão se tocando, certo? Milhares de anos de viagem se tornam só um passeio até a esquina. O impossível se torna possível.

É isso que a Dobra nos deixa fazer.

O problema é que o impossível sempre tem um preço.

Papai nos contava todo o tipo de história de terror sobre isso. As tempestades que chegavam do nada, fechando seções do espaço. Os primeiros veículos de exploração que simplesmente desapareceram. Aquela sensação de que alguém estava respirando atrás de você, de que você nunca está sozinho.

Acontece que os efeitos de viajar na Dobra em mentes conscientes é que eles aumentam conforme você fica mais velho. Não recomendam que ninguém com mais de vinte e cinco anos faça a viagem sem ter sido congelado. Eu terei sete anos na Legião, e depois disso, estarei comandando uma mesa de escritório pelo resto da vida.

Porém agora, nesse instante, faz pouco mais de uma hora que eu estou voando na Fantasma. Cruzando oceanos entre as estrelas em questão de minutos. Assistindo enquanto sóis ficam borrados e o espaço entre eles oscila e a distância se torna insignificante. Ainda assim, estou começando a sentir os efeitos. A respiração atrás do meu pescoço. As vozes, além do alcance dos ouvidos.

Estou aqui há tempo demais.

O Alistamento é amanhã.

Deveria estar dormindo.

Criador, o que é que eu estou fazendo aqui?

Começo a preparar o caminho de volta para a Academia Aurora quando a mensagem aparece na minha tela. Repetindo. Automática.

SOS.

Sinto um frio no meu estômago conforme vejo as três letras piscarem na tela. O estatuto da Legião Aurora diz que todas as naves são obrigadas a investigar pedidos de socorro, mas a varredura que faço na região detecta uma Dobrastade perto da origem da mensagem que está a aproximadamente quatro milhões de quilômetros.

E então meu computador traduz o código do pedido de socorro.

IDENTIFICAÇÃO: NAVE TERRÁQUEA, CLASSE ARCA.

DESIGNAÇÃO: HADFIELD.

— Não pode ser... — eu sussurro.

Todo mundo sabe o que aconteceu no desastre da Hadfield. *Em tempos remotos, nos primeiros dias de expansão da Terra, a nave inteira desapareceu na Dobra. A tragédia acabou com a era da exploração espacial das corporações. Quase dez mil colonos mortos.*

E é aí que meu computador brilha com uma nova mensagem na tela.

Alerta: biossinal detectado. Único sobrevivente.

Repito: único sobrevivente.

— Sopro do Criador — *eu sussurro.*

· · · · · · · · · · · ·

— Sopro do Criador! — grito.

Outro relâmpago quântico atinge o casco da *Hadfield*, só alguns metros acima da minha cabeça. Não há atmosfera e meus ouvidos estão cheios de líquido, então nem consigo ouvir o metal sendo vaporizado. Mas meu estômago ainda se revira, e a água no meu capacete fica com gosto salgado. Está cobrindo minha boca agora — só meu olho direito e meu nariz estão secos.

Demorou um tempo para eu conseguir encontrá-la. Passei pelas entranhas escuras da *Hadfield* conforme a Dobrastade se aproximava, passei por milhares de cápsulas criogênicas cheias de cadáveres. Não havia sinal do que quer que os havia matado, ou do porquê de uma única garota entre eles ter sido deixada viva. Mas, finalmente, ela estava lá. Enroscada em sua cápsula, olhos fechados como se só estivesse tirando um cochilo. Bela Adormecida.

Ela ainda está dormindo, conforme os tremores me atiram nas paredes fortes o bastante para me tirar o ar. A água no meu capacete se mexe, e eu sem querer respiro um pouco, engasgando e tossindo. Eu devo ter uns dois minutos antes de me afogar. E assim eu só puxo o tubo respiratório da sua garganta, arranco a sonda dos seus braços, vejo seu sangue cristalizar no vácuo. Esse tempo todo e ela nem se mexe. Mas ela está franzindo o cenho, ainda presa naquele pesadelo.

Entendo bem a sensação.

A bolha de água cobre os meus dois olhos agora. Está se aproximando do meu nariz dos dois lados. Eu aperto meus olhos para distinguir o borrão, seguro o corpo dela perto e chuto o anteparo. Nós dois não pesamos nada, mas entre os tremores da *Hadfield* e a água me cegando, é quase impossível controlar nossa trajetória. Nós batemos contra uma série de cápsulas, cheia de corpos mortos há muito tempo.

Me pergunto quantos deles ela conhecia.

Ricocheteando contra a parede distante, meus dedos lutam para encontrar aderência. A parte de baixo da nave é um labirinto, centenas de câmaras repletas de cápsulas. Mas eu gabaritei meu exame de orientação em gravidade zero. Sei exatamente aonde preciso ir. Sei exatamente como chegar de volta ao atracadouro da *Hadfield*, onde minha Fantasma nos espera.

Só que a água finalmente entra no meu nariz.

E eu não consigo respirar.

O que pode parecer ruim, eu sei...

Tá bom, é *realmente* ruim.

Contudo, não conseguir respirar significa que eu não preciso mais do suprimento de oxigênio. E então eu me volto para o corredor que leva para longe das câmaras criogênicas. Alcançando a parte de trás do meu traje, encontro os cabos certos e arranco. E com uma explosão de oxigênio escapando e agindo como um pequeno propulsor, nós voamos.

Estou segurando a garota fortemente contra meu peito. Guiando-nos com minha mão livre, apertando meus olhos contra a água enchendo meu capacete. Meus pulmões estão queimando. Relâmpagos irrompem contra as paredes, cortando o titânio como se fosse manteiga. A nave estremece e nós rebatemos contra as paredes e consoles, minhas botas chutando, ainda conseguindo nos manter no trajeto.

Para fora.

Para longe.

Estamos no atracadouro agora, e minha Fantasma está na parte mais distante, só um borrão escuro na minha visão submersa. Nuvens vastas e rodopiantes da Dobrastade aguardam um pouco além dos portões. Relâmpagos pretos no ar. Pontos negros na minha visão. Toda a galáxia embaixo d'água. Estou quase surdo. Quase cego. Um único pensamento crescendo em minha mente.

Ainda estamos longe demais da nave.

A pelo menos duzentos metros. A qualquer segundo, meu reflexo respiratório vai desistir e vou inalar a água e encher meus pulmões. Ainda vendo a salvação, eu vou morrer.

Nós dois vamos morrer.

Criador, nos ajude.

O relâmpago lampeja. Meus pulmões estão gritando. Coração gritando. A Via Láctea inteira, gritando. Fecho meus olhos. Penso na minha irmã. Rezo para que ela fique bem. Há uma sensação de vertigem. E então eu sinto na minha mão. Metal. Familiar.

O que...?

Abro meus olhos, e ali estamos, flutuando ao lado da Fantasma. A escotilha de entrada bem embaixo dos meus dedos. É impossível. Não tem como...

Não há tempo para fazer perguntas, Tyler.

Eu abro a escotilha, arrasto nós dois para dentro, e bato com força para fechar. Conforme a pequena câmara de vácuo se enche de oxigênio, eu arranco meu capacete e tiro a água da minha cara, respiração explodindo para meus pulmões. Eu me curvo, flutuando, arfando, respirando grandes lufadas de ar para dentro do meu peito. Os pontos negros explodem em meus olhos. A *Hadfield* balança e dá uma guinada, prendendo minha Fantasma na acoplagem.

Você tem que se mexer, Tyler.

MEXA-SE, DESGRAÇADO.

Eu abro a câmara de vácuo, me coloco de novo no assento de piloto. Meus pulmões ainda doem, lágrimas escapando dos meus olhos. Eu bato nos controles para o lançamento, aperto os propulsores antes de desacoplar por inteiro, arranco para fora da barriga da *Hadfield* como se minha cauda estivesse pegando fogo.

A Dobrastade infla e se desdobra atrás de nós, todos os meus sensores estão vermelhos. Os propulsores me empurram na cadeira, a gravidade pressionando meu peito conforme aceleramos. Já estou carente de oxigênio, e é mais do que consigo aguentar.

Consigo ativar meu pedido de socorro com a mão trêmula, e então estou afundando. Afundando no branco atrás dos meus olhos. Da mesma cor das estrelas, brilhando no preto sem-fim.

E meu último pensamento antes de desmaiar por completo?

Não foi que acabei de salvar a vida de alguém ou de que não faço ideia como conseguimos cobrir os últimos duzentos metros de volta para a câmara de vácuo da Fantasma ou que nós dois deveríamos estar mortos.

Foi que eu vou perder o Alistamento.

2

AURI

Sou feita de concreto. Meu corpo foi esculpido de um grande bloco sólido de pedra, e não consigo mexer um músculo.

Essa é a única coisa que eu sei. Não consigo me mexer.

Não sei meu nome. Não sei onde estou. Não sei por que não consigo ver ou ouvir, sentir o gosto ou o cheiro ou qualquer coisa que seja.

E então há... inserção. Parecido com quando se está caindo e não tem como saber qual é o caminho para cima ou para baixo, ou quando um jato d'água te atinge e você não consegue dizer se está quente ou frio, e agora eu não consigo distinguir se estou ouvindo ou vendo ou sentindo. Só sei que há algo que consigo sentir que não sentia antes, então agora eu aguardo, impaciente, para saber o que vem depois.

— Por favor, senhora, deixa eu ficar com o meu univídro, eu posso colocar no canal pra assistir o Alistamento daqui. Posso ver só as últimas rodadas, só se eu...

É a voz de um garoto, e em um ímpeto entendo as palavras, apesar de não saber do que ele está falando — mas há um tom de desespero na sua voz que faz meu pulso acelerar em resposta.

— Você tem que entender o quanto isso é importante.

· · · · · · · · · · · · ·

— *Você tem que entender o quanto isso é importante, Aurora.* — *É a voz de mamãe, e ela está atrás de mim, colocando os braços ao redor dos meus ombros.* — *Isso vai mudar tudo.*

Estamos na frente de uma janela, fios de nuvens e fumaça visíveis do outro lado do vidro espesso. Me inclino para a frente e encosto a testa contra ele, e quando olho para baixo, sei onde estou. Lá embaixo, há um rastro de verde lamacento. Central Park, em uma colcha de retalhos marrom, os telhados dos musseques e os pequenos campos talhados pelos moradores, a água acinzentada ao lado.

Estamos do lado oeste na 89th Street, no quartel-general da Corporação Ad Astra, os empregadores dos meus pais. Estamos no dia do lançamento da expedição de Octavia III. Meus pais queriam que nós entendêssemos por que eles estavam indo. Por que estávamos olhando para um futuro de um ano de internato, onde passaríamos finais de semana e feriados presos com os amigos. Isso foi uns dois meses antes de contarem para mamãe que a tiraram da missão.

Antes de papai dizer que ia sem ela.

Ali, conforme eu observo, as árvores do Central Park começam a crescer, disparando para o alto como o feijão mágico. Em segundos estão da mesma altura dos arranha-céus ao redor. Videiras saltam e se amarram aos prédios rapidamente. Elas apertam como jiboias, e a tinta nas paredes começa a rachar, pó fino caindo do teto.

Flocos de azul caem do céu como neve.

Mas esse pedaço da memória nunca aconteceu, e ver isso é doloroso — é detestável e invasivo de uma maneira que não consigo descrever. Eu me encolho dela, tento escapar, retornar à consciência.

De volta para a luz.

· · · · · · · · · · · · ·

A luz é clara e o garoto ainda está falando, e conforme me lembro dos limites do meu corpo, eu me lembro de meu nome. Sou Aurora Jie-Lin O'Malley.

Não, espere. Sou Auri O'Malley. Assim é melhor. Essa sou eu.

E eu definitivamente tenho um corpo. Isso é bom. É um progresso.

Meu paladar e olfato estão de volta, e imediatamente desejo que não estivessem. Porque, carácoles, parece que algo se arrastou para dentro da minha boca, batalhou até a morte e então se decompôs.

Há a voz de uma mulher agora, mais distante.

— Sua irmã chegará logo, você só precisa esperar.

O garoto de novo:

— Scarlett está vindo? Sopro do Criador, a cerimônia de formatura já acabou? Quanto mais eu tenho que esperar?

• • • • • • • • • • • • •

Quanto mais eu tenho que esperar?

Estou em uma chamada de vídeo com meu pai, e essa é a pergunta que paira em minha mente. O atraso da conexão está se arrastando por meus últimos nervos, o sistema de transmissão me fazendo esperar por alguns minutos antes que minhas respostas cheguem a ele em Octavia, e mais alguns minutos até a resposta dele voltar.

Entretanto, papai está com Patrice sentada ao lado dele, e não tinha nenhuma razão para ela estar ali, exceto se ela mesma fosse contar as novidades. Acho que estou prestes a ouvir que a espera que dominou minha vida por dois anos está quase terminada. Acho que todo meu trabalho vai ser recompensado, e estou prestes a ouvir que serei convocada para a terceira missão para Octavia.

Hoje é meu aniversário de dezessete anos, e não consigo pensar em presente melhor em todo o espaço-tempo.

Patrice ainda não se pronunciou, e papai está divagando sobre outras coisas, dando risadas como se seus números da Megaloto tivessem sido anunciados. Sua barraca sumiu — eles estão sentados na frente de uma parede de verdade, com uma janela de verdade e tudo mais, então sei que a colônia está realmente progredindo. No colo de papai está um dos chimpanzés com quem ele trabalha no bioprograma de Octavia. Quando minha irmã e eu nos comportamos mal, ele brinca dizendo que os chimpanzés são seus verdadeiros filhos.

— Minha família adotiva está indo muito bem — ele ri, fazendo carinho no animal —, mas estou animado para ter pelo menos uma das minhas garotas aqui em pessoa.

— Então vai ser logo? — eu pergunto, sem conseguir me conter mais.

Solto um grunhido internamente, colocando a cabeça para trás e me resignando a uma espera de quatro minutos pela resposta. Meu coração para quando eu vejo a resposta finalmente chegar para eles. Papai ainda está sorrindo, mas Patrice parece... nervosa? Preocupada?

— Vai ser logo, Jie-Lin — meu pai promete —, mas... estamos ligando por causa de outra coisa hoje.

Espere um pouco, ele realmente se lembrou do meu aniversário?

Ele ainda está sorrindo, e ergue sua mão para que eu veja na tela.

Carácoles, ele está de mãos dadas com Patrice...

— Patrice e eu temos passado muito tempo juntos ultimamente — diz ele. — E nós decidimos que é hora de deixar tudo um pouco mais oficial e dividir nossos aposentos. Então vamos ser três quando você chegar. — Ele ainda está falando, mas não estou mais escutando de verdade. — Achei que você poderia trazer farinha de arroz quando vier, e tapioca. Quero fazer uma refeição que não seja sintética para celebrar que estamos juntos de novo. Vou fazer macarrão de arroz.

Demora um minuto para eu entender que ele acabou de falar, que ele está esperando por minha resposta. Estou olhando para os dois, suas mãos entrelaçadas, o sorriso esperançoso de papai e o sorriso desconfortável de Patrice. Pensando na minha mãe e tentando processar o que isso quer dizer.

— Você só pode estar brincando — eu digo finalmente. — Você quer que a gente comemore?

Discutir com um atraso de quatro minutos não funciona, então continuo com a transmissão. Dizendo tudo que eu preciso dizer antes que ele tenha a chance de responder.

— Olha, sinto muito que precise ouvir isso, Patrice, mas é óbvio que papai não te leva em consideração o bastante para me contar isso sozinho. — Eu me viro para encarar meu pai, minha mão apertando o botão de Transmissão tão forte que os nós nos meus dedos ficam brancos. — Primeiro, obrigada pelos parabéns, pai. Obrigada por me dar parabéns por vencer as Interestaduais de novo. Obrigada por se lembrar de mandar uma mensagem para Callie por causa do recital, que ela apresentou lindamente, aliás. Mas, mais do que tudo, obrigada por isso. Mamãe não conseguiu permissão para o Octavia, então agora você... você só troca ela? Vocês nem se divorciaram ainda!

Não espero para ouvir o atraso na resposta. Não quero ouvir as mesmas versões de desculpas ou justificativas. Eu aperto um botão com força para acabar a transmissão. Antes de conseguir me levantar da cadeira, a imagem congelada dos dois estremece.

Vejo um flash de luz.

É tão brilhante que o mundo inteiro queima até ficar branco. E enquanto eu aperto meus olhos e coloco a mão na frente para me proteger, percebo que não consigo ver mais nada.

Eu não consigo ver.

・・・・・・・・・・・・

Eu consigo ver.

Estou deitada de costas e consigo ver o teto. É branco, e tem cabos se conectando, e em algum lugar acima de mim tem uma luz que machuca meus olhos. Ergo minha mão para protegê-los como fiz em meu sonho, quase surpresa porque consigo ver meus dedos.

Deixando os sonhos estranhos de lado, eu agora tenho meu nome. E me lembro da minha família. Eu era parte da terceira expedição de colonos para Octavia III. Progresso!

Talvez eu esteja agora em Octavia, e essa é a recuperação criogênica?

Encaro o teto, olhos semifechados contra a luz. Consigo sentir mais memórias pairando um pouco além do meu alcance. Talvez se eu fingir que estou olhando para *esse* lado, para longe delas, elas vão sair do seu esconderijo. E assim eu darei meu bote.

Decido então focar em outra coisa e decido tentar virar minha cabeça. Escolho o lado esquerdo, porque é de onde vem a voz do garoto. Sinto que sou um daqueles marombeiros em vídeos que conseguem puxar um drone de carregamento com as mãos conforme me esforço contra a inércia, colocando cada átomo de mim nesse esforço. É a sensação mais estranha — esforço imensurável sem sequer sentir alguma coisa.

Sou recompensada com a vista de uma parede de vidro, esfumaçada até a altura do quadril. O garoto está do outro lado dela, andando em círculos como um animal em uma jaula.

Meu cérebro sofre um curto-circuito, tentando processar todas essas informações de uma vez.

Fato: ele é gato pra caramba. Queixo esculpido, cabelo loiro bagunçado, olhar inquieto com uma pequena cicatriz perfeita em sua sobrancelha direita, gato de um jeito que é simplesmente ridículo. Esse fato ocupa uma boa parte do meu estado mental.

Fato: ele não está usando uma camiseta. Isso já é um candidato para a posição de Fato Mais Importante e parece bastante relevante aos meus interesses.

O que quer que eles sejam.

Onde quer que eu esteja.

Espere, espere um segundo, damas e cavalheiros, e todos que são as duas coisas ou nenhuma, ou estão em algum lugar nesse espectro. Nós temos mais um competidor para o Fato do Século. Todos os outros fatos, por favor, um passo para o lado.

Fato: através da parede de vidro que esconde todos os outros detalhes interessantes, não há como duvidar disso. Meu garoto misterioso não está de calças.

Esse dia só está melhorando.

Ele franze o cenho, fazendo a cicatriz na sua sobrancelha realmente trabalhar.

— Isso está demorando muito — ele diz.

• • • • • • • • • • • • •

— *Isso está demorando muito.*

O homem na minha frente está reclamando de novo. Estamos todos enfileirados para a criogenia, centenas de nós, e o lugar tem cheiro de alvejante industrial. Meu estômago está se revirando, mas não estou nervosa — estou empolgada. Treinei anos para isso. Dei tudo de mim para conseguir esse estágio. Eu mereço esse momento.

Eu disse adeus a minha mãe e minha irmãzinha, Callie, ontem, e essa foi a parte mais difícil de ir embora. Não falei com papai desde o Incidente Patrice, e não sei o que vamos dizer quando estivermos juntos. Patrice em si tem sido boa — ela enviou alguns memorandos que eu precisava ler, deixando nossa relação amigável e profissional. De todas as pessoas que ele podia escolher, ele tinha que começar a transar com a mulher que seria a minha supervisora?

Obrigada de novo, pai.

Eu avanço um pouco mais para o começo da fila. Em alguns instantes será minha vez de tomar um banho, e vou me esfregar até minha pele sair, colocar meu macacão cinza e entrar na cápsula. Eles nos anestesiam antes de colocar os tubos de alimentação e respiração.

A garota atrás de mim na fila parece ter a minha idade, e nervosa para caramba, seu olhar percorrendo tudo na sala como se estivesse ricocheteando em todos os cantos para os quais ela olha.

— Oi — eu digo, tentando um sorriso.

— Oi — ela responde, trêmula.

— Estágio? — pergunto, tentando criar uma distração.

— Meteorologia — diz ela, seu sorriso um pouco tímido. — Sou uma nerd do clima. Difícil não ser, eu cresci na Flórida. A gente tem todos os climas.

— Estou em exploração e cartografia — digo. — Audaciosamente indo aonde nenhum homem jamais esteve, esse tipo de coisa. Mas vou voltar bastante para a base, também. Devíamos sair uma hora dessas.

Ela inclina a cabeça como se eu houvesse falado algo estranho, e a cena toda estremece, e uma luz tremula como um estroboscópio. A garota fecha os olhos para a luz, e quando ela os abre, seus olhos mudaram. Ainda consigo ver as pupi-

las, a beirada preta da íris, mas enquanto seu olho esquerdo permanece marrom, o direito ficou puro branco.

— Eshvaren — ela sussurra, me encarando como se não me visse.

— O quê?

O homem na minha frente sussurra a mesma palavra.

— E-e-eshvaren.

Quando me viro, vejo que seu olho direito também ficou branco.

— O que isso significa?

Mas nenhum deles responde. Eles só sussurram a palavra de novo e de novo, e ela se espalha pela fila como fogo pela floresta.

— Eshvaren.

— Eshvaren.

— Eshvaren.

Olhos queimando, dedos estremecendo, ela estica a mão para tocar meu rosto.

• • • • • • • • • • • • •

Ah, olá, tato. Vejo que decidiu se juntar a nós. E agora que está aqui, consigo determinar que cada parte de mim está doendo de maneiras que não achei que haviam sido inventadas.

Outra onda de dor me atinge, varrendo para longe mais uma memória que não era realmente um sonho, e me fazendo lembrar que meu corpo está tão bagunçado quanto a minha cabeça no momento. Sou reduzida a arfadas, gemidos, uma garganta rouca que engasga com o esforço, somente *existindo* até que a dor começa a esvair. Com a dor, com o tato, vem a mobilidade propriamente dita. E isso significa que posso me alçar nos cotovelos e ver o garoto de novo. Sua parte de baixo se tornou cinza-escura, e, pelo que consigo deduzir, ele agora, infelizmente, está vestindo calças.

Esse dia está realmente ficando ruim.

A descoberta de calças insinua uma pergunta em minha mente, e olho para baixo para verificar o que *eu* estou vestindo embaixo do leve lençol prateado que me cobre. A resposta é "nada".

Huh.

Olho de volta para o garoto, e no mesmo instante, ele olha para mim, seus olhos arregalados quando percebe que estou acordada. Tento respirar para conseguir falar, mas engasgo, minha garganta ardendo como se alguém estivesse arrancando minhas cordas vocais, uma por uma.

— Você está bem? — ele pergunta.
— Aqui é Octavia? — digo em um chiado.
Ele sacode a cabeça, olhos azuis encontrando os meus.
— Qual o seu nome?
— Aurora — consigo dizer. — Auri.
— Tyler — ele responde.

E eu deveria perguntar onde estou. Se estamos na *Hadfield* e eu acordei mais cedo, se estou na Terra e a missão foi abortada. Há algo em seu olhar que me faz segurar as perguntas.

Ele deixa a testa descansar no vidro entre nós com um som pesado. Como eu fiz naquela janela na 89th Street. A memória me pega de surpresa, trazendo com ela a aguda sensação de querer a minha mãe. Esse garoto parece tão perdido quanto eu.

— *Você* está bem? — eu sussurro.
— Eu perdi — ele finalmente diz. — O Alistamento. Perdi a coisa toda.

E eu não faço ideia do que é o Alistamento ou do porquê de ser tão importante, mas eu pergunto mesmo assim.

— Você tinha outro lugar pra estar?

Ele faz que sim com a cabeça e suspira.

— Estava te resgatando.

Resgatando.

Essa não é uma boa palavra.

— Sei lá com quem eu fiquei — ele diz, e nós dois sabemos que ele está mudando de assunto. — Era pra eu ter as quatro das primeiras cinco escolhas, e agora estou preso no fundo do poço. Os que ficaram para trás. E eu só estava seguindo o proto...

— As notícias não são assim *todas* ruins, Ty.

O ronronar baixo vem de algum lugar fora do meu campo de visão. A voz de uma garota.

Tyler se vira para longe de mim como se eu fosse fofoca obsoleta, colocando-se contra a parede.

— Scarlett.

Viro meu olhar cuidadosamente para aquele lado — o que ainda requer algum tempo e estratégia, pois meu corpo se recusa a fazer qualquer coisa sem um plano — e vejo quem ele está cumprimentando. Há duas garotas paradas em pé em uniformes azul-acinzentados, da mesma cor da calça que ele conseguiu. Uma delas tem cabelos vermelhos — laranja, na verdade, um trabalho de tintura incrível — em um corte assimétrico que fica na altura de um queixo esculpido igual o dele. Ela também compartilha dos seus lábios grossos, suas sobrancelhas marcantes. A saia do seu uniforme é curta e impressionante. Ela é alta. E ela é linda. Presumo que seja Scarlett.

A segunda garota tem um rosto fino e a tatuagem de uma fênix de asas abertas em sua garganta (ai). Cabelos pretos, mais longos e arrepiados no topo com um moicano, os lados raspados e com ainda mais tatuagens embaixo. Consigo distinguir que ela tem covinhas e que seu sorriso seria enorme, mas sou obrigada a deduzir sem ter visto de verdade, porque agora ela está parecendo que alguém matou a vó dela.

— Cat? — Tyler diz a ela. A voz dele está baixa, implorando.

— Ketchett tentou me alistar — diz Cat. — E mais um monte depois disso. Eu disse que já tinha um Alfa, ele só não podia comparecer.

— Disse, é? Ketchett ainda está respirando?

— Sim — a garota sorri. — Da próxima vez que for à capela, você deve rezar uma prece aos testículos dele.

Ele respira fundo e pressiona a palma da mão contra o vidro, e ela ergue a sua própria palma em conjunto.

A garota do cabelo laranja os observa.

— Não precisei insistir *tanto* — diz ela, irônica. — Mas não podia deixar você lá sozinho. Provavelmente ia acabar se matando se eu não estivesse por perto para fazer as pazes com todo mundo, irmãozinho.

A Garota Tatuada ergue as mangas do seu uniforme, revelando ainda mais desenhos.

— Falando em se matar, você quer nos contar o que estava fazendo Dobrando sozinho? Pensando com sua outra cabeça de novo?

Scarlett concorda com a cabeça.

— Resgatar donzelas é muito século XXII, Ty.

... *O quê?*

Tyler ergue as mãos, fazendo o gesto de "O que vocês esperam de mim?", e as garotas se viram para me olhar na minha cama com olhares curiosos. Verificando quem eu sou. Me avaliando.

— Gosto do cabelo dela — declara Scarlett. E então, como se lembrasse que sou uma pessoa de verdade, ela fala para mim, mais alto, um pouco mais devagar. — *Eu gosto do seu cabelo.*

A segunda garota franze o nariz, obviamente menos impressionada.

— Você contou a ela as más notícias sobre os livros da biblioteca?

— Cat! — os outros dois gritam em uníssono.

Uma voz adulta corta antes que eles possam argumentar mais.

— Legionário Jones, sua quarentena está limpa, você está liberado. *Você contou a ela as más notícias?*

O olhar de Ty encontra o meu. Ele hesita.

— Você pode voltar de manhã para descobrir quando pode visitar — a voz diz.

Ele aquiesce relutante, saindo de seu cubículo de tratamento conforme a porta se abre em um chiado. Com um último olhar na minha direção, o trio deixa o cômodo, a voz de Ty atenuando conforme ele desaparece de vista.

— Ei, vocês podem me dar uma camiseta?

Meu cérebro está começando a juntar mais fatos agora, agitação tomando conta conforme a letargia da criogenia se esvai.

Onde estou? Quem são essas pessoas? Elas estão usando uniforme — isso é algum tipo de centro militar? Se sim, o que estou fazendo aqui, e será que estou segura? Tento fazer mais uma pergunta, mas minha voz não funciona. E não há mais ninguém para perguntar, de todo modo.

Então sou deixada sozinha, em silêncio, cada nervo pulsando no mesmo ritmo das batidas do meu coração, minha cabeça cheia de perguntas mal formuladas, tentando atravessar o estado de confusão que não sabia que vinha com a criogenia.

• • • • • • • • • • • •

Não sei quanto tempo se passou quando ouço vozes de novo. Estou no meio de mais um dos sonhos estranhos, dessa vez em um mundo cheio de plantas verdes gananciosas, flocos azuis caindo do céu, quando...

— Aurora, você pode me ouvir?

Com esforço, empurro para longe a imagem do lugar que nunca vi e viro minha cabeça. Devia estar cochilando, porque ao meu lado agora está uma mulher no mesmo uniforme azul-acinzentado que todos usam.

Ela é perfeitamente branca. E não estou falando de "metade da minha família é chinesa e você é mais branca do que eu", por branca, eu quero dizer branca da cor da neve mesmo. Impossivelmente branca. Seus olhos são de um cinza-claro — os olhos todos, não só a íris — e grandes demais. Seu cabelo branco da cor de ossos está puxado para trás em um rabo de cavalo.

— Eu sou a Líder de Batalha do Grande Clã, Danil de Verra de Stoy. — Ela faz uma pausa para que eu possa digerir a frase. — Estou feliz em conhecê-la, Aurora.

Grande Clã o quê?

— Hummm — eu concordo, sem querer arriscar qualquer outro tipo de som. *Ninguém me chama de Aurora a não ser que eu esteja em apuros.*

— Imagino que tenha muitas perguntas — diz ela.

Evidentemente, ela não espera uma resposta. Aquiesço só um pouco, tentando me concentrar neste instante.

— Eu tenho más notícias — continua ela. — Não sei de que maneira falar isso mais delicadamente, então serei franca. Houve um acidente com a sua nave enquanto estava em rota para Lei Gong.

— Estávamos indo para Octavia — eu respondo baixinho, mas eu sei que o nome da colônia não é a questão. Consigo entender pela cautela em sua voz que há algo muito maior por vir. Há uma pressão no ar, como no momento antes de uma tempestade cair.

— Você foi retirada da sua cápsula criogênica de maneira incorreta — ela continua —, e é por isso que está se sentindo como se fosse virada do avesso. Logo isso vai melhorar. Mas a *Hadfield* sofreu um acidente na Dobra, Aurora.

— É Auri — sussurro, procurando protelar.

Acidente na Dobra.

— Auri.

— Que tipo de acidente? — pergunto.

— Você ficou à deriva por algum tempo. Você pode perceber que eu não me pareço com você.

— Minha mãe sempre disse que não era educado falar esse tipo de coisa.

Ela deu um sorriso gentil.

— Sou Betraskana. Sou uma das muitas espécies alienígenas que os Terráqueos encontraram desde o tempo que você embarcou na *Hadfield*.

Minha mente entra em um longo curto-circuito, todos os pensamentos coerentes simplesmente se desligando.

Espécies alienígenas?

Muitas?

Não é possível processar, por favor, reinicie o sistema.

— Hum — digo, cuidadosamente. Meu cérebro está tentando seu melhor para não se perder nas possibilidades e não está chegando a lugar nenhum. Essas pessoas são conspiracionistas? Será que fui raptada por uma ala psiquiátrica? Talvez eles *sejam* mesmo militares e estavam mantendo escondido o primeiro contato dos civis.

— Sei que deve ser difícil para processar — diz ela.

— Nós encontramos alienígenas? — eu consigo dizer.

— Temo que sim.

— Mas a Dobra para Octavia deveria levar só uma semana. Se nem chegamos lá, só faz alguns dias, certo?

— Temo que não.

Alguma coisa está tentando se arrastar nos cantos da minha visão, como água gotejando, só que essa água é fosforescente, com milhares de pontos de luz turquesa. Eu empurro para longe e foco minha atenção na mulher ao meu lado.

— Quanto... — Minha garganta se fecha. Mal consigo sussurrar a pergunta. — Por quanto tempo eu fiquei desacordada?

— Eu sinto muito, Aurora. Auri.

— Por quanto *tempo*?

— Duzentos e vinte anos.

— O quê? Você só pode estar zoando. Isso é... — Mas eu nem tenho palavras para descrever isso. — Do que você está *falando*?

— Eu sei que pode ser difícil — diz ela, com cuidado.

Difícil?

Difícil?

Preciso falar com alguém que faça sentido. Meu coração está batendo forte, tentando escapar do meu peito, acompanhando o ritmo das pancadas nas minhas têmporas. Eu me agarro ao lençol prateado para tentar me sentar, e o mundo ao meu redor gira. Consigo virar minhas pernas e pendurá-las na beirada da cama, e coloco o lençol ao meu redor como uma toga conforme fico em pé.

— Aurora...

— Quero falar com alguém do Ad Astra, alguém da expedição para Octavia. Quero falar com minha mãe ou meu pai.

— Aurora, por favor...

Eu tropeço nos primeiros passos, mas o impulso me carrega para fora da porta, que desliza para se abrir quando eu me aproximo. Duas mulheres nos uniformes azul-acinzentados se viram para me encarar, e uma delas dá um passo à frente.

Tento desviar, mas quase caio e ela me agarra pelos ombros. Minhas mãos estão ocupadas demais segurando o lençol, então só chuto seu joelho. A mulher guincha, e suas mãos se agarram com mais força, seus dedos entrando na minha carne.

— Deixe ela passar. — É a voz de Mulher Branca Líder de Batalha atrás de mim, e em contraste ao meu pânico, ela parece calma. Quase resignada.

A mulher me deixa ir, e minhas pernas estremecem conforme ando para a frente, minha garganta restrita, como se alguém a estivesse apertando.

E então eu vejo as janelas do outro lado do corredor. O que está do lado de fora delas.

Estrelas.

Meu cérebro tenta entender o que está acontecendo, encontrando opções de explicação e descartando-as em velocidade máxima. A vista das janelas não é uma parede. Não é um prédio. É um enorme arco de metal, pontuado por luzes claras, esticando para longe de mim em uma curva.

Há espaçonaves voando ao redor, como um cardume de pequenos peixes ao redor de um tubarão.

Isso é uma estação espacial. Isso é o espaço. Esse lugar é impossível — faz as Docas Cid, de onde a *Hadfield* partiu, parecerem um posto de gasolina em um ermo esquecido.

Esse lugar é impossível.

A não ser que a mulher realmente seja um alienígena.

A não ser que eu realmente esteja no espaço.

A não ser que isso realmente seja o futuro.

Beeeeeeep.

Não é possível processar, por favor reinicie o sistema.
Eu tenho 237 anos.
Todos que conheço estão mortos.
Meus pais estão mortos.
Minha irmã está morta.
Meus amigos estão mortos.
Meu lar se foi.
Todos que conheço se foram.
Não pode ser.
A próxima onda de visões vem na minha direção.
Dessa vez deixo que as águas brilhantes encubram minha cabeça.
E elas me puxam para baixo.

3

SCARLETT

Isso é uma droga.

É isso que meu irmãozinho está pensando, consigo ver na cara dele. Ele não vai *falar* em voz alta, porque Tyler Jones, Líder do Esquadrão, Primeira Classe, não usa xingamentos. Tyler Jones não usa drogas, não bebe e não faz nada do que nós, meros mortais, fazemos para nos divertir. Mas se meus dezoitos anos nessa galáxia estranha me ensinaram alguma coisa, é isso:

Só porque não está dizendo, não quer dizer que não esteja pensando.

Estamos sentados no mezanino em cima do arboreto... bem, Cat e eu estamos sentadas, de todo modo. Tyler está andando em círculos, tentando processar o fato de que seus últimos cinco anos de esforço acabaram de ser jogados na reciclagem. Ele passa a mão por seu cabelo louro-dourado, e conforme anda na minha frente pela septingentésima vez, percebo uma pequena mancha nas suas botas normalmente imaculadas.

Nossa, ele realmente está mal.

A abóbada acima de nós é transparente, deixando a luz entrar dos bilhões de sóis distantes. O jardim abaixo é uma mistura da flora da galáxia: espirais de vinha-de-vidro rigellianas e esferas de damas-da-noite pangeanas e pétalas de cristais musicais do oceano imóvel em Artemis IV. O arboreto é provavelmente o meu lugar favorito em toda a Academia, mas o esplendor não parece impactar meu irmãozinho no momento.

Não dá pra culpá-lo, coitadinho.

— Não é o fim da Via, Ty — eu me aventuro a dizer.

— É, mas é mais ou menos isso — responde Cat.

Olho para ela de soslaio e dou o meu melhor sorriso de *cale a bocaaaaa*, falando por dentes cerrados:

— Devíamos pensar no lado positivo, Cat.

— Ah, qual é, Scar — diz Cat, ignorando meu sorriso e toda sua mensagem. — Todo mundo sabe que sacanearam Ty. Ele é o Alfa mais condecorado do nosso ano. E agora ele tem que ficar com o resto e o lixo que nenhum outro líder de esquadrão queria.

— Sem querer alimentar esse seu ego galopante — suspiro —, mas você é a melhor Ás na Academia, Cat. Você não conta nem como resto nem como lixo.

— Valeu — ela sorri. — Eu estava falando de você e dos outros.

— Oh, não. — Coloco a mão no meu peito. — Meu pobre coração.

— Awn. Quer um abraço?

— Um beijo.

— Tá, mas sem língua dessa vez.

Catherine Brannock é a minha colega de beliche aqui na Academia Aurora. Ela é o yin do meu yang. A metade meio vazia para o meu copo meio cheio. A calda do meu sorvete de chocolate. Ela também é a amiga mais antiga minha e de Tyler. Ty empurrou Cat no nosso primeiro dia no jardim de infância, e ela quebrou uma cadeira na cabeça dele em retaliação. Quando a poeira baixou, meu irmão acabou com uma pequena cicatriz na sobrancelha direita para acompanhar suas covinhas fatais — e uma amiga cuja lealdade é basicamente inquestionável.

Ela totalmente não está a fim dele, caso esteja se perguntando.

— Aquela garota estava presa na Dobra por duzentos anos — Cat continua. — Deveriam estar dando uma medalha para Ty por resgatá-la, não prendendo ele aqui com um esquadrão de desajustados.

— Desajustados? — digo. — Sabe, você tem sorte que eu sou uma megera sem alma. Ou você estaria arriscando possivelmente *talvez* estar machucando meus sentimentos.

Cat faz uma careta.

— A Legião Aurora é a melhor chance que temos de trazer estabilidade para a Via Láctea. Como é que vamos ajudar se estaremos com um esquadrão de psicopatas, indisciplinados e assediadores de gremps?

— As pessoas assediam gremps?

— Bom, eu ouvi uns rumores...

— Quem é que faz *isso*?

— Ela está certa — diz Tyler.

Cat e eu olhamos para o meu irmão. Ele parou de andar em círculos e agora encara o jardim. Ele lembra nosso pai por um instante. E apesar de estar fazendo meu melhor para manter meu papel de Rainha das Vacas, meu coração sombrio e murcho *realmente* dói um pouquinho por ele.

— Ela está absolutamente certa — Tyler suspira de novo.

— É claro que estou — Cat grunhe. — Deveríamos falar com a de Stoy. Oficializar uma reclamação. Você ganhou aqueles pontos, Ty, não é justo...

— Quero dizer que Scarlett está certa — diz Tyler.

— Ela... está?

Tyler se vira para nós, se apoiando na grade e cruzando seus braços.

— Eu nem deveria ter ido para a Dobra. Foi erro meu.

— Ty, você arriscou sua...

— Não, Cat — diz Ty, olhando para sua melhor amiga. — Eu sei que você poderia ter escolhido qualquer esquadrão, e não vou esquecer que decidiu ficar comigo. Mas o Alistamento acabou. Não seria justo pedir por tratamento especial. Preciso seguir pela via.

Suspiro.

Saber a via.

Mostrar a via.

Seguir pela via.

É isso que os bons líderes fazem, de acordo com nosso pai — o grande Jericho Jones. E essas são as palavras pelas quais Tyler vive sua vida. Tem um motivo por ele ter passado a vida toda cuidando de mim e de todos ao seu redor. Elas são a razão pela qual ele entrou na Legião Aurora em primeiro lugar. E normalmente, ouvi-lo falar me faz querer chutar o santíssimo saco do meu querido irmãozinho. De vez em quando, porém, essas palavras me lembram do quanto eu amo esse idiota.

Tyler respira fundo, balança a cabeça para si mesmo.

— A Legião significa algo verdadeiro. Há pessoas lá fora que precisam da nossa ajuda, e não estamos ajudando nenhum deles enquanto sentamos aqui sentindo pena de nós mesmos. Eu ainda tenho a melhor pilota da Legião no meu esquadrão. — Ele sorri para Cat, dando a ela o melhor das suas covinhas. — É um começo, certo?

Cat tira um chapéu imaginário da cabeça.

— Uma pilota boa pra cacete, se está me perguntando.

Ty pisca na minha direção.

— E minha diplomata que não é *totalmente* incompetente.

— Respeite os mais velhos, querido irmão.
— Você é três minutos mais velha do que eu, Scarlett.
— Três minutos e trinta e sete ponto quatro segundos, bebezinho.
— Você sabe que eu odeio quando me chama assim.
— Por que você acha que eu faço isso? — Ainda assim me ergo devagar e presto uma continência irônica. — Legionária Scarlett Isobel Jones, me apresentando para o dever, senhor.

Tyler presta continência de volta, e eu só reviro meus olhos.

— O Alfa com o melhor ranking na Academia Aurora — diz ele. — A melhor Ás. Uma Frente mortal. Me parece bastante com um esquadrão bom. Quer dizer, somos parte de uma escola militar de elite com os melhores alunos de toda a galáxia, certo? Não tem como o resto do esquadrão ser tão ruim assim, certo?

Cat e eu trocamos olhares desconfortáveis.

— Hum, é. Sobre isso...

● ● ● ● ● ● ● ● ● ● ● ● ●

— Ela é uma psicopata — declara Tyler.
— Tecnicamente, ela é tipo uma sociopata — respondo.
— Olha todas essas ações disciplinares, Scarlett.
— Hum, eu li todas elas quando compilei o arquivo pra você, obrigada por notar.

Cat, Tyler e eu estamos caminhando pela Calçada-C em meio à multidão da manhã. Esse lugar é sempre uma colmeia, mas hoje está especialmente cheio por causa de todos os esquadrões de legionários sendo mandados em suas primeiras missões. Todo mundo na multidão é militar — Betraskanos e Terráqueos principalmente, ombros se esbarrando em nossos uniformes escandalosamente sem graça.

Eu juro, a pessoa que projetou essas coisas achava que ser enfadonho era um esporte interestelar. Eu preferiria fazer uma massagem nos pés do Grande Ultrassauro de Abraaxis IV do que ser obrigada a usar o uniforme. O corte é razoável, eu suponho, acolchoado e cromado e modelado, mas a cor é um tom de azul-acinzentado horroroso, com o logo da Legião Aurora no peito e uma única faixa nos ombros e nos punhos para denotar nossas divisões.

Azul para os líderes.
Branco para Cat e seus colegas Áses.
Verde para os Cérebros no Departamento de Ciências.
Roxo para os Maquinismos.

Vermelho para os Tanques.

E eu, que sortuda, fico com um amarelo claro e luminoso para o departamento de diplomacia para combinar com minha personalidade alegre e jovial.

Faço o que posso para modificar um pouco as coisas — a barra do uniforme é tecnicamente cinco centímetros mais curta do que a regulamentação tecnicamente permite, e meu sutiã desafia a lei da gravidade universal de Newton. Tentar mais do que isso é uma ótima maneira de ganhar um memorando disciplinar de um dos instrutores, e quem precisa de mais um desses, não é? Já tenho todos os que preciso.

Faz vinte e quatro horas desde que Tyler fez o seu papel rotineiro de Cavaleiro de Armadura na Dobra. Líder de Batalha de Stoy e Almirante Adams já coletaram o depoimento dele, então além da novidade de Ty ter resgatado uma órfã de duzentos anos do acidente mais famoso na história da Terra, estamos de volta ao normal. As primeiras missões estão sendo dadas agora, e quanto mais rápido encontrarmos o resto do nosso esquadrão, mais rápido partimos para a escuridão. Trabalhamos cinco anos para isso, e estou tão cansada desse lugar que consigo sentir o gosto de bile. A escola finalmente *acabou*.

Tyler ainda está olhando para o dossiê digital em seu unividro.

— Zila Madran, Terráquea. Dezoito anos. Departamento de Ciências.

— Ela é inteligente — eu digo. — O boletim dela é perfeito.

— Ela teve trinta e duas reprimendas oficiais nos últimos dois anos.

— Nem todos somos floquinhos de neve perfeitos, querido irmão.

— Fale por si mesma — Cat diz, dando um tapa na própria bunda. — Eu sou incrível.

Tyler olha para o unividro em sua mão, sacudindo a cabeça.

— Diz aqui que a Cadete Madran trancou outros dois cadetes em um quarto e os expôs ao vírus Itreya para poder testar uma vacina que tinha inventado.

— Bem, funcionou — aponto. — Eles não ficaram cegos.

— Ela atirou na colega de quarto com uma pistola disruptiva.

— No modo atordoar.

— Várias vezes.

— Talvez a colega seja difícil de derrubar? — Cat oferece.

— *Et tu*, Brannock? — Tyler pergunta.

Prestamos continência para um instrutor que passa por nós, desviamos de um grupo de cadetes mais jovens (que sussurram em maravilhamento apropriado quando veem o famoso Tyler Jones), e entramos no elevador que nos leva a sala de briefing. Conforme a estação roda seu plastil transparente, juntamente com toda a confusão e algazarra que vinte mil pessoas podem oferecer, Tyler passa para o próximo membro do esquadrão no dossiê.

— Finian de Karran de Seel. Betraskano. Dezenove anos. Divisão de tecnologia.

— Ele é esperto — digo. — Está nos dez por cento do topo. Se está interessado nesse tipo de coisa.

— Aqui diz que ele reprovou em dinâmica da Dobra.

— Se não, ele estaria nos dois por cento — respondo. — Está vendo? *Muito* esperto.

— Também diz que ele usa um exotraje — Tyler continua.

— É. — Eu balanço a cabeça. — Ele sofreu danos nos nervos, tem fraqueza muscular e mobilidade reduzida. Ele pegou Lysergia quando pequeno. O traje ajuda a compensar.

— É justo — Tyler concorda. — Mas se ele é tão esperto, por que fracassou em dinâmica de Dobra?

— O exame final é um trabalho em grupo.

— E daí?

— E daí que você vai ver — Cat suspira.

Saímos do elevador, percorremos a multidão e depois de alguns corredores, chegamos a nossa sala de briefing designada. As paredes se acendem com imagens — mapas estelares delimitando territórios galácticos, notícias diárias sobre a guerra civil em Syldrathi, reportagens de refugiados acumulados no espaço Terráqueo. Uma mesa de vidro domina a sala, o brasão da Academia Aurora projetado na superfície, junto com seu lema.

Nós somos Legião
Nós somos luz
Iluminando o que a escuridão conduz

E sentados em lados opostos, o mais longe que conseguem ficar um do outro, estão dois dos nossos novos colegas de esquadrão.

Zila Madran é Terráquea. Ela é mais baixa do que Cat, e sua pele é negra retinta e seus cachos pretos são longos e circulares. A faixa verde do Departamento de Ciências nos seus ombros não favorecem suas feições, mas se alguém conseguisse transformar beleza em uma arma, ela seria uma ótima candidata. Tem algo no seu olhar, porém. Como se não houvesse ninguém atrás daqueles olhos escuros.

Bem, ao menos ela não está carregando uma pistola disruptiva hoje.

Inclinando-se contra a parede, nosso segundo membro é quase o oposto da primeira. Como todos os Betraskanos, sua pele é branca como ossos alvejados. A única cor viva nele é a faixa roxa do Departamento de Tecnologia no seu uniforme. Seus olhos são maiores do que os dos humanos, e as lentes de contato protetoras que usa por cima deles são inteiramente pretas. Seus ossos são daquele tipo comprido e fino que se tem quando cresce em gravidade zero, e isso faz com que ele seja estranho. Betraskanos amam viajar, mas quase todos eles cresceram no seu planeta natal de Trask. O arquivo de Finian diz que ele passou a maior parte da infância em estações espaciais. Ele tem cabelo curto e espetado apenas com gel o suficiente para produzir o efeito de que não está usando gel nenhum. Ele não me engana.

A coisa mais marcante sobre ele é o exotraje mencionado em seu arquivo. É feito de material prateado, uma casca que cobre metade das suas costas, seus braços e pernas e delineado com articulações para as mangas, luvas e botas. É uma tecnologia de ponta, e seus movimentos são fluidos, quase silenciosos. Mesmo se não houvesse lido sua ficha, ainda poderia dizer que o traje está fazendo a maior parte do trabalho para ele.

Tyler olha para os dois, e oferece uma continência perfeita.

— Bom dia, legionários.

Os dois o encaram, Zila como se estivesse contando todos os seus átomos um por um, e Finian como se lhe tivessem servido um prato que não se parecia *nada* com a foto no cardápio. Mesmo assim, é ele quem se mexe primeiro, levantando uma mão em uma continência bem porca.

— Senhor. — O honorífico não parece um elogio.

Zila continua encarando. Quando ela finalmente se pronuncia, sua voz é quieta. Educada, até.

— Bom dia.

Tyler se vira para mim, sobrancelha erguida.

— Não está faltando alguém?

— Seu chute é tão bom quanto o meu, querido irmão.

— Ele vai perder o briefing.

— Hum. — Paro um segundo para apalpar meu uniforme, olhando por dentro da minha blusa. — Acho que deixei a parte de mim que se importa no bolso da outra calça.

Observação: eu amo muito meu irmão e sei que ele está tendo um dia difícil, mas fiquei acordada até tarde da noite fazendo esse dossiê e ainda não tomei minha dose de cafeína diária e normalmente eu não sou tão má assim com ele.

Espere um pouco. Quem estou enganando?
Ty faz uma careta e vai direto ao assunto.

— Bem, em primeiro lugar, quero pedir desculpas pelas circunstâncias incomuns. Não sei o que ouviram sobre o Alistamento, mas parece que iremos trabalhar juntos no futuro próximo. Nossa designação oficial da Legião Aurora é Esquadrão 312. Meu nome é Tyler Jones. Serei o Alfa do esquadrão. Essa é a nossa Frente, Scarlett Jones, e nossa Ás, Cat Brannock.

Cat se senta e reclina sua cadeira.

— Pode me chamar de Zero.

— Tipo em zero chance de termos sucesso? — Finian pergunta, todo inocente.

— Tipo a maioria dos cadetes perde doze a quinze por cento dos alvos no exame de pilotagem — diz Tyler.

— Quer adivinhar quantos eu perdi, Magrelo? — Cat sorri.

O magrelo se espreguiça, o traje zumbindo e fazendo uma série de cliques baixos.

— Finian de Karran de Seel. Só Fin se você quiser ser preguiçoso. Sou Maquinismo. Se você quebrar, eu conserto. Não posso prometer cem por cento de sucesso a não ser no meu maravilhoso senso de humor.

Dou um aceno de cumprimento, e me viro para o segundo membro do grupo. Ela está encolhida na cadeira, os joelhos apertados para apoiar o queixo. Parece confusa, como se a ideia de apresentações não processasse direito. E eu entendo — conhecer gente nova é difícil. Especialmente porque ela sabe que não foi a primeira, nem a quinta, nem sequer a última escolha de Tyler.

— Zila Madran — diz ela, finalmente. — Oficial de ciências.

— Adorei seus brincos — elogio, tentando deixá-la mais à vontade.

Bom, isso faz com que ela reaja. O olhar de Zila se volta para mim, e ela levanta uma mão para a argola de ouro como se quisesse escondê-lo.

Hum. É o tipo de coisa que se usa para que todos admirem. Mas ela não gosta quando as pessoas fazem isso.

Interessaaaante.

— Então — Finian diz, voltando seus olhos escuros para Tyler. — Devo dizer que estou impressionado, Garoto de Ouro. A gente estava apostando quanto tempo ficaria chorando no seu beliche antes de se recompor e fazer um belo discurso. Pra ser sincero, eu apostei que só seria amanhã.

Testando a temperatura da água. Tentando fazer Tyler ter uma reação.

— Quanto apostou? — pergunta meu irmão.

— Cinquenta créditos.

— Apostas são contra o regulamento da Academia — Tyler aponta.

— E só um completo idiota aposta contra Tyler Jones — acrescenta Cat.

Finian pisca, e seus olhos vão de Cat para Ty.

— Ele é seu namoradinho ou algo do tipo?

Oh-oh. Péssima ideia.

Os olhos de Cat dilatam. Ela fica em pé vagarosamente, começa a pegar a cadeira nos braços.

— Descansar, Legionária Brannock — avisa Tyler.

Finan não parece impressionado. Não sei se ele entende exatamente o tipo de dano que Cat consegue fazer nas partes importantes de um cara com um pedaço de mobília. Por sorte, Tyler agora é seu oficial, e para Cat, isso importa para alguma coisa. Com um grunhido, ela se senta, dando ao nosso novo Maquinismo um olhar capaz de derreter plastil.

Fin sorri para Tyler.

— É verdade o que estão dizendo sobre você?

— Provavelmente não — Tyler suspira. — O que estão dizendo?

— Que você desistiu do Alistamento porque estava salvando uma civil na Dobra.

— Isso é confidencial — responde Tyler. — Não posso falar sobre isso.

— Então é verdade — Fin zomba. — Você é mesmo um... como é que os Terráqueos dizem? Escoteiro? Um escoteirinho?

Zila, pelo que parece, está cansada dessa conversa. Ela pega seu univídro, começa a dedilhar a tela, batendo com os dedos em um ritmo rápido. Completamente fora da conversa. Mesmo com a minha falta de sono ou cafeína, sinto pena de Ty. Um time dos sonhos não é composto com esses dois. Mas meu irmão não se deixa derrotar.

— Eu me lembro de você agora — Tyler diz a ele. — Você é o cadete que incendiou os laboratórios de propulsão para não fazer os exames de dinâmica espacial.

— Tecnicamente, *ninguém* fez o exame de dinâmica espacial.

— Estava com tanto medo assim de zerar, é?

— Nós estamos ficando amigos, é isso? — Fin pergunta. — Sinto que estamos ficando amigos.

— Também é o garoto que eu vejo sentando sozinho no refeitório em todas as refeições. — Tyler se vira para Zila. — E *você* eu nunca nem vi. Mas gostem ou não, eu sou o oficial de comando agora, e estamos juntos pelos próximos doze meses. Então vocês podem apertar os cintos e aproveitar o passeio, ou se fingir de durões e passar os próximos meses limpando privadas. A escolha é sua, legionário.

Um ultimato. Boa jogada, irmãozinho.

Finian encara tempo o bastante para conseguir se poupar de mais humilhação. Ele sabe que não tem outra escolha. Então vagarosamente, e da maneira mais esdrúxula que consegue, ele presta uma continência.

— Senhor, sim, senhor.

— E você, Legionária Unividro? — Tyler pergunta.

Zila olha para ele, o aparelho ainda em suas mãos. Inclina um pouco a cabeça e pisca uma vez.

— Eu entendi, senhor.

Tyler sacode a cabeça, pronto para o trabalho.

— Então estamos entendidos. Não sei onde o nosso Tanque está, mas tenho que fazer meus relatórios. Nosso briefing de missão é amanhã às oito horas. Com sorte, o Comando vai nos mandar para algum lugar que possamos ajudar. Não se atrasem. Estão dispensados.

Tyler fica em pé, e eu dou uma piscadela para mostrar que aprovo. Ele não é tão bom em entender pessoas quanto eu, mas até aí poucas pessoas são. Ainda não sei o que acho de Zila Madran, mas já conheci caras como Finian de Seel milhares de vezes. Sempre na defensiva, e prontos para cair no soco com qualquer um na Via Láctea.

Ele vai ser um problema.

Nós fazemos uma fila para sair no corredor. Cat está conversando com Tyler sobre o briefing, tentando adivinhar para qual setor vamos ser designados amanhã. Zila e Finian nos seguem em silêncio. Estou indo na frente, unividro em mãos, mandando uma mensagem para o nosso membro faltante. Então fico um pouco chocada quando cem quilos de carne de um garoto sangrando tromba com meus peitos.

— Scar! — Tyler grita.

Nós vamos direto ao chão. O Garoto Sangrando está deitado em cima de mim em uma pose nada agradável e estou começando a me arrepender dos cinco centímetros que foram cortados da minha saia.

— Ai?

Ty avança para tirar o encosto de mim, mas o cara já se levantou e está marchando pelo corredor, de volta para o canto da briga de onde ele surgiu.

— Você vai pagar por isso, fadinha! — Garoto Sangrando grunhe.

Há cinco deles pairando no fim do corredor. Todos jovens. As faixas vermelhas nos uniformes marcam todos como Tanques. Quatro são Terráqueos

— do tipo corpulento que se espera da Divisão de Combate da Academia. O quinto é o mais alto. Ágil e flexível. Tem pele cor de oliva e suas orelhas compridas se esticam até formar pontas. Cabelo prateado preso em cinco tranças que caem por seus ombros. Seus olhos são violeta do tipo que só se ouve falar em livros, e seu queixo é afiado o bastante para cortar as pontas dos dedos, e ele seria lindo se não fosse pelo sangue que cobre seu rosto e seus punhos.

Ainda assim, não existem muitos deles na Academia, então não demora muito para perceber...

Ele é Syldrathi.

— Ne'lada vo esh — ele diz calmamente, erguendo suas mãos sangrentas.

— Fale Terráqueo, fadinha!

Um dos Terráqueos mira um soco na direção do Syldrathi, e eu percebo que a briga é de quatro contra um. O Syldrathi bloqueia o golpe facilmente, prende o braço do seu agressor com um tipo de som moído que nunca quer se ouvir do próprio cotovelo, e o joga contra uma garota que se parece com uma estivadora de armadura, os dois indo para o chão.

— Esh — diz ele, dando um passo para trás. — Esh ta.

— Ei! — Tyler grita em sua melhor voz autoritária. — Parem com isso!

A voz autoritária de Tyler é muito boa, mas mesmo assim ninguém o escuta. O Syldrathi leva um soco no queixo, então ataca com a mão esticada a garganta do seu agressor. O cara é derrubado com um som de tosse, e em um movimento que faz até Cat estremecer, pisa com tudo na sua terceira perna, tirando dele um grito estridente. Com o rosto impassível, o Syldrathi dá mais um soco, derruba outro cadete com um chute no joelho. E mesmo sendo quatro contra um, eu percebo...

— Sopro do Criador — murmura Cat. — Ele está *ganhando*.

O Syldrathi é esmagado contra a parede, e um corte abre na sua sobrancelha. Sangue arroxeado escuro escorre por seu rosto. Ele dá outro golpe, mexendo-se como em uma dança, suas longas tranças prateadas cascateando atrás dele. Tyler ruge "Parem com isso!" e entra na briga, puxando um dos Terráqueos que está sangrando para longe. Cat, que nunca perde a oportunidade de entrar numa briga, vai de encontro a eles enquanto Finian me ajuda a levantar.

— É bom saber que a segurança da estação já está resolvendo a situação — diz ele alegremente.

A briga se dissolve em caos, punhos fechados voando, e xingamentos em todas as línguas. O Syldrathi derruba o último Terráqueo com uma série de golpes em seu rosto, peito, virilha, e conforme o garoto cai, Tyler coloca a mão no ombro do garoto mais alto. É um erro raro da parte do meu irmãozinho — Syldrathi não gostam de ser tocados sem permissão.

— Ei, se acalme.

Três coisas acontecem simultaneamente.

Primeiro, o SeguGrupo finalmente chega. Estão cobertos por armadura e armados com bastões de choque — carinhosamente chamados de "varanojo", já que a tendência é sempre vomitar depois que é atingido com um.

Segundo, o Syldrathi dá um soco na cara de Ty. Os olhos de Ty se dilatam em surpresa, e ele agarra o outro garoto e o leva para o chão em retaliação. Os dois começam a brigar, o Syldrathi tentando chutar Tyler e suas botas não tão brilhantes, e meu irmão tentando prendê-lo enquanto grita "Descansar! Descansar, pelo amor do Criador!"

E terceiro, embaixo de todo o sangue, eu finalmente reconheço o rosto do Syldrathi.

— Ai, isso não é bom — sussurro.

— Sei lá — Finian sorri, estudando primeiro o Syldrathi e depois se virando para mim. — Parece ótimo visto daqui.

— Ah, por *favor* — respondo, revirando os olhos.

O SeguGrupo atinge com os bastões qualquer um que esteja se mexendo. Quantidades absurdas de vômito se seguem. Conforme Cat protesta, eles começam a colocar algemas nos combatentes. Finian não se afasta do meu lado, e Zila está atrás de nós, assistindo sem qualquer reação enquanto a segurança se prepara para levar todo mundo para o calabouço.

Segurando minhas costelas machucadas, eu me adianto com meu melhor sorriso para me safar de problemas. Não passei minhas aulas de diplomacia dormindo, afinal de contas.

(Eu cochilava nas aulas de astrométrica em vez disso.)

— Olá, sr. Sanderson — digo, sorrindo.

O líder do SeguGrupo levanta o olhar antes de prender Tyler.

— Quer dizer, Tenente Sanderson — corrijo, sorrindo ainda mais abertamente.

— Ora, ora. Scarlett Jones. Deveria saber que estava envolvida nisso.

— Está falando que eu sou uma bagunceira, tenente? — Coloco as mãos no quadril e faço um bico. — Estou ofendida.

Relaxa, não é nada disso que está pensando.

E ui, que nojo, aliás.

— Como está Jaime? — pergunto.

— Está bem. De volta à Terra com a mãe dele.

(Jaime Sanderson. Ex-namorado #37. Prós: beija bem. Contras: gosta de *jazz*.)
— Diz que mandei um oi.
— Digo sim.
— Hum, então — falo, olhando para meu irmão e a carnificina ao nosso redor. — Nada disso foi culpa de Tyler. Ele estava tentando apartar a briga. Precisa mesmo levá-lo?
— É o procedimento padrão. — O tenente dá de ombros, de volta ao serviço. — As câmeras de segurança serão verificadas, e se o que diz é verdade, Líder de Esquadrão Jones estará de volta para a hora do jantar.
Eu dou ao Tenente Sanderson meu melhor beicinho.
— Está tudo bem, Scar — Tyler grunhe, tentando segurar seu enjoo. — Vou ficar bem.
Os guardas puxam todos para ficarem em pé, tomando cuidado para não mancharem seus uniformes de vômito. O cadete com o braço quebrado ainda está choramingando de dor, o cara cujo saco foi esmagado sequer está consciente. Conforme o Tenente Sanderson o algema, eu vejo o rosto bonito do Syldrathi brilhando com sangue roxo. O sangue de Tyler está manchado nos nós dos dedos dele, vermelho-claro.
— Isso foi golpe baixo — Tyler diz a ele.
O Syldrathi não diz nada. Sua expressão é fria como o gelo, nenhum fio de cabelo no lugar errado.
Eu olho entre os dois, me perguntando se meu sorriso está tão forçado quanto parece.
— Hum, então, olha, isso é engraçado...
— O que quer dizer com isso? — Tyler pisca.
Eu dou um aceno na direção do Syldrathi.
— Beeeeem...
— Não — Tyler diz.
— É verdade, bebezinho.
— Nãooooooo.
— Líder de Esquadrão Tyler Jones — digo, olhando para o univídro —, quero apresentar o nosso especialista em combate, o Legionário Kaliis Idraban Gilwraeth, primogênito de Laeleth Iriltari Idraban Gilwraeth, adepto do Clã Guerreiro.
O Syldrathi encara meu irmão com seus incríveis olhos violeta.
Cospe um tanto de sangue roxo no chão.
Fala com uma voz como se fosse chocolate derretido.
— É só Kal.

4
ZILA

Hmm.
A minha situação atual pode ser corretamente descrita como...
... aquém do ideal.

5

AURI

Gritos.

Alguém está gritando perto de mim.

Meus olhos se abrem e eu me impulsiono rapidamente para ficar sentada, puxando os lençóis para me cobrir.

Um homem está em pé no meio do meu quarto. Encarando como se não estivesse me vendo de verdade, tentando olhar através de mim para queimar um buraco na parede. Ele tem longos cabelos prateados trançados em cinco mechas e parece que tem mais ou menos a minha idade, mas também parece que acabou de sair de uma audiência para um papel em *O senhor dos anéis*. Orelhas pontudas como um *elfo*, lindos olhos violeta, injustamente alto e injustamente gracioso. Algum tipo de tatuagem pequena pousa em sua testa.

— *Cho'taa* — diz ele. — *Não tem nada a ver com o meu sangue.*

— Er, o quê? — gaguejo e me contraio, com dificuldade para dizer apenas duas sílabas.

Ouço um barulho alto, o grito estridente de metal sendo arrastado. Uma voz gélida.

— *Te vejo no Vazio, Guerreiro.*

Um clarão de energia, violeta como os olhos dele. O garoto grita e cai. Sinto algo quente nas minhas mãos e quando olho para baixo, vejo que estão cobertas de sangue.

Sangue roxo.

Consigo sentir um grito de pavor subindo pela minha garganta, mas apenas um segundo depois ele evanesce. Dissolvendo da mesma forma que minhas visões. Além do batimento do meu coração, do gelo em meu estômago, eu percebo que ele é exatamente isso — só mais uma visão de algo que nunca vi.

Encaro o lugar onde ele estava, meu batimento se acalmando.

— Mas o que diabos...

Quando essas visões vão parar?

O meu cérebro está tentando se recalibrar depois de tudo que passou?

Pressiono meus nós dos dedos contra meus olhos para fazer com que a imagem desapareça, esperando que meu coração volte aos batimentos normais. Me pergunto se isso é só mais um sintoma de ficar tempo demais presa em criogenia.

Me pergunto se estou completamente louca.

Olhando ao meu redor, percebo que estou num lugar diferente de ontem. As paredes de vidro se foram. Agora tenho quatro paredes cinzentas, que combinam bem com o tapete cinzento e o teto cinzento. Meu novo quarto é pequeno, luz fraca saindo dos cantos em que a parede encontra o teto.

Minha memória é uma colcha de retalhos de médicos indo e vindo, e em algum lugar há uma refeição surpreendentemente normal. É claro, é a única coisa que posso achar normal hoje. Porque estamos no *futuro*. E tenho duzentos anos. E estou vendo coisas. E tem alienígenas aqui, seja lá onde este *aqui* fique.

Acho que quero ficar inconsciente de novo, por favor.

Estou deitada em uma cama, ainda enrolada nos lençóis brancos macios, e conforme me sento, fico um pouco melhor. Meu coração ainda está acelerado, mas não estou tonta, ou confusa. E *ótimo*, tem roupas esperando por mim na beirada da cama, dobradas em uma pilha cinza.

Me inclino para pegá-las, e com um pequeno respingo, deixo cair duas gotas de vermelho nos lençóis perfeitamente brancos.

Sangue.

Coloco a mão no meu nariz, e meus dedos saem manchados de vermelho. Há um espelho em cima de uma pequena pia em um dos cantos, e me esgueiro até lá para me limpar. Tem sangue espalhado por meu lábio superior como um bigode nojento, e...

... Putz, o que aconteceu com o meu *cabelo*?

O corte é o mesmo Joãozinho bagunçado de sempre, mas olhando para o meu reflexo, vejo uma mecha grossa de cabelo branco na minha franja. Passo os dedos por ela, perguntando-me se é mais um sintoma da criogenia em longo prazo. Suponho que seja um milagre sair de um sono de dois séculos em uma nave quebrada com nada mais do que um nariz sangrando e alguns cabelos brancos.

Bem, um nariz sangrando, alguns cabelos brancos e *alucinações*.

Lavo meu rosto, e então foco em me vestir. Troco meus pijamas brancos por algo que parece uma mistura de um uniforme escolar e algum tipo de traje esportivo. Tem roupas de baixo, um sutiã que parece otimista demais para mim, leggings e uma túnica de manga comprida com um logo que eu não reconheço no peito.

Encontro um par de botas ao lado da porta, e é também quando vejo um painel com uma pequena luz vermelha ao lado. Demoro alguns instantes pensando se isso significa que estou presa aqui, e se vale a pena confirmar isso.

Na verdade, não. Para onde eu iria?

No outro canto há uma segunda luz vermelha, provavelmente uma câmera. Enquanto estou olhando para ela, há um bater suave na porta, e quando ela desliza, revela o Capitão Charmoso — o garoto que me resgatou da *Hadfield*. Está usando a mesma roupa azul-acinzentada que eu e minha visita imaginária de mais cedo, e tem um hematoma desbotado no seu queixo, só uma sombra. Está carregando um pequeno pacote vermelho com um laço no topo, a única fonte de cor dentro do quarto. A não ser que também esteja contando meu sangue.

É o presente que me faz pensar que ele provavelmente é outra alucinação, porque não faz muito sentido. Ao menos não há ninguém sangrando ou gritando dessa vez. Me pergunto se vou descobrir o que ele trouxe antes que também desapareça.

— Posso entrar? — ele pergunta.

Quando não respondo, ele caminha até a beirada da cama e se senta, mantendo uma distância educada entre nós. Ele me encara e eu o encaro de volta, um tanto preocupada. Meu coração está batendo tum-tum-tum na minha garganta e vou começar a entrar em pânico se não tomar cuidado.

As visões estão ficando mais frequentes, e mais reais.

— Você está bem? — ele pergunta. — Sou o Tyler, lembra?

— Eu me lembro — confirmo. — Você vai desaparecer, ou o quê?

Ele ergue as sobrancelhas e olha por cima dos ombros para a porta, como se estivesse checando se estou falando com outra pessoa.

— Er, desaparecer?

É aí que eu noto que o colchão está se afundando sob seu peso.

Espera, isso é real?

Dou um cutucão em seu peitoral, encontrando apenas músculo. Tiro meu dedo rapidamente, tentando encontrar uma explicação e esperando desesperadamente que eu tenha me livrado de qualquer traço restante do bigode de sangue canibal.

— O que você põe debaixo dessa camiseta? Pedras?

Ai, filho de uma égua, eu acabei de falar isso em voz alta?

— Eu te trouxe um presente — diz ele, me salvando de mim mesma, e me entrega o embrulho. — Achei que você gostaria de algo para quebrar a monotonia.

Eu desembrulho o presente — o fato de que ele se deu o trabalho de colocar papel de presente faz com que o gesto seja ainda mais gentil — e encontro uma placa estreita de vidro temperado do tamanho da minha palma, com as extremidades arredondadas.

Eu viro o objeto em minhas mãos, então ergo para olhar para ele através da luz.

— Acho que preciso de um manual de instruções — confesso.

— É um unividro. Computador portátil, ligado direto ao sistema da estação — diz ele, estendendo a mão para que eu entregue. — Vou erguer na altura do seu olho para registrar que você é a nova dona.

Ele levanta o aparelho e o coloca na altura do meu rosto, e conforme eu observo, uma linha fina vermelha percorre a superfície do vidro. A mensagem pisca no mesmo tom de vermelho da linha.

Escaneamento da retina completo.

O objeto acende como se alguém tivesse derrubado um fósforo numa pilha de fogos de artifício. Um menu holográfico é projetado nos dois lados da tela, e dados são varridos pela tela, os displays acendendo e apagando repetidamente. Consigo ver uma lista de opções na parte inferior da placa de vidro.

DIRETÓRIO	ARMAZENAMENTO	REDE
MENSAGEM	MAPA	AGENDA

— Feliz aniversário. — Ele sorri, e Deus que me ajude, as covinhas desse menino deveriam ter seu próprio fã-clube. — Quer dizer, sei que tecnicamente hoje não é o dia que você nasceu, mas achei que merecia um presente. Já que acabou perdendo algumas comemorações.

Meu aniversário.

Meu pai se esqueceu de me desejar feliz aniversário.

Foi a última coisa que disse a ele. Eu basicamente disse que ele era o pior pai do mundo e desliguei na cara dele.

E agora ele está...

Não estou pronta para pensar nisso ainda — não no que eu perdi. Além de tudo que aconteceu, é pedir demais. Então afasto o pensamento para longe e pego o unividro. Coloco o aparelho contra a minha palma, e os displays giram para ficar de frente para mim. Tento pressionar a sessão iluminada que diz MAPA, porque uma vez que você já foi um nerd de cartografia, sempre vai ser um nerd de cartografia.

Um holograma detalhado se acende em cima do unividro, mostrando vários andares acima e abaixo de mim, minha própria localização marcada com um ponto vermelho piscando. Um pequeno ícone mostra DIREÇÕES?

O nível de detalhe é incrível, e fico boquiaberta. Já havia visto protótipos de coisas desse tipo quando ia a feiras de tecnologia. Costumava ir a essas feiras com meu pai em Xangai, mas comparados com essa coisa, se pareciam mais com triciclos ao lado de uma Harley-Davidson.

— Uau — digo. — Obrigada.

O unividro apita três vezes, e então fala em uma voz robótica estridente:

— VOCÊ AINDA NEM VIU NADA.

Quase deixo o aparelho cair, fazendo um malabarismo com as mãos por um segundo, depois consigo segurá-lo com as duas mãos. Por pouco consigo resistir ao impulso de dizer, *Essa coisa acabou de falar comigo?*

Auri, você é a embaixatriz do seu século. Capitão Charmoso provavelmente acha que você é uma completa idiota. Acorda pra vida.

— Acho que essa coisa é mais esperta do que eu — murmuro.

— AWN, NÃO SE SINTA MAL, CHEFIA. VOCÊ SÓ É UMA HUMANA.

— Não estava falando com você.

— EU SOU UMA TECNOLOGIA DE PONTA, UNIVIDRO DA NOVA GERAÇÃO, SÓ DISPONÍVEL DENTRO DA ACADEMIA — a coisa diz. — SOU DEZESSETE VEZES MAIS ESPERTO QUE ELE. E TRÊS VEZES MAIS BONITO. VOCÊ DEVERIA ESTAR FALANDO COMIGO E NÃO COM...

— Modo silencioso — Tyler ordena.

O unividro fica em silêncio, e olho de volta para o garoto sentado na beirada da minha cama.

— É meu aparelho velho — ele explica com um dos seus sorrisos fatais. — Só tem acesso às informações dos arquivos da Academia, mas é melhor que nada.

— É incrível — digo. — Todos eles... falam desse jeito?

— Não exatamente. Os modelos mais antigos vêm com um personagem embutido na matriz operadora. Não fazem mais isso, os técnicos nunca conseguiam acertar exatamente. Então fica o aviso, esse modelo tem alguns bugs. E é um pouquinho... alegre demais.

— Acho que vamos nos dar bem — digo. — Eu... eu realmente gostei muito.

Um gesto gentil quando não se conhece ninguém é como ter água no deserto, percebo. Ele morde o lábio inferior, um pouco incerto.

— E como você está no meio de tudo isso? — pergunta.

Eu olho para o univídro, para a caixinha piscando que diz DIREÇÕES?

— Estou bem — falo, finalmente.

Estou decidindo focar na parte física, porque não acho que nos conhecemos bem o bastante para eu dizer: *Estou assustada e sozinha, e como se já não tivesse que lidar com a realidade, meu cérebro está conjurando as suas próprias versões dela, e eu não sei mais distinguir uma da outra.*

Isso é mais para um terceiro ou quarto encontro, não é?

— Estou me sentindo um pouco fraca — digo, sentando-me na cama ao seu lado. — Cansada. Acho que por eu ter ficado tanto tempo na *Hadfield* é difícil determinar como estou. Não sei se ainda é perigoso, mas quando partimos, não podíamos passar tempo demais na Dobra. Você começa a alucinar, ficar paranoico...

Eu paro de falar, porque é claro que alucinar é *exatamente* o que eu tenho feito.

A próxima coisa vai ser ficar paranoica?

— Ainda é perigoso — Tyler concorda. — Apesar de que viajar na Dobra afeta bem menos as mentes mais jovens. Nossa tecnologia é um pouco diferente da sua, também. Quando a *Hadfield* foi lançada, os humanos só podiam atravessar por portões que ocorriam naturalmente no espaço. Pontos fracos na Dobra. Agora conseguimos construir nossas próprias entradas e saídas onde quisermos. Tem um portão enorme na frente da estação, aliás.

— Eu vi... — Sacudo a minha cabeça, me lembrando da visão da estação que tive quando fugi do quarto. — Mas se humanos podem ir a qualquer lugar, onde estamos agora?

— Essa parte é meio engraçada, na verdade — diz ele, mordiscando o lábio novamente.

— O que quer dizer com isso?

— Já ouviu falar de um sistema solar chamado Aurora?

Pisco.

— Você está me zoando?

— Estamos orbitando Gamma Aurorae, a terceira estrela no aglomerado estelar — diz ele, esticando os braços para demonstrar a estação ao nosso redor. — Aurora O'Malley, seja bem-vinda à Academia Aurora, a estação de treinamento da Legião Aurora.

— Eu tenho uma Legião?

Ele dá de ombros e me oferece um daqueles sorrisos, e eu juro, não sei se fico encantada, impressionada ou se simplesmente surto.

— Frequentei dezesseis escolas diferentes — digo. — Sempre teve outra garota na minha turma que se chamava Aurora. Agora tenho que dividir meu nome com uma estrela?

— E com a academia espacial.

Sacudo a cabeça, meus pensamentos voltando de volta para...

— Minha mãe diria que é destino.

— O Criador gosta de você — Ty concorda.

Mordo meu lábio. Preciso começar a procurar respostas em vez de mais perguntas.

— Então humanos agora ficam em mais de dois planetas. E... descobrimos alienígenas. Encontrei uma ontem à noite. Acho que ela disse que estava no comando?

— É, essa é a Líder de Batalha de Stoy — diz ele. — Ela é uma Betraskana. O planeta natal dela é Trask, no Sistema Belinari. Eles vivem debaixo da terra na maior parte do tempo, e não processam vitamina D como nós, por isso não têm melanina e usam lentes. Biologicamente falando, somos bastante parecidos. Eles foram a primeira espécie com que humanos estabeleceram contato. Estivemos em guerra há uns duzentos anos, mas agora são nossos aliados mais fortes há gerações.

Penso no garoto que apareceu na minha visão. O garoto bonito e com raiva, de orelhas pontudas e cabelos prateados.

— Há outras, er, espécies na estação? Talvez alguém com... — Mal consigo pronunciar as palavras, um dedo erguendo para tocar a curva da minha orelha. Vou soar como uma completa idiota se tiver imaginado isso.

— Syldrathi. — Ele acena com a cabeça, seu sorriso desaparecendo. — Também travamos uma guerra com eles durante algumas décadas. A Terra só ofereceu um tratado de paz há dois anos.

A mão dele se ergue, o dedo entrelaçando a corrente que usa no pescoço. Ele a tira debaixo da camisa — não acho que esteja fazendo isso de maneira consciente — e vejo um anel, antes que ele o aperte com o punho fechado.

Ele encontra novamente seu sorriso, mas dessa vez é fraco.

— Não é uma lição de história que você precisa saber agora. A verdade é que, sim, descobrimos *muitas* outras espécies. Com algumas nós nos damos bem, com outras nem tanto.

— Então o que você faz por aqui?

Quer dizer, assumindo que exibir essas covinhas não seja um emprego de tempo integral.

— Sou um legionário — diz ele. — Existia um órgão chamado Organização das Nações Unidas no seu tempo, certo?

Faço que sim.

— É o que você faz?

— Mais ou menos — ele responde. — Nós somos a Legião Aurora. É uma coligação entre Terráqueos, ou humanos, como você diria, e Betraskanos. Alguns Syldrathi se juntaram a nós dois anos atrás quando a guerra acabou. Nós somos uma Legião pacificadora independente, fazemos mediação de conflito de fronteiras, a patrulha das áreas neutras do espaço. Oferecemos ajuda humanitária. — A boca dele se abre num sorriso de verdade. — Só que muitos de nós não são humanos.

— E alguma coisa aconteceu ontem, com os cadetes? Ouvi as enfermeiras falarem algo dos esquadrões?

E nesse instante, esfaqueio seu lindo sorriso até que esteja sem vida.

Adeus, covinhas. Já sinto saudades.

— No último ano da Academia nós formamos esquadrões — diz ele. — Seis legionários, de seis especialidades diferentes. Ontem foi o evento anual do Alistamento. É quando os esquadrões são formados.

— Grande dia. Mas parece que alguém atropelou seu gato.

Tento fazer com que o sorriso dele volte, e quase consigo.

— Os Alfas escolhem os membros do seu esquadrão no Alistamento, e aqueles com os melhores resultados nos exames são os que escolhem primeiro.

— Só que você estava me resgatando em vez disso. — Meu coração se aperta conforme entendo tudo que aconteceu. — Me desculpa, Tyler.

Ele é rápido para sacudir a cabeça, e sua voz é firme.

— Não. Não peça desculpas. Eu fiz o que qualquer legionário deve fazer, e faria de novo. E estou feliz que você está aqui, Aurora.

— Auri — murmuro.

— Auri — ele ecoa, suavemente.

Nós dois ficamos em silêncio por um momento, porque acho que toda essa história de resgate criou um elo entre nós, e pulamos mais alto do que devíamos quando as portas se abrem e uma enfermeira carrancuda entra.

— É só isso por hoje, Legionário Jones — diz ela.

Ty hesita por um momento, e então se levanta.

— Eu posso...

— Pode visitá-la amanhã — diz a enfermeira.

— Estou sendo despachado amanhã, senhora.

— Você está indo embora? — pergunto, entrando em pânico.

— Vou voltar, não se preocupe. — Ele sorri. — Aquelas missões humanitárias de que falei? Meu esquadrão recebe a primeira missão em vinte minutos.

— Então é melhor se mexer, legionário — fala a enfermeira.

O tom dela é de que não quer enrolações, curto e grosso. Tyler presta uma continência rápida, e então me atinge com as covinhas mais uma vez.

— Volto pra te ver assim que retornar, tá bem?

— Está bem.

Mas, de alguma forma, não está nada bem.

E com um aceno pequeno e triste, Capitão Charmoso sai pela porta.

A enfermeira começa a me cutucar e medir com diferentes instrumentos que não reconheço. Eu dobro os lençóis para que ela não veja o sangue e me atormente ainda mais.

Enquanto espero sua saída, eu lembro que estou sentada em uma estação espacial, milhares de anos-luz da Terra. Completamente sozinha.

Como minha vida se tornou isso?

Por que eu ganhei outra chance para viver, quando dez mil outras pessoas na *Hadfield* morreram?

A enfermeira finalmente vai embora, e sou deixada a sós de verdade. Minha cabeça está uma bagunça, e agora, sem nenhuma distração, a realidade da minha situação está começando a tomar espaço.

Mesmo se meus pais tiverem se recuperado do luto por mim e vivido vidas completas e felizes, eles estão mortos há mais de um século. Eu nunca mais vou vê-los de novo.

Nunca vou ver minha irmã, Callie.

Todos que conheço se foram.

Minha casa, minhas coisas.

Mal consigo acreditar nisso, e eu empurro a ideia para longe como se estivesse tentando colocar na gengiva um dente que já está solto, e que dói muito. Há pequenas lembranças das coisas mais ridículas. Meus tênis de correr. Meus troféus. O fato de que dois séculos depois, nunca vou descobrir o que aconteceu com a minha série favorita.

Olho para o presente de Tyler na palma da minha mão. Um pequeno aviso está pulsando na tela brilhante.

Por favor dê um nome ao seu aparelho.

Depois de pensar um pouco, digito uma única palavra em resposta.

Magalhães.

Ele foi um explorador épico... bem, exceto pelo fato de que sofreu uma morte horrível, longe de sua casa. Antes disso, porém, ele viu muita coisa. Foi por isso que treinei para ser exploradora. Porque eu queria ver *tudo*.

Talvez agora eu consiga fazer isso. E honestamente, gostaria de usar um pouco da mágica do Grande M.

Depois de um instante de processamento, o aparelho brilha e fala.

— Olá! Precisa de alguma coisa, chefia?

— Sim. — Minha mente está funcionando muito devagar. — Você pode procurar uma coisa pra mim?

— É só falar — responde o aparelho.

Eu sei que depois de ver isso, eu nunca mais conseguirei esquecer, mas sei também que não tenho uma escolha. Alguém vai me contar se eu não perguntar.

— A colônia para qual a *Hadfield* estava indo — falo devagar, tentando lembrar se a Líder de Batalha de Stoy tinha um nome diferente para ela. — Você pode me falar mais sobre isso?

— Sem problemas — diz Magalhães alegremente, com um pequeno chiado para pontuar. — Colônia Lei Gong, prontinho.

É, foi disso que ela chamou. Eles devem ter mudado o nome da colônia...

Magalhães projeta um sistema solar de três dimensões acima da tela, os planetas orbitando preguiçosamente o sol em seu centro. Franzo o cenho.

— Espere um pouco, Magalhães. Isso não é Octavia.

— Não — ele concorda —, é Lei Gong.

— Tudo bem, você tem um sistema Octavia no seu banco de dados? — pergunto devagar.

Magalhães joga outro sistema solar em cima da tela, e esse é familiar de imediato. Aponto um dedo para o terceiro planeta.

—Aproxime desse aí. Rode a tela.

E aí está. A costa familiar, o lugar para dentro do continente, subindo o rio, onde o vilarejo Butler foi fundado. Onde era para eu estar.

— Não quero acabar com a brincadeira — diz Magalhães, parecendo animado para fazer justamente isso —, mas nunca houve um assentamento em nenhum dos planetas desse sistema. Ele foi interditado.

— Como assim, interditado?

— É proibida a entrada nesse sistema. Sistemas interditados apresentam risco para ao menos vinte e cinco espécies sencientes e são marcados com um farol interplanetário. As punições por entrar nas zonas interditadas não são nem um pouco divertidas.

— Mas estava tudo bem em Octavia — protesto.

— Não — Magalhães me contradiz. — O planeta foi declarado inadequado para habitação por formas de vida de carbono, e nenhuma colônia foi estabelecida. Em vez disso, posso oferecer algumas informações sobre as exportações de Lei Gong, ou os festivais da região?

Meu estômago se contrai, mas me obrigo a perguntar do mesmo jeito.

— Você pode procurar no banco de dados da colônia pra mim? Quero saber o que aconteceu com Zhang Ji. Nascido em 2125. Ele era meu pai.

A busca demora uma eternidade, mas ao mesmo tempo, passa rápido demais quando Magalhães solta um alarme, como se estivesse pigarreando antes de dar a resposta.

— Não há registro de nenhuma pessoa com este nome na base de dados colonial terráquea.

Minha garganta se aperta, minha respiração começa a ficar acelerada de novo.

Talvez isso seja só uma confusão.

Antes que possa questionar mais, há uma batida na porta, e ela abre para que a Líder de Batalha de Stoy possa entrar. Ela está no mesmo uniforme azul-acinzentado parecido com o de Ty, só que o dela é mais formal.

— Bom dia, Aurora — diz ela, fechando a porta. Os olhos dela se demoram na câmera, mas voltam para mim conforme senta ao meu lado na cama. — Fico feliz que já tenha levantado e se vestido. Vejo também que adquiriu um univídro.

Magalhães é esperto o bastante para manter sua personalidade engraçadinha escondida, e eu o deixo de lado no meu travesseiro.

— Sim — confirmo, tentando manter um tom de voz razoável. Se deixar que ela veja meu luto, se deixar que ela veja que não estou bem, ela vai começar a me tratar como se fosse uma criança. Eu não quero que uma pessoa tome decisões *por* mim. Eu preciso entender o que está acontecendo.

— E como está se sentindo?

— Estou bem — digo.

— Não é anormal que sinta efeitos colaterais prolongados ao ficar exposta à Dobra. — Quando nossos olhos se encontram, eu fico incomodada com o seu olhar vazio acinzentado. — Os efeitos podem ser sérios, mesmo nas mentes jovens. Seu temperamento e memória podem demorar a ficar regulares.

Conto a ela sobre o sangramento? Que uma parte do meu cabelo não era branco? Sobre as alucinações?

Por que *não* estou contando isso a ela?

Decido começar por essa pergunta primeiro. Tentar entender se ela está disposta a me tratar com honestidade.

— Só estava tentando descobrir... — Minha voz falha, e eu deixo que falhe. — Estava tentando descobrir o que aconteceu com meu pai. Acho que os registros da colônia parecem ter mudado. E todos os registros do meu pai foram... perdidos.

Uma pequena palavra para uma coisa tão grande.

O silêncio antes da sua resposta se prolonga um pouco demais.

— É verdade?

— Sim — concordo. — Me deixa um pouco incomodada, porque gostaria de saber o que aconteceu com as pessoas com quem me importo.

— É claro — diz ela. — Vou mandar que alguém procure isso pra você.

Ela desviou do assunto por completo.

— *Quando* alguém vai olhar isso? — pressiono. — Não é como se fossem registros em papel que alguém perdeu. Esse tipo de informação deve estar guardado digitalmente em algum lugar, certo?

— Creio que sim — ela concorda. — Enquanto isso, tenho boas notícias. O governo Terráqueo está enviando uma nave para você. Prioridade máxima, direto da Agência de Inteligência Global. Assim que os agentes chegarem, vão te levar direto para casa. Será perfeitamente seguro.

Seguro? Essa é uma estranha coisa para me reconfortar.

Por que não seria seguro?

E o que é minha casa? Minha casa já não existe mais — ninguém que eu conheço está na Terra. Eu não sei mais o que lar significa.

E é assim que percebo que ela se virou para se sentar de costas para a luz vermelha da câmera no canto da sala. E conforme ela fala, ela sacode a cabeça — vagarosamente, de maneira quase imperceptível.

Como se estivesse contrariando as próprias palavras.

— C-certo — gaguejo, a frustração desaparecendo conforme um arrepio percorre meu corpo. — Devo ir com eles?

— Absolutamente — ela diz, esticando a mão para pegar a minha. — Os agentes da AIG logo estarão aqui. Você estará mais confortável no seu planeta natal.

Quando ela retira a mão, há um pedaço de papel dentro da minha palma. Eu fecho um punho para segurá-lo.

— Entendi — digo, meu coração batendo fortemente. Ela está me dando um aviso, isso eu entendi. Mas contra quem? O que eu deveria fazer?

— Foi ótimo te conhecer — ela diz, levantando-se. — Boa sorte, Aurora O'Malley. Digo isso com sinceridade.

E com precisão militar, sou dispensada. Ela se vira para a porta, e eu pego Magalhães do meu travesseiro e me deixo cair na cama, tentando parecer em uma pose natural conforme me encolho com as costas para a câmera.

Fico imóvel enquanto conto até trinta, e então, devagar, vejo o que está escrito no bilhete na minha mão. Há uma mensagem no papel.

Atracadouro 4513-C. Senha: 77981-002.

Olho para Magalhães. O menu ainda está brilhando na parte inferior da tela.

Mapa.

Direções?

Fecho um punho ao redor do papel novamente, olhando para a porta. É aí que percebo que a luz vermelha na fechadura não está mais brilhando.

Mudou para verde.

Estão mentindo para mim, e não sei em quem confiar. Mas eu tenho uma única fonte de informações que posso tentar.

— Magalhães?

— Oi, chefia, senti sua falta! O que está rolando?

— Quero que me diga tudo o que sabe sobre essa estação espacial. Comece pelo básico.

E conforme começa a falar, eu já estou atravessando a porta.

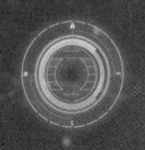

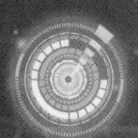

ESQUADRÕES DA LEGIÃO AURORA

▶ MEMBROS DO ESQUADRÃO
  ▼ CORRENTES

No terceiro ano, os cadetes são separados em correntes e treinam para exercer um dos seguintes papéis dentro do esquadrão de seis pessoas, que pode ser despachado de qualquer lugar da galáxia em apenas alguns instantes. Sua versatilidade significa que não há nenhum desafio que a Legião Aurora não possa cumprir.

ALFAS: responsáveis por liderança e planejamento

FRENTES: responsáveis por diplomacia e negociação

ÁSES: responsáveis por pilotagem e transporte

MECANISMOS: responsáveis por consertos, manutenção e trabalhos mecânicos

TANQUES: responsáveis por combate tático e estratégia de confronto

CÉREBROS: responsáveis por deveres científicos e medicinais

6

CAT

— Venha pra Academia Aurora, eles disseram...
— Cat — Tyler avisa.
— Veja a Via, eles disseram...
— *Cat.*

Estamos sentados na ponte da nossa Longbow novinha em folha, com nosso esquadrão novinho em folha e com o equipamento de voo novinho em folha. Nossos assentos são alinhados ao redor do console em forma de círculo, cravejados com controles brilhantes e monitores. O display holográfico que paira em cima do console agora mostra a vista das câmeras frontais: o caminho comprido a ser percorrido pelo tubo de lançamento até um pequeno pedacinho de preto lá longe.

Scarlett e Finian sentam na minha frente. Zila e o nosso novo especialista em combate Syldrathi estão à minha direita. Kaliis Fulanodetal, primogênito de Laeleth Alguma-Coisa, exibe belos hematomas da briga de ontem, e uma carranca nos seus olhos roxos brilhantes. Ele não falou nada desde que o tiramos do calabouço pela manhã. Zila também não soltou um pio, pensando no assunto.

Ao menos os desgraçados estão em silêncio.

Da minha cadeira no controle principal, olho para a cadeira do copiloto à minha esquerda. Tyler está estudando os esquemas. Seu cabelo está bagunçado e seus olhos são azuis como o oceano, e a cicatriz que eu lhe dei quando éramos crianças corta uma das sobrancelhas. E mesmo que eu nunca tenha o visto tão cansado, Criador, me ajude, as borboletas no meu...

— Checagem pré-voo completa — reporta ele. — Nos leve adiante, Legionária Brannock.

— Senhor, posso dizer que isso é uma completa perda do nosso tempo, senhor? — pergunto.

Finian olha por cima da sua tela e pisca com os dois olhos pretos sem expressão nenhuma.

— Eu concordo com a baixinha irritante — diz ele. — Senhor.

— Ninguém está falando com você, Finian — rosno.

— Me falam isso o tempo todo.

Ainda estou encarando Tyler, toda minha frustração dessa porcaria de esquadrão e essa porcaria de missão borbulhando em meu peito. Depois de cinco anos treinando na Academia, depois de todas as horas, depois de todo esse trabalho, a nossa missão foi nos dada logo de manhã e era a droga de uma *leva de suprimentos*. Mal posso acreditar. Sou a melhor pilota da Academia, e fui negligenciada a ser uma mensageira. Um drone automatizado poderia fazer esse trabalho pela gente. Tyler sabe disso. Todo mundo nessa nave sabe disso.

Mas o nosso Alfa só me encara de volta, focado na missão.

— Ordens são ordens — diz ele. — É por isso que me alistei.

— Fale por você — rebato. — Eu não me esforcei por cinco anos só para levar suprimentos médicos para um punhado de refugiados pra lá de onde o vento faz a curva, no fim da galáxia.

— Pode me chamar de confuso — diz Finian —, mas de novo, eu me encontro concordando...

— Cale a boca, Finian.

— Olha, esse é o trabalho — diz Tyler, percorrendo os olhos pela ponte. — Eu sei que todos nós esperávamos por mais, mas não dá pra esperar que a gente salve a Via Láctea na nossa primeira viagem. Pode não ser a missão mais perigosa ou importante, mas essas pessoas precisam da nossa ajuda.

— Eu entendo isso, senhor — digo. — Mas você não acha que deve haver um jeito melhor da Legião Aurora utilizar meus serviços extremamente treinados e fenomenalmente qualificados, e as minhas asas brilhantes do que sendo uma entregadora glorificada?

Scarlett ri.

— Realmente *parece* um mau uso dos recursos da Legião.

Meus olhos ainda estão firmes em Tyler.

— Eu poderia ter escolhido o esquadrão que eu quisesse, você sabe disso, né?

— E eu te amo por aguentar aqui comigo, você sabe disso, né? — ele responde.

Hmm.

Lá vai essa palavra.

Fingindo que não ouvi, eu cavuco minha jaqueta de voo, encontro Trevo e o coloco ao lado do meu display. Seu pelo é macio e verde, e um pouco de espuma está saindo de um buraco na costura. Preciso logo encontrar tempo de consertar...

— O que é isso? — Finian pergunta.

— É um dragão — respondo. — Presente da minha mãe. É pra dar sorte.

— É um bicho de pelúcia, como é que é para...

— Cale a *boca*, Finian.

— ... Você está dando em cima de mim? Parece que você está dando em cima de mim.

— Eu vou é dar na sua cara em um segundo, seu fi...

— Legionário de Seel, silêncio — diz Tyler, calmamente. — Legionária Brannock, confirmo novamente que a checagem pré-voo está completa. Por favor, por favorzinho, pode ser bondosa o bastante e nos levar adiante agora, obrigado.

Eu olho para Ty e ele ergue a sua sobrancelha com a cicatriz, e seus lábios se curvam naquele sorriso galanteador que me enfurece, e droga, eu percebo que também estou sorrindo.

— Serei o seu melhor amigo? — ele oferece.

E assim mesmo, meu sorriso se desfaz. Olho para Scar, e então me viro para o console e dou os comandos com força. Nossa Longbow ronrona como um gatinho e a vibração de suas engrenagens nos faz balançar nas cadeiras, e por um momento é fácil esquecer o impulso de dar um soco em Ty até que suas covinhas desapareçam.

Me alistar pra isso o cacete.

Eu dou um tapinha no microfone.

— Controle Aurora, aqui é o Esquadrão 312, solicitando permissão para voar, câmbio.

— *Permissão concedida, 312. Boa caçada, câmbio.*

Eu olho por cima do console para cada membro do meu esquadrão.

— Certo. Segurem suas cuecas, criançada.

Nossos propulsores acendem, nos empurrando para trás nas cadeiras. As paredes do tubo de lançamento passam rápido, e a linda escuridão se abre diante de nós, piscando com pequenos pontos brancos. E de repente, não importa que eu esteja nessa porcaria de missão com esse esquadrão porcaria, fazendo um trabalho que um gremp treinado poderia fazer, porque estou finalmente em casa.

Saindo dos braços de Aurora, dou uma olhada nos monitores de popa. Eles mostram uma dúzia de Longbows, prateadas e com o formato de uma flecha, disparando pela escuridão. Consigo ver a Academia, em toda sua glória, um porto-cidade com domos arredondados e luzes brilhantes e formas impossíveis, flutuando pelo nada. A força-g do nosso impulso mantém longe a sensação de estar leve, mas consigo sentir do mesmo jeito, logo depois do casco da Longbow.

O grande vazio.

O lugar no qual eu sou a melhor no que eu faço.

— *Esquadrão 312, o farol do portão já está ciente da sua localização. Estão liberados para entrar na Dobra.*

— Entendido, Aurora. Me preparem um drinque, estarei de volta para o toque de recolher.

Meus dedos passam rapidamente pelos controles, nos guiando pelo grande hexágono flutuando perto do ombro da Academia. Eu posso ver a Dobra esperando entre os pilares brilhantes do portão — aquele lindo manto preto, pontuado com um bilhão de pequenas estrelas. Acelerando em sua direção, me perco no momento. Sinto a nave embaixo de mim, ao meu redor, dentro de mim. Cortando pelo vazio como uma faca.

— Percurso programado — reporta Tyler. — Repassando para o navegador.

A voz dele me traz de volta para a realidade. Eu me lembro de quem nós somos.

Para onde vamos.

Onde estivemos.

Eu serei seu melhor amigo?

Nós passamos pelo horizonte dos portões e entramos para o mar sem cores da Dobra. A nave estremece conforme as impossibilidades das distâncias se tornam insignificantes.

A paisagem ao nosso redor fica em preto e branco. Os faróis sinalizadores piscam em meu navegador — milhares de Portões da Dobra piscando na luz. Como um cômodo cheio de portas hexagonais, um sol atrás de cada uma delas. Um mapa tridimensional se acende no console central acima de nossas estações. Pequenos detalhes, dados deslizando, um pequeno pulso indicando nossa posição atual.

— O horizonte está limpo — reporto. — Sem atividade de Dobrastade. Deve ser um caminho tranquilo até Juno. O navegador está estimando... seis horas e vinte e três minutos.

— Entendido. Moleza.

Tyler desacopla o cinto de segurança e fica em pé, colocando sua jaqueta de voo atrás do seu assento de copiloto. As mangas da camiseta não são compridas o bastante para esconder a tatuagem da Divisão Alfa da Academia no bíceps direito. Assim como meus braços fechados de dragões e borboletas, e o falcão nas minhas costas e a fênix na garganta (sim, doeu pra cacete), eu tenho uma tatuagem parecida com a de Ty.

A minha é do brasão da Divisão de Pilotos, é claro. Mas nós fizemos no mesmo lugar. No mesmo dia.

Fico pensando na noite em que convenci Tyler a fazer uma tatuagem comigo. Estávamos de licença em Cohen IV. A última vez em que eu o vi beber alguma coisa. A dor do desenho recente nos nossos braços, o álcool nas veias e a empolgação de passar para o último ano ainda estilhaçando o ar. Só eu e você, Tyler. Nos encarando em lados opostos daquela mesa de bar e todos aqueles copos vazios.

Melhores amigos para sempre, certo?

As cores ao meu redor são monocromáticas, porque é isso que acontece na Dobra. As íris azuis de Tyler ficam cinza, e ele está encarando a tela principal com uma expressão esquisita.

Provavelmente pensando na última vez em que esteve aqui.

Aquela garota que ele encontrou, flutuando no meio desse nada.

E ela era bonitinha, também...

— Está bem, vamos repassar a missão novamente — diz ele.

Finian suspira, seu exotraje sussurrando conforme ele massageia as têmporas.

— Nós já repassamos isso, senhor. É por isso que tivemos a reunião de manhã.

Tyler encara o Garoto-fada.

— O Legionário Gilwraeth ainda estava preso no calabouço da Academia durante a reunião, então pensei que poderíamos repassar o que foi dito.

— Bom, o resto de nós precisa ouvir? Senhor?

Eu cruzo meus braços e o encaro.

— Você é tipo, um cuzão profissional ou...?

— Mais por hobby — Finian responde. — Espero conseguir competir no profissional na temporada que vem.

Ele está sorrindo, esperando para ver qual bola eu vou repassar. Com sua pele branca e os olhos pretos, Finian é o único de nós que não muda na Dobra. Eu não deixo transparecer, mas lá no fundo, estou tão frustrada quanto o nosso novo Mecanismo. Ouvi dizer que o esquadrão de Ketchett foi mandado para Beta Fushicho para eliminar uma frota de piratas. O esquadrão de Troile conseguiu uma missão maneira escoltando embaixadores para as negociações de paz de Sentanni. Para um Alfa com as notas que Tyler tem, essa missão é nada. Esse esquadrão não é nada. Mas de novo, e como sempre, ele mantém o lado profissional. Ele é bom desse jeito.

Exceto quando se trata das bonitinhas.

— Nós temos seis horas e vinte e dois minutos até o nosso destino, Legionário de Seel — diz Tyler sem mudar o tom. — Você pode passar esse tempo esfregando o chão da latrina até conseguir ver sua cara, ou pode repassar a missão. A escolha é sua.

O Betraskano comprime seus lábios, pensando.

— Bem, quando você coloca desse jeito...

— Sim, eu coloco desse jeito.

Tyler pressiona uma série de comandos em seu console, e o mapa em miniatura da Dobra é substituído por um holograma de um grande punhado de pedra, flutuando em um mar de outros punhados de pedra. É um asteroide. A mãe horrível de todos os asteroides.

Um rápido olhar para os gráficos e vejo que está a aproximadamente mil quilômetros de distância, esburacado e descaroçado como uma fruta bichada. Consigo ver os domos e colunas de uma fábrica grande, incrustrados no asteroide como uma craca.

— Essa é a estação Sagan no sistema Juno — diz Tyler. — Era um equipamento de processamento de minérios, da Corporação de Mineração Juno, agora extinta, abandonada em 2263. Desde que a guerra civil Syldrathi começou há um ano, Sagan recebe um fluxo grande de refugiados do espaço Syldrathi, que agora reivindicaram as instalações. O Comando LA estima agora que a população seja de sete mil.

Estou observando o nosso membro do esquadrão Syldrathi enquanto Tyler explica, mas o Garoto-fada permanece impassível. Seu olhar é penetrante, frio. Ele está radiando a tradicional energia Syldrathi de desinteresse. A atitude de "sou melhor que você e isso é só científico". Não há um fio de cabelo prateado sequer fora do lugar na sua cabeça, seu rosto é como de um modelo em uma revista, e até mesmo com os hematomas da briga, sou obrigada a concordar com Scar. Não o expulsaria da minha cama por roncar.

— A estrela Juno está situada em uma zona neutra — Tyler continua. — Com os governos Terráqueo e Betraskano ainda se recusando a aceitar refugiados Syldrathi, o bem-estar deles é responsabilidade da Legião Aurora.

— O que eu não entendo — diz Scarlett.

— Nós somos uma organização neutra, Scar, nós devemos...

— Sim, obrigada, bebezinho. — Scar revira os olhos. — Eu sei o que é a LA. O que eu quero dizer é que eu não entendo porque os governos Terráqueo e Betraskano não abrem suas fronteiras e *ajudam* essas pessoas. O sistema natal deles foi dizimado por seus próprios Arcontes. Porque a Terra e Trask estão deixando que passem necessidade?

— É época de guerra. — Finian dá de ombros. — Se abrirem as fronteiras, quem é que vai garantir que os refugiados que deixam entrar não vão ser um perigo?

— Isso é uma idiotice, Finian — solto um grunhido.

— Não estou dizendo que *concordo*, só estou dizendo o que eles estão pensando.

— Então deixam que esses coitados apodreçam? — pergunta Scarlett.

— É claro que não — diz Tyler. — Estamos com um carregamento cheio de tecnologia medicinal.

Scar começa a brigar com o irmão sobre como isso não ajuda de verdade, e Finian dá sua opinião, e a ponte se dissolve em um instante de caos antes que uma voz profunda e calorosa corte a balbúrdia.

— Eles têm medo.

O silêncio recai, e todos os olhos se viram para Kaliis Seiláoque, primogênito de... Sejaláquemfor.

— O governo de vocês — ele diz. — Eles temem o Destruidor de Estrelas.

Isso faz com que o silêncio domine a ponte. Todos nós olhamos uns para os outros, inquietos. Como se falar o nome em voz alta tivesse dado a ele ainda mais poder.

— Eles estão certos em temer — ele continua. — O Destruidor de Estrelas declarou todos os Syldrathi livres como seus inimigos. E aqueles que oferecem abrigo também são seus inimigos.

Tyler encara Kal, e até mesmo nosso ilustre líder parece desconfortável.

— Já que não estava na nossa reunião, Legionário Gilwraeth, talvez devesse dar sua opinião sobre a situação agora. É para o seu povo que estamos levando ajuda. O que pode nos dizer?

— Achei que já conhecia bem os Syldrathi, senhor — responde Kal, sua voz macia como seda. — Considerando o destino de seu pai.

Os olhos de Scarlett apertam. A voz de Tyler sai tensa.

— E o que você acha que sabe sobre meu pai, Legionário Gilwraeth?

— Sei que era um herói de guerra. Um senador que buscava paz com meu povo muito antes da paz chegar. E sei que morreu lutando contra eles na Incursão Orion.

— Lembrem-se de Orion — eu digo suavemente, tocando a marca do Criador no meu colarinho. Do outro lado da mesa, vejo Finian fazer a mesma coisa.

— Del'nai — responde Kal, me examinando com aqueles olhos brilhantes.

— Não falo Syldrathi, Garoto-fada — respondo.

— Significa "para sempre" — diz Scarlett. — "Para toda eternidade."

Garoto-fada inclina a cabeça na direção de Scar, e então olha de volta para Ty.

— Conheço a história do grande Jericho Jones. Sei como ele morreu. Então tem meus pêsames, senhor. Eu imagino que a presença de um Syldrathi no seu esquadrão... não seja bem-vinda.

— Esse parece ser o tipo de pessoa que eu sou? — Tyler responde. — O tipo que decide odiar uma espécie inteira porque um deles matou o pai dele?

— Dadas as particularidades dos ataques Orion, imagino que a maioria das pessoas teria dificuldade com isso.

Tyler encara os olhos do Garoto-fada.

— Então sorte a sua que não sou a maioria das pessoas.

Kal sustenta o olhar de Ty, com aquela mesma arrogância enfurecedora que emana dele como ondas. Eu sei que Syldrathi podem viver algumas centenas de anos se você permitir, e mesmo que Kal tenha apenas dezenove anos, ele olha para nós como se fôssemos uma irritação que vai passar. Hoje presente, amanhã já esquecida. Consigo ver a marca do seu soco poderoso no queixo de Tyler. Os hematomas e cortes de sua briga com os cadetes ontem.

Todos eles Terráqueos. Quatro contra um, e ele acabou com cada um deles.

Lembrem-se de Orion...

Kal finalmente olha na direção do holograma da estação Sagan.

— Syldrathi são um povo orgulhoso — ele diz. — Os refugiados ficarão desconfiados de nossa presença. Não vão querer nossa ajuda e não vão confiar em nós.

Tyler olha para a irmã.

— Bem, Scar fala Syldrathi fluentemente. Com você e ela, estou confiante de que possamos convencê-los de que estamos aqui apenas para ajudar.

Kal pisca.

— Você vai me mandar para fora da nave?

— Por que não faria isso?

Garoto-fada aponta para a pequena tatuagem na sua sobrancelha. Três lâminas entrecruzadas.

— Assumo que saiba o que é isso, senhor.

— Um glifo. — Tyler faz que sim com a cabeça. — Demonstra a qual dos cinco clãs de Syldrathi você pertence.

Kal aquiesce.

— E esse é o glifo do Clã Guerreiro.

— E?

— Por que acha que fui o último cadete a ser escolhido no alistamento? Por que acha que nem os outros Syldrathi me queriam nos seus esquadrões? — Kal olha para o resto de nós, respondendo sua própria pergunta. — Porque o Destruidor de Estrelas é Guerreiro. E seus Templários são Guerreiros. E seus Paladinos são Guerre...

— Nem todos os Syldrathi do clã Guerreiro se juntaram ao Destruidor de Estrelas — diz Tyler. — Nem todos vocês são responsáveis pelos crimes dele.

Kal olha para Tyler com um desdém evidente.

— E estou certo de que as pessoas esfomeadas e desesperadas naquela estação vão adorar que um *Terráqueo* explique isso a eles.

— Hm, com licença. — Finian ergue uma mão, olhando para o Garoto-fada. — Mas contando comigo e a vermelhinha ali, nós já cumprimos a cota de sarcasmo desse esquadrão.

— Certo. — Scarlett sorri docemente para Kal. — E *eu* sou a Frente dessa missão. Então só fique socando as coisas até elas caírem, talvez? Você parece bom nisso.

Scar olha para o irmão e aquiesce.

— Nós daremos um jeito, senhor.

— Certo — Tyler diz. — A frota do Destruidor de Estrelas está caçando qualquer Syldrathi que não jurou lealdade à sua nova ordem universal. Um sinal tão pequeno quanto Sagan provavelmente é pequeno demais para darem importância, e presumo que seja por isso que os refugiados estão escondidos lá. As chances de alguma interferência em nossa missão são baixas.

— Aproximadamente oito mil setecentos e vinte e cinco para um.

Todos nós paramos, ficando surpresos quando Zila se pronuncia. Eu quase esqueci que ela estava na ponte, para falar a verdade. Ela está sentada na sua cadeira, chupando uma mecha de cabelo preto, sua pele negra retinta iluminada pelas telas conforme os dedos voam pelas teclas.

— Oito mil setecentos e vinte e cinco para um? — repito.

— Aproximadamente — ela responde, sem olhar para mim.

— Como é que calculou isso? — Finian pergunta.

Zila ergue o indicador e aponta para a cabeça.

— Com meu cérebro.

Tyler pigarreia no silêncio desconfortável que se segue.

— Bem — ele finalmente diz —, quaisquer que sejam as chances, quero vocês todos em estado de alerta. Essa é a nossa primeira oportunidade de provarmos nosso valor. Então se você é da opinião de que é mais do que um mensageiro glorificado — Tyler olha para mim —, esta é sua chance. Nossos governos podem ter medo de ficar do lado ruim do Destruidor de Estrelas, mas nós somos a Legião Aurora. Nós não nos curvamos diante de tiranos e não fugimos de uma briga.

Mesmo com as cores monocromáticas, consigo ver o brilho nos olhos de Tyler. Há uma paixão em sua voz que ergue os pelos nos meus braços. Mesmo com as bobagens e dificuldades, ouvindo-o falar, consigo lembrar o porquê de achar que tínhamos uma chance enquanto nos encarávamos em lados opostos da mesa de bar e todos aqueles copos vazios.

— *Esquadrão 312, aqui é o Controle de Voo Aurora, câmbio.*

Dou uma batida no meu comunicador para responder.

— Aqui é o Esquadrão 312, câmbio.

— *Estou com o Comando Aurora para o seu Alfa, 312, câmbio.*

Eu pisco, franzindo o cenho na direção de Tyler conforme ele aperta o botão de Receber em seu console.

— Aqui é o Legionário Jones.

Um holograma da Líder de Batalha de Stoy se materializa em cima do nosso display. Ela está vestida no uniforme completo, o cabelo puxado para trás em um rabo de cavalo severo. Consigo ver o Almirante Adams ao lado dela, também de uniforme, os braços cibernéticos cruzados em cima do seu peitoral largo e metálico, todos pintados de preto, branco e cinza pela Dobra.

Adams e Ty têm uma relação de muitos anos. Ele e o pai de Ty eram melhores amigos quando os dois eram pilotos na Força Aérea Terráquea. Adams pegou Ty e Scar para criar quando o pai deles morreu. Ele e Ty vão à capela todos os finais de semana, e Adams sempre demonstrou mais atenção com Tyler do que com os outros cadetes.

Ainda assim, quando olho para meu Alfa, ele parece tão confuso quanto eu.

— Bom dia, legionários — Adams nos cumprimenta.

Prestamos uma continência de volta e murmuramos nossos cumprimentos quando de Stoy fala.

— Queríamos desejar a você e seu esquadrão uma boa caçada, Legionário Jones.

— Obrigado, senhora — responde Tyler.

— Esse é seu primeiro passo para coisas maiores — Adams diz. — Os desafios que os aguardam podem não ser nada como imaginam. Mas temos confiança nas suas habilidades para terminar a missão. Não importa o que aconteça. Você deve resistir. — Adams olha diretamente para Ty quando fala. — Você deve acreditar, Tyler.

Isso é apenas estranho. Não importa quanto Adam e Ty sejam próximos, os superiores nunca falam diretamente com os recrutas como nós. Estamos tão abaixo na escala de comando que somos praticamente invisíveis, e a missão não vale de nada. Mas aqui estão os *dois* comandantes da Academia falando conosco como se fôssemos um esquadrão de Primeira Classe em uma missão de suma importância.

E então Adams olha diretamente para mim, bradando o lema da Academia.

— *Nós somos Legião. Nós somos luz. Iluminando o que a escuridão conduz.*

— Sim, senhor — respondo.

— Brilhem, legionários — de Stoy diz. — A carga que carregam é mais preciosa do que qualquer um de vocês imagina.

— Que o Criador esteja com vocês. — Adams aquiesce.

— Hum... — diz Tyler. — Obrigado, senhor. Senhora.

As imagens deles pairam por mais um instante, como se estivessem tentando penetrar na nossa memória. Pergunto-me o que está acontecendo. Com uma continência final, as projeções somem, substituídas pela projeção rotacional da Estação Sagan. Estamos todos encarando o lugar em que nossos comandantes estavam uns instantes atrás, um pouco atônitos. E no meio do silêncio, Zila Madran fala uma única palavra que resume bem o que estamos sentindo.

— Estranho...

Tyler empurra o cabelo para trás dos olhos e senta na cadeira. Ele está novamente focado na missão, apesar de eu saber que está se perguntando as mesmas coisas que eu.

— Certo — ele diz, inclinando-se para limpar uma sujeira imaginária em suas botas impecáveis. — Kal, eu quero estratégias caso encontremos algum Syldrathi hostil lá. Scar, quero opções de diplomacia com os refugiados. Zila e Finian, estudem o sistema Sagan. Temos seis horas. Vamos ao trabalho.

— E eu? — pergunto.

Tyler olha para mim e ergue a sobrancelha com a cicatriz, e os lábios se curvam novamente naquele sorriso enfurecedor.

— Continue voando, Zero.

Só eu e você, Tyler.

Encarando um ao outro na mesa de bar e todos aqueles copos vazios.

Nos conhecíamos desde os cinco anos.

Volto para os controles e arrumo o percurso.

— Sim, senhor — suspiro.

Melhores amigos para sempre, certo?

ESQUADRÕES DA LEGIÃO AURORA

▶ MEMBROS DO ESQUADRÃO
  ▼ TANQUES

Eles são grandes, maus, e vão bater onde dói mais. Tanques são membros dos esquadrões da **Legião Aurora (LA)** treinados para infligir dor, e eu suspeito de que a maioria deles gosta disso.

Tanques passam horas e horas na academia, dojos, e nos campos de artilharia, treinando até que fiquem fisicamente perfeitos. Dadas as opções, eles atiram primeiro e deixam que a **Frente** pergunte depois.

Tanques são especialistas em **Artes Marciais** e devem ser mestres em lutar em diferentes gravidades e condições planetárias. Traços favoráveis incluem **conhecimento anatômico detalhado** de várias espécies alienígenas, grande tolerância a dor, e um interesse recreativo em **machucar coisas pequenas e fofinhas**.

INSÍGNIA DOS TANQUES

7

KAL

A canção é sempre a mesma.

Faz duas horas desde que retornamos ao espaçoreal através do Portão da Dobra decrépito, perto da Estação Sagan. Noventa minutos desde que os refugiados Syldrathi começaram as negociações. Um minuto desde que Scarlett Jones finalmente contou que havia um membro do Clã Guerreiro a bordo na nossa nave. Dez segundos desde que as defesas de Sagan viraram todos os seus mísseis na nossa direção.

Humanos são tão tolos.

Tolos com bom coração, às vezes.

Ainda assim, tolos, sempre.

— E eu respeito isso, senhor — Scarlett Jones está dizendo, tentando ignorar o grande aviso de MÍSSEIS TRAVADOS que brilha no display —, mas o Legionário Gilwraeth é nosso especialista em combate. Para conseguirmos examinar suas defesas como um todo...

— *Nenhum membro do Clã Guerreiro pisará nesta estação, não enquanto eu for o Primeiro Caminhante!* — soa a resposta. — *Pelos espíritos do Vazio, eu juro!*

Eu estudo a projeção Holográfica com a qual Scarlett está falando. Taneth Lirael Ammar é um ancião — tem pelo menos uns duzentos anos, pela aparência. Sua pele é marcada por leves rugas, e o prateado do seu cabelo escureceu com a idade, puxado para trás para exibir o pequeno emblema do Clã Andarilho marcado em sua sobrancelha. O glifo me lembra a minha mãe. E o quão longe estou de casa.

O que sobrou de casa, pelo menos.

É comumente dito entre as outras espécies que nós, Syldrathi, somos arrogantes e distantes. Que escondemos nossos sentimentos atrás de paredes de gelo e olhos frios como pedra. Ainda assim, Taneth está claramente ultrajado com a minha presença. Seus olhos violeta brilham conforme fala, e um rubor de raiva é aparente nas pontas afiladas das orelhas.

Tyler Jones ergue suas mãos em súplica, tentando acalmá-lo.

— Primeiro Taneth, o Legionário Gilwraeth é um membro da Legião Aurora, e eu posso...

— *Ele é um Guerreiro!* — Taneth berra. — *Ele não é bem-vindo!*

Eu olho para meu líder de esquadrão e resisto em pronunciar as palavras, *eu te avisei*.

Faz dois anos desde que a guerra entre Syldra e a Terra acabou. Vinte meses desde que eu tentei forjar um novo futuro como membro da Legião Aurora, mesmo contra as vontades de minha mãe. Eu estudei entre os Terráqueos. Vivi e trabalhei e lutei no meio deles. Ainda assim, não os entendo.

São como crianças. A espécie mais jovem da nossa galáxia. São inconscientes da sua obtusidade. Convencidos piamente de que qualquer problema pode ser resolvido com boa-fé ou trabalho duro, e quando tudo isso falha, armas.

Eles nunca viram seu sol morrer. Seu povo queimar. Seu planeta acabar. E eles ainda não sabem que algumas rachaduras não podem ser consertadas.

— Talvez consigamos chegar a um meio-termo? — Scarlett Jones sugere a Taneth, passando a mão por seu cabelo cor de chamas. — Se deixar que o Legionário Gilwraeth entre no compartimento de carga e descarga, ele pode entregar os suprimentos médicos enquanto o resto de nós checa os sistemas de bordo do Sagan?

Hmm.

Eu olho para a humana que ousa falar por mim.

Uma humana sábia.

Primeiro Taneth fica em silêncio, passando a mão na sobrancelha enquanto reflete.

— Honestamente, senhor, quanto mais cedo conseguirmos fazer o trabalho, mais cedo deixamos vocês em paz — Tyler Jones garante. — Eu dou a minha palavra, o Legionário Gilwraeth seguirá todos os protocolos da LA enquanto está a bordo da Estação Sagan.

Olho para o humano que ousa ser meu líder, olhos estreitos.

Um humano que escolhe confiar.

Mesmo com as garantias de nossa diplomata, ainda não acredito que Taneth vá concordar. Os Syldrathi são um povo nobre e ancião. Os guerreiros que seguiram o Destruidor de Estrelas, que se recusaram a aceitar a paz com os Terráqueos, se autodenominaram Imaculados em seu orgulho. Até mesmo aqueles de nós que aceitaram a paz ainda sentem uma pontada de orgulho ferido com o tratado. Apesar de nós Syldrathi termos decaído muito, não aceitamos caridade dos outros. Especialmente daqueles que deram seus primeiros passos cambaleantes na Dobra apenas há poucas centenas de anos.

Então fico surpreso quando Taneth espreme os lábios e inclina a cabeça aquiescendo. Olhando para as sombras embaixo de seus olhos, o desespero estampado na sua face, eu percebo que a situação é muito mais grave do que imaginei.

Nem tudo é o que parece ser por aqui.

• • • • • • • • • • • • •

A câmara de vácuo da nossa Longbow se abre, e imediatamente consigo sentir o ar parado e suor envelhecido. Uma luz defeituosa pisca na área de descarga, e vejo meia dúzia de Syldrathi esperando por nós. Estão usando trajes tradicionais, os glifos do Clã Andarilho bordados no tecido fluido, cristais do Vazio em uma corda de vidro prateada ao redor do pescoço. Eles são altos e graciosos, mas muito magros. Abatidos. Há muitos séculos em seus olhares, e além de uma lâmina-psi na cintura do membro mais novo, nenhum deles está armado.

Contato físico é uma intimidade entre meu povo. Syldrathi não tocam estranhos, mas eu sei que é costume dos Terráqueos apertar as mãos quando se conhecem. Então fico surpreso quando Scarlett Jones anda até Taneth, ergue seus dedos aos olhos, então aos lábios, e por último, ao coração, em uma saudação perfeita.

O Primeiro Caminhante repete o gesto com um pequeno sorriso confuso, obviamente contente ao ver um Terráqueo tão versado em nossos costumes.

Scarlett Jones introduz o restante dos membros do nosso esquadrão.

— Tyler Jones, nosso comandante. Zila Madran, nossa oficial de ciência. Finian de Seel, engenheiro. Catherine Brannock, pilota. E finalmente, Kaliis Idraban Gilwraeth, especialista em combate.

Um por um, os Syldrathi fecham os olhos e viram as costas para mim, até que apenas Taneth continua nos encarando. E ele sequer olha na minha direção.

— Os cinco são bem-vindos aqui — ele declara para os outros. — Apesar de não termos pedido, receberemos agradecidamente qualquer ajuda que a Legião Aurora oferecer.

Tyler Jones examina a área de descarga, percebe a força que falha, os fios e circuitos saindo das rachaduras na parede, o ar parado. Ele vê as tribulações tão rápido quanto eu. Essa estação foi abandonada pelos donos originais anos atrás, e sem dinheiro ou manutenção, está caindo aos pedaços. Essas pessoas obviamente precisam de ajuda. Ainda assim, uma parte de mim está triste ao ver aqueles de minha espécie lançarem-se tão avidamente para receber ajuda. Prostrando-se como mendigos ante a crianças.

Outrora andamos pela escuridão entre as estrelas, inigualáveis.
O que aconteceu conosco?

— Onde está o resto do seu povo? — Tyler pergunta.

Taneth pisca.

— O resto?

— O comando da Legião disse que havia cerca de sete mil refugiados aqui.

— Nossa população é de no máximo cem, jovem Terráqueo.

Tyler Jones compartilha um olhar desconfiado com a irmã. Zila Madran simplesmente pisca, como um autômato guardando dados dentro de si para uma investigação mais tarde. Finian de Seel tem a mesma pergunta nos seus grandes olhos negros quanto Cat Brannock. Assim como eu.

Por que viajar tão longe, arriscar tanto, para ajudar tão poucos?

— Vocês têm um centro de comando e controle? — pergunta Tyler Jones. — Precisamos dar uma olhada melhor nos seus sistemas para priorizarmos os consertos.

— E uma capela talvez? — nossa Ás murmura, os olhos percorrendo o compartimento de carga. — Para perguntarmos ao Criador o que estamos fazendo aqui?

— Temos um controle central — Taneth afirma. — Por favor, sigam-me.

Ele se vira para o mais jovem entre eles, a mulher com a lâmina-psi na cintura.

—Aedra, por favor se responsabilize pela entrega dos suprimentos médicos. E fique de olho — um olhar para mim — *naquilo*. Tenha cuidado.

A mulher olha friamente para mim com seu olhar violeta. Ela responde em nossa própria língua.

— Sua voz, minhas mãos, Primeiro Taneth.

Tyler Jones olha para mim com uma sobrancelha erguida em questionamento. Eu me inclino como resposta, assegurando-lhe que tudo ficará bem. O meu esquadrão acompanha os Andarilhos em um elevador que parece mais velho que Taneth, e duas vezes mais decrépito.

— Vocês, crianças, se comportem, hein? — Finian de Seel sorri.

O elevador sobe vagarosamente para os níveis superiores, rangendo conforme vai. Ele estremece e para em um pedaço sem razão aparente, e o nosso Mecanismo bate no painel de controle para que se mexa novamente. Finalmente, meu esquadrão desaparece de vista.

Fico a sós com a mulher.

Ela é alta, lânguida. Sua pele é bronzeada, seu cabelo prateado, amarrado para longe de sua tez e se desfazendo em ondas brilhantes por cima dos ombros. Agora que estamos longe dos Terráqueos, ela deixa que seu desdém transpareça mais abertamente, curvando o seu lábio, o ódio brilhando no olhar. Sei que ela está me escaneando telepaticamente — minha mãe também era do Clã Andarilho, e ela me ensinou a perceber os sinais. Consigo sentir o pressionar gentil da mente de Aedra na minha conforme ela passeia por meus pensamentos superficiais.

Olho para a mão dela na lâmina-psi, vejo o glifo que circula seu indicador. Ela parece jovem demais para ter respondido ao Chamado. Ainda assim, da única lágrima dentro do círculo, sei que sua alma gêmea já morreu e retornou ao Vazio.

— Que os espíritos o guiem para casa — ofereço.

Ela se mexe. Rápida como um raio de sol. Um arco de energia pulsa da sua lâmina-psi — arroxeado, crepitante, refletindo nas pupilas conforme ela a ergue para a minha garganta.

Algo surge dentro de mim quando ela ergue sua arma.

O chamado no meu sangue.

O Inimigo Oculto.

Eu o afasto. Forço-me a ficar calmo.

— Você pode ter enganado aquelas crianças que chama de camaradas — ela rosna —, mas eu vejo sua alma. Você foi nascido para a brutalidade. Banhado no sangue de nosso planeta natal. Você e todos os seus malditos semelhantes.

Eu conheço essa canção. Todo cadete Syldrathi da Academia já cantou. Todo Syldrathi que eu conheci desde que nossa estrela foi queimada até virar cinza. O glifo na minha testa diz quem eu sou antes que tenha a chance de falar, mas eu falo mesmo assim, esperando que a narrativa seja diferente dessa vez.

— Os Imaculados não são meus semelhantes — digo. — O Destruidor de Estrelas traiu todos nós quando destruiu nosso planeta natal. Eu sangro tanto quanto você.

— Ainda não, Guerreiro — ela cospe —, mas fale comigo de novo, e você sangrará.

Sustento o seu olhar, repelindo o impulso de fazer a raiva encontrar mais raiva. De sucumbir ao que eu cresci para ser. O chamado é tão forte, a raiva tão real, que parece uma chama dentro do meu peito. Ameaçando me queimar vivo. Gritando para que seja libertada.

Em vez disso, faço uma reverência vagarosa, as palmas de minha mão voltadas para cima. Ainda mais lentamente, ela abaixa a lâmina. Virando-me para a câmara de vácuo na Longbow atrás de mim, eu entro, ocupando-me com descarregar todos os suprimentos médicos.

Eu não a culpo por me odiar.

Tento falar todas as vezes.

Mas a canção é sempre a mesma.

• • • • • • • • • • • •

— *Kal, aqui é Tyler, você está na escuta?*

A voz crepita do meu univídro conforme eu volto ao lugar de descarga pela quinquagésima terceira vez, colocando suprimentos médicos na rampa de descarregamento com uma batida. Os contêineres são grandes, quase pesados demais para carregar. O trabalho seria duas vezes mais rápido se Aedra me ajudasse, mas ela simplesmente me segue enquanto trabalho, uma mão no cabo da lâmina-psi, sem nunca desviar os olhos de mim.

— Estou ouvindo, senhor.

— *Como é que está indo aí embaixo?*

Olho para Aedra, que está estudando a parede e tentando fingir que não escuta tudo que está sendo dito. Seus lábios se curvam em um sorriso quando me ouve chamando um Terráqueo de "senhor".

— Devagar — respondo.

— *Bem, aproveite então, vamos ficar aqui um tempinho. Zila está tentando trazer o suporte de vida para o nosso século. Finian e Cat estão checando as defesas.*

Cat Brannock grunhe no seu canal.

— Se é que dá pra chamar disso.

— Aqui não tem nada de moderno — Finian de Seel concorda. — A grade de mísseis foi feita com os esquifes que eles usaram para voar até aqui, então a boa notícia é que provavelmente não poderiam ter atirado na gente mesmo que quisessem. Essa também é a má notícia. Os scanners de curta distância devem voltar ao sistema a qualquer instante, no entanto.

— Devo terminar de descarregar os suprimentos daqui a uma hora — digo.

— *Entendido* — meu Alfa responde. — *Qualquer coisa que precisar enquanto isso, é só dar um grito.*

— Gostaria de fazer uma pergunta, senhor.

Scarlett Jones interrompe.

— *Você quer saber de onde vêm os bebês?*

— Não.

— *Puxa, alguém vai ter que explicar essa pra você mais cedo ou mais tarde, Garotão...*

Imagino que ela esteja tentando ser engraçada.

— Desde a destruição de Syldra, há milhões de refugiados Syldrathi espalhados pela galáxia. Todos eles são necessitados. Todos eles sem um lar ou amparo.

— *Não estou ouvindo uma pergunta, legionário* — diz Tyler Jones.

— De todos os lugares para os quais poderiam nos enviar, por que o Comando da Legião escolheria esse? Uma estação degradada em um sistema insignificante, com apenas cem pessoas a bordo?

Consigo sentir pelo silêncio nos comunicadores que todos os meus camaradas estavam se fazendo a mesma pergunta. Podemos ser a ralé da Academia Aurora. A maioria de nós está nesse esquadrão porque nenhum outro nos queria. No entanto, parece que estamos sendo punidos por um crime que nem cometemos ainda.

— *Eu não sei, Legionário Gilwraeth* — vem a resposta do nosso Alfa. — *O que eu sei é que você e eu fizemos um juramento quando nos juntamos à Legião. Para ajudar os desamparados. Para defender os impotentes. E mesmo que o...*

— Hum, senhor? — diz Finian de Seel. — Acho que estamos com um problema.

— *Quer dizer, fora você interromper meu discurso? Porque eu estava praticando na minha cabeça por quase uma hora e ia ser incrível.*

— *E mal posso descrever como estou devastado sobre isso, senhor, mas acabei de conseguir que os sistemas dos scanners voltassem a funcionar como prometido, e sabe como a Legionária Madran e o cérebro dela nos disseram que as chances dos Imaculados nos pegarem por aqui era de oito mil pra um?*

— Oito mil, setecentos e vinte e cinco — corrige Zila Madran. — Aproximadamente.

— *Bem, talvez "aproximadamente" signifique algo diferente na Terra, porque um cruzeiro de guerra Syldrathi acabou de chegar do Portão da Dobra. Inteiramente armado. Classe Sombra. Estão voando com as cores dos Imaculados. E estão vindo pra cá.*

Aedra olha para mim do outro lado do compartimento de carga, seus olhos arregalando.

— *Hum, pergunta totalmente não relacionada* — Scarlett Jones diz. — *Alguém trouxe calças extras, por acaso?*

— *Aham* — o Mecanismo responde. — *Mas acho que vou precisar das minhas.*

— Parem com isso. — A voz do nosso Alfa é dura com suas ordens. — *Finian, quero aqueles mísseis agora. Zila, você está responsável pelos comunicadores. Kal, preciso de você aqui. Corra!*

A adrenalina me atinge em cheio no estômago, e levanto a caixa de suprimentos médicos, deixando na pilha perfeita que estava construindo. Temos talvez dez minutos antes que a nave dos Imaculados chegue até nós. Um cruzeiro da classe Sombra é pequeno, com uma tripulação de vinte e sete adeptos. Ainda assim, só com a nossa Longbow e as defesas rudimentares desta estação, nós não somos páreos para eles. A promessa da violência tilinta em meu sangue.

O Inimigo Oculto, acordando.

Aedra está olhando para mim com fúria em seus olhos, as mãos cerradas em punhos.

— Foi *você* que fez isso — cospe ela.

Meu lábio se curva.

— O quê?

— Nós ficamos escondidos aqui por seis meses, sem ninguém descobrir. Vocês chegam, e menos de uma hora depois, os Imaculados aparecem?

— É óbvio que outros sabem que vocês estão aqui — digo. — O Comando Legião, só para começar, mas você imediatamente assume que *eu* os traí?

— Você é guerreiro — ela sibila.

Tento não responder, mas o Inimigo agora está acordado.

— *E você é uma tola* — ouço ele dizer.

Os olhos de Aedra se arregalam, e ela pega a sua lâmina-psi novamente. E apesar de sua forma ser rápida, fluida, esplêndida, ela não nasceu como eu.

Nasci com o gosto de sangue na boca.

Nasci com minhas mãos em forma de punho.

Nasci para a guerra.

A violência dentro de mim se desdobra, plena e quente e demandando. A coisa que eu nasci para ser toma posse de mim. Eu dou um passo para o lado quando ela dá o golpe, pensamento e movimento se tornando um só, dando uma pontada no pescoço dela com dedos esticados. Rápido como prata. Duro como aço. É fácil demais. O nervo faz com que o braço dela adormeça e ela ofega, tropeça em uma das pilhas de medicamento. Os contêineres se espalham pelo chão, o lacre do maior deles abrindo com o tilintar alto do metal se arrebentando.

De dentro dele sai uma garota.

Ela é esbelta como uma árvore de lias. O cabelo dela é escuro como a meia-noite, com uma faixa tão branca quanto poeira de estrelas. Sua pele é de um tom de marrom-claro, e as sardas nas suas bochechas são perfeitas constelações. O seu ofegar é fraco e dolorido conforme ela tropeça, e ainda assim, parece música. E quando olho para seu rosto, sinto uma dor no meu peito, radiante, aguda e tão real quanto vidro quebrado.

Um sentimento que nunca achei que teria.

Mas...

Então eu vejo que ela é...

Humana?

— Hum — ela diz, olhando para Aedra. — Oi.

Ela se levanta usando os cotovelos e finalmente olha para mim. E além da dor e do choque e da surpresa, eu vejo outra cor em seus olhos.

Os pensamentos dela são um caleidoscópio.

Sua voz é um sussurro.

— Eu já vi você antes...

8

ZILA

A má notícia é que o sistema de suporte de vida que estava tentando reviver pertence a um museu. Tenho certeza de que o sistema de comunicações está pior.

A boa notícia é que a condição dos sistemas não vai importar por muito tempo.

Finian olha para mim de dentro de um dos terminais que ele está consertando.

— Você sabe o que eu não entendo? — ele pergunta.

— Provavelmente — respondo.

9

AURI

É o cara da minha visão. O Senhor Terra Média.

Só que ele é real.

E está bem aqui na minha frente.

E eu...

— Traição — uma voz diz atrás de mim. — Quando vocês iriam nos contar que haviam sete de vocês?

Desvio os olhos do garoto da minha visão, virando para ver quem estava falando. Ela é da mesma espécie, alta e magra, com a mesma pele cor de oliva, o mesmo cabelo prateado. A tatuagem no meio da sua testa é diferente, porém — a dele são três lâminas entrecruzadas, a dela é de um olho chorando cinco lágrimas.

— Eu não sabia.

O garoto atrás de mim parece desconfiado, mas não parece que quer me cortar e ver o que tem por dentro, então eu me aproximo dele, deslizando com a minha bunda. Meus braços e pernas ainda estão com câimbra do espaço apertado do contêiner de carga, meus olhos pesados devido a tudo que andei lendo na pequena tela de Magalhães. E eu também preciso ir ao banheiro. Por que isso nunca é um problema nos filmes de espião?

— Ela é Terráquea — a garota diz, apertando na mão um cilindro preto de uma maneira que me faz pensar que deve ser uma arma. — Está usando o uniforme. Ela é sua.

— Ela... — Ele olha para mim, cerra a mandíbula. — Ela não é importante.

Espera. O que ele disse?

Nós estamos em um cômodo grande — parte de uma estação espacial, se eu fosse chutar — e o lugar todo parece que está em pé colado com fita crepe e reza braba. Buracos enormes nas paredes revelam um emaranhado de circuitos que devem estar prestes a pegar fogo, as luzes piscam como se fossem apagar, e as únicas coisas novas são as caixas que usei para entrar de gaiato na nave. Eu segui as instruções da Líder de Batalha de Stoy, então chuto que é aqui que ela queria que eu estivesse? Queria só saber o porquê disso.

Eu queria saber qualquer coisa que fosse.

Como resposta ao veredito do garoto alto, a garota ergue o bastão, e de repente, *carácoles, aquela coisa é definitivamente uma arma.* Energia arroxeada estala ao acender, surgindo do bastão como uma lâmina curva, e vou para trás tão rápido que bato contra as pernas de Terra Média atrás de mim.

— Controle-se, Aedra — ele diz, a voz calma. — Você se envergonha agindo dessa maneira na frente de um humano. Se sobrevivermos, conversamos sobre a garota depois.

Eu ao mesmo tempo quero e não quero saber por que nossa sobrevivência está em jogo, mas aparentemente, nem sequer me consideram — ele se abaixa e me levanta para me deixar em pé como se eu não pesasse nada, me segurando no lugar enquanto me equilibro de volta. Meus joelhos ainda estão protestando por estarem sendo esticados conforme a garota desliga sua arma, lançando um último olhar fulminante antes de ir para o outro lado do cômodo como se esperasse que a seguíssemos.

— Meu nome é Kal — o garoto diz, baixinho.

— Aurora — respondo, ainda incomodada com o Ela Não É Importante.

— Você é a garota que Tyler Jones descobriu na Dobra.

— Como você sabe disso?

— Você foi encontrada em uma famosa nave desaparecida que estava à deriva por duzentos anos e tem o mesmo nome da Academia na qual vivi nos últimos dois anos.

Tudo bem, ele tem razão.

— É. Olha, desculpa, mas eu...

— Explique-se quando estivermos fora de perigo — diz ele, me interrompendo. — Por enquanto, fique ao meu lado e não saia de perto.

Os olhos dele são do mesmo tom de roxo da energia que a garota chamada Aedra estava erguendo um minuto atrás. Quando tive a visão no meu quarto, achei que seu cabelo era prateado por causa da luz, mas não — *é mesmo* dessa cor, amarrado, para não ficar caindo no rosto e pelas costas em cinco longas tranças perfeitas. Vejo até os mesmos machucados no seu queixo.

Eu me lembro do som de gritos.

Do sangue em minhas mãos.

Quando ele olha para mim, um calafrio sobe pela minha espinha tão rapidamente que faz meus músculos terem espasmos. É como uma resposta ao medo, exceto que é também alguma outra coisa. Há algo frio sobre ele. Algo... bem... inteiramente alienígena. Ele me assusta, mas apesar de seus maus modos, ele me assusta um pouco menos do que qualquer outra coisa na galáxia por enquanto. Então quando ele vira e marcha na outra direção, eu apresso o passo para alcançar.

— O que está acontecendo? — eu pergunto, para o caso de eu conseguir entender a resposta.

Ele olha para mim com olhos distantes.

— Isso aqui é uma estação de mineração abandonada — diz ele finalmente conforme subimos em um elevador decrépito. — Eu sou parte de um esquadrão da Legião Aurora que foi enviado com suprimentos médicos e ajuda. 'Uma nave de guerra comandada por... por uma facção violenta do meu povo está se aproximando.

— Ela foi convocada — diz Aedra, e apesar de sua voz estar mais calma, ainda está fuzilando o garoto com um olhar assassino.

— É perigosa — diz ele, como se ela não houvesse dito nada, virando-se para longe de mim. — Mas não precisa temer, humana. Está entre amigos.

— Olha, dá pra discordar... — murmuro.

O elevador estremece ao parar e as portas deslizam para abrir, e chegamos a um centro de controle. Grandes telas mostram imagens trêmulas de estrelas e gráficos incompreensíveis, e controles semidesmantelados estão alinhados nos cantos do cômodo, o meio tomado inteiramente pelo controle central. O cômodo está cheio de pessoas, gritando e se apressando.

— Aurora? — Alguém diz meu nome no meio do cômodo, incrédulo. É o Capitão Charmoso. Ty, quero dizer. Está parado ao lado da irmã, a que tem o cabelo alaranjado, Scarlett, e de um garoto com uma pele da cor de papel. Ele deve ser um Betraskano, assim como a Líder de Batalha de Stoy. Exceto que esse garoto está usando uma espécie de exoesqueleto por cima do uniforme que murmura e zumbe quando ele se vira para mim.

Todos os três estão me encarando, como se Kal acabasse de ter me tirado de um chapéu. Sinto ele trocando o peso dos pés, cruzando os braços ao meu lado.

— Oi — digo.

Ótima entrada.
Scarlett franze o cenho para mim.
— Hum, o que ela está fazendo aqui?
— Os Imaculados primeiro — diz Kal. — As perguntas depois.
Suponho que os Imaculados sejam a facção violenta que ele mencionou, e as expressões nos seus rostos ao meu redor são como um cubo de gelo deslizando pelas costas.
Tyler simplesmente faz que sim.
— Cat, quero você voando o perímetro na Longbow. Fique longe de vista. Kal, você fica responsável pelas defesas. A Sombra vai chegar aqui em dez minutos, a não ser que ofereçamos outro motivo para não estar aqui.
A garota com as tatuagens que vi na enfermaria passa ao meu lado, a porta do elevador se fechando com barulho.
Kal olha para mim, e então dá um passo na direção de uma série de consoles. Quero perguntar o que está acontecendo, mas considerando o clima geral por aqui, é melhor eu ficar fora do caminho. Então encosto em uma parede ao lado de um homem Syldrathi mais velho. Meu coração está batendo acelerado, e uma parte de mim quer encontrar um espaço pequeno e me esconder. É demais. Eu consigo lidar com duzentos anos em criogenia, se eu não pensar muito no assunto. Consigo lidar com entrar clandestinamente em uma nave com um grupo de estranhos. Todos ao meu redor mentirem para mim. Estar *sob ataque* é a coisa que cruza a linha.
Gostaria de dizer que é uma sala cheia de operadores bem treinados e que funciona como uma máquina com um motor bem oleado, mas seria mentira. Os legionários se atropelam ao falar, gritando perguntas sem esperar por respostas, suas vozes erguendo-se freneticamente. Se esse é o esquadrão que Ty não queria liderar, entendo o lado dele — nenhum deles está escutando, e observando do lado de fora, vejo que é o problema principal.
Olho para o velho ao meu lado, que é o único que não está fazendo nada.
— Sou a Auri — digo baixinho. E então, sentindo que preciso de mais formalidade confrontada com a sua postura perfeita, ofereço uma pequena referência. — Aurora Jie-Lin O'Malley.
Ele me olha confuso, como se eu fosse um cão que acabou de fazer um truque bonitinho.
— Eu sou o Primeiro Caminhante Taneth Lirael Ammar, jovem Terráquea — ele responde, sua voz profunda e calma. — Pode me chamar de Primeiro Taneth.

— As pessoas nessa nave de guerra... — Tento engolir, minha garganta dolorida. — Eles vão nos matar?

— Quase certamente — diz ele, no mesmo tom em que falou o seu nome.

Filho de uma égua. Isso está indo de mal a pior.

A piada é fraca até para meu próprio cérebro, e minha respiração parece curta, como se alguém estivesse comprimindo meu peito. Eu não posso morrer no meio de um conflito que eu não entendo, em uma estação espacial, duzentos anos no futuro.

Posso?

Há coisas que eu deveria ter feito antes de um momento como esse chegar. Eu ainda não havia procurado por minha mãe ou Callie, para descobrir o que havia acontecido com elas. Apesar de todas as horas apertada no contêiner com Magalhães, nunca me senti preparada para vê-las reduzidas a nomes e datas em uma tela. Ou ainda pior, dadas como desaparecidas como meu pai. Então eu sequer tentei, e agora talvez nunca tenha essa chance.

A voz de Kal interrompe o barulho ao meu redor, o caos do esquadrão gritando suas perguntas e instruções.

— As defesas da estação não são adequadas para afastar a Sombra. Devemos pegar todas as armas disponíveis e nos preparar para uma abordagem violenta. Os Imaculados não vão demonstrar misericórdia.

O garoto Betraskano responde, sua voz seca, como se a situação ainda fosse engraçada:

— O conselho do nosso especialista em combate é pegar os talheres afiados e os bastões, e então correr direto para os braços da morte certa? Sabe, eu gosto de você, Kal.

O outro garoto ergue uma sobrancelha prateada perfeita.

— Tem um plano melhor?

— A gente pode chamar os Imaculados para ir num bar, passar umas cantadas, ver se a gente consegue resolver na conversa?

— Você não é bem um guerreiro, é, Finian?

— Bem, você não é um...

— Cale a boca, Finian — diz Scarlett, trocando olhares com o irmão. Ela inclina a cabeça e ele levanta o queixo, e algo passa entre eles. Tem a mesma linguagem de irmãos que eu tenho... *tinha*... com a minha irmã.

Me pergunto se Callie conseguiu se tornar a compositora que sempre sonhou ser.

Me pergunto como foi ter só mamãe na audiência tentando aplaudir forte o suficiente para compensar por mim e papai.

Ty ergue a cabeça apontando para o teto.

— Zila, como estão os comunicadores?

Surpreendentemente, uma voz do teto responde.

— Só um minuto, senhor.

Um par de pernas usando o mesmo uniforme azul-acinzentado que todos usamos aparece no buraco do teto, e um segundo depois segue a garota ao qual pertencem, que parece ser da minha idade. Tem pele negra retinta e longos cabelos crespos, que estão longe da sua cara, firmados em uma trança solta e que deixam a mostra seu par de argolas douradas. Ela se parece com alguém que poderia estar em qualquer uma das minhas aulas na escola. Ela digita uma série de comandos no console e aquiesce.

— O sinal agora está forte o suficiente para enviar um pedido de socorro para a Dobra — informa ela. — Nós também podemos chamar a nave Syldrathi, se quiserem.

Kal sacode a cabeça.

— Os Imaculados não negociarão com nenhum de nós.

— Poderíamos evacuar daqui? — Scarlett sugere. — Podemos fugir pelo campo de asteroides.

O garoto Betraskano, Finian, opina novamente.

— Não vamos todos caber na Longbow. E os esquifes que esse pessoal usou não estão nada aptos para correr mais do que uma Sombra Syldrathi.

A garota do teto — Zila — fala de novo. Ela é a única que não tem nenhum traço de pânico no olhar, e está estudando a estação como se estivesse fazendo uma cruzadinha.

— A Legionária Brannock poderia chocar a nossa Longbow contra a nave Syldrathi. O impacto seria fatal para ela, mas se conseguisse mirar bem, tem uma ótima chance de eliminar o reator e o sistema de armas deles.

A voz de Cat ecoa do autofalante.

— *Você sabe que consigo te ouvir, né?*

— Sim — Zila responde.

— *Bem, se conseguirmos evitar qualquer tipo de ordem que envolva as palavras "velocidade de choque", seria ótimo, valeu. Ty, já estou no espaço. Estou no modo indetectável, no campo de asteroides. Eles ainda não sabem que estou aqui.*

— Não se deixe ser localizada pelo radar — responde Ty. — Zila, deixe pronto um sinal de socorro, mas ainda não envie. Essa estação parece que está caindo aos pedaços. Se não fizermos nada que atraia sua atenção, talvez consigamos convencê-los de que não tem ninguém em casa.

— Senhor, estou detectando um lançamento da estação, de um dos portos traseiros — reporta Zila.

— Visual — Ty responde.

Uma imagem acende na tela maior. São os destroços de um maquinário velho flutuando sem vida entre algumas pedras. Como se eu estivesse assistindo a um videogame, o foco muda conforme Zila o ajusta, e vemos uma imagem mais aproximada de uma pequena nave passeando entre os asteroides. Primeiro Taneth fica tenso ao meu lado, sussurrando em uma língua que eu não entendo.

— De'sai...

— Um dos refugiados está tentando fugir — Finian reporta, mãos na cintura. — Tentando salvar a própria bunda enquanto alerta nossos novos amigos que...

Ele não termina, a voz interrompida quando vemos a pequena nave explodir sem nenhum som em milhões de estilhaços brilhantes, espiralando no espaço. Todos assistimos, e nenhum de nós ousa respirar, até que Zila quebra o silêncio com sua voz extremamente calma.

— Um cruzeiro Syldrathi classe Sombra, virando diretamente na nossa direção, senhor.

— Pelo amor do Criador — Tyler murmura.

— Transmissão chegando — reporta ela.

— Pode mandar para tela — ordena Ty, virando para a irmã. — Scar, hora de fazer sua magia.

— Magia? — Scarlett ergue uma sobrancelha esculpida, incrédula. — Deixei a minha vara de condão no bolso da outra calça, bebezinho.

Tyler sustenta o olhar da irmã.

— Você consegue, Scar.

Uma imagem desabrocha na tela principal. É de uma mulher jovem muito bonita, uma Syldrathi como Kal, Aedra, Primeiro Taneth e como todos aqui, exceto os legionários. Sua pele é cor de oliva, quase dourada, seu cabelo prateado repuxado para trás em tranças complexas. Uma armadura preta deixa seus ombros largos mais quadrados, e é adornada com algo que parece lâminas. Seus caninos são afilados e pontiagudos — ou talvez seja só da espécie deles. Ela está falando no que presumo ser Syldrathi, mas conforme registra as feições de Scarlett, sua carranca se aprofunda, suspeita colorindo o seu tom gélido.

— O que você está fazendo aqui, Terráquea?

— Meu nome é Scarlett Jones — Scarlett responde tranquilamente. — Meu esquadrão e eu somos representantes da Legião Aurora, em espaço neutro em uma missão de socorro.

— Estão interferindo em assuntos Syldrathi.

— Estamos providenciando assistência médica a refugiados, conforme as premissas em...

— Aqueles que auxiliam os inimigos dos Imaculados tornam-se *inimigos dos Imaculados*.

Scarlett passa a mão em seu cabelo vermelho, abarcando sua postura, preparando-se como se fosse dar um soco em alguém.

— Com todo o respeito, a Legião Aurora é imparcial quanto ao seu conflito, senhora. Aconselho que se retire deste espaço. Nós estamos autorizados a responder com força bruta caso nossa segurança seja ameaçada.

— Ameaçada?

A jovem mulher sacode a cabeça e toma uma expressão de escárnio.

— Nós não fazemos ameaças, pequena Terráquea. Apenas promessas. Preparem suas almas para o abraço do Vazio. Em nome de Caersan, vocês serão expurgados.

A tela fica toda preta.

— ... essa é sua ideia de magia? — Finian pergunta baixinho.

— Cala a *boca*, Finian! — Scarlett grita em resposta.

— Estão acelerando — diz Zila, calma como sempre. — O tempo de chegada estimado é de quatro minutos.

— Zila, envie o pedido de socorro — comanda Ty. — O mais alto e o mais longe que conseguir.

Scarlett está passando a mão pelo cabelo novamente, deixando-o todo bagunçado.

— Ninguém vai responder. Se as forças de defesa Terráqueas ou Betraskanas ouvirem, a política dita que *não* devem responder. E se houvesse outra nave da LA nessa área, nem iriam ter nos mandado até aqui. Estamos sozinhos.

Ty simplesmente assente e continua.

— Finian, você está na ponte. Continue trabalhando nos mísseis. Zila, fique com ele, continue nas comunicações.

Pela primeira vez, ninguém dá uma resposta espertinha — os dois simplesmente murmuram um assentimento e voltam ao trabalho. Acho que isso me assusta mais do que qualquer outra coisa até o momento.

— Parece que vamos executar o seu plano, Kal — ele continua. — Eu, você, Scar, ficamos com as armas prontas. Vamos para o compartimento de carga. Primeiro Taneth, junte qualquer um entre vocês que tenha uma arma e nos encontre por lá.

Kal e a garota Syldrathi já estão se mexendo para onde eu e Primeiro Taneth estamos parados, perto da porta, e os olhos de Tyler pousam em mim quando ele se aproxima.

— Suponho que não tenha nenhum treinamento de combate? — Ty pergunta suavemente.

— Hum — digo. — Quero dizer, fiz um curso de defesa pessoal na escola?

— Você não pode ter a intenção de mandá-la lá para baixo — diz Kal.

Ty olha para o garoto mais alto.

— Dê a ela uma pistola.

Kal titubeia com a sugestão.

— Isso é extremamente insensato, senhor. Ela será apenas um risco.

— Ei, escuta aqui, Lorde Elrond... — começo.

— Nós estamos encarando adeptos dos Imaculados — Kal fala para Tyler, sequer olhando para mim. — Syldrathi são mais rápidos e mais fortes que Terráqueos. E esses são treinados desde o nascimento...

— Aprecio o aviso, legionário. Mas estamos lidando com algo incomum aqui.

Um pequeno estalar eletrônico apita do meu bolso.

— BEM, SE EU PUDER OFERECER UMA OPINIÃO...

— Não, não pode — Tyler diz à Magalhães. — Modo silencioso.

Meu univídro fica em silêncio enquanto Ty se vira para mim.

— Olhe, Auri, me desculpe. Eu nem sei o que você está fazendo aqui, mas nós precisamos de todos prontos para ajudar, ou vamos todos morrer. Se conseguir apertar um gatilho, precisamos de você. Você pode nos ajudar?

Sinto o pulsar do meu coração na garganta e as palmas das minhas mãos estão escorregadias. E um milhão de anos-luz longe de casa, e duzentos anos fora do tempo, e nada disso faz sentido nenhum. Mas se todos vamos morrer...

— Tudo bem — respondo, baixinho.

Eu me encontro amontoada no elevador com o restante do time. Kal segura uma pistola tecnológica que parece muito perigosa, e as palavras "ela será apenas um risco" ecoam na minha cabeça conforme eu a pego de suas mãos.

— Isso trava no seu alvo — ele diz, apontando. — Isso aqui atira. No improvável acontecimento de você realmente acertar alguém, atire mais duas vezes só para garantir.

— Obrigada — digo. — Aprendi como usar uma pistola no treinamento da colônia. Eu sei atirar bem, Legolas.

Ele pisca.

— Meu nome é Kal, humana. Quem é este Legolas de quem fala?

Eu reviro meus olhos e murmuro quase inaudível:

— Leia um livro uma hora dessas, seu convencido filho de uma...

Meu murmúrio acaba em nada quando percebo o quanto todos os outros estão silenciosos. E nesse momento de silêncio, a verdade da qual estava fugindo me alcança e me atinge como um trem-bala. Estou prestes a entrar em *combate*. Minhas mãos estão suadas, e não tenho certeza de que sequer consigo segurar a arma. Meu corpo ainda está dolorido de ficar escondida dentro da caixa, e meus pulmões estão apertados, então não consigo nem respirar fundo para tentar me acalmar. A verdade é que a coisa nas minhas mãos se parece tanto com uma pistola quanto um leão adulto se parece com um filhote de gato.

Todas as rotinas idiotas que eu costumava fazer antes de uma competição invadem minha mente — os alongamentos, os exercícios de respiração, as músicas de aquecimento — e todas parecem pequenas e estúpidas. Aquela versão de mim — aquela que achava que tinha alguma ideia do que era uma situação de vida-ou-morte — parece jovem e distante, apesar de que eu era ela apenas alguns dias atrás.

Eu daria *tudo* para ser aquela garota de novo. Para contar para minha mãe que isso me assusta e fazer com que ela desligue o filme de terror. Para contar para o meu pai que ainda não me sinto pronta para ajudar ele a encontrar as respostas em outro percurso de treinamento.

Tudo que eu aprendi, eu aprendi com simuladores ou livros.

Mas isso aqui *é real*.

A voz de Finian crepita pelo unividro de Tyler quando saímos para o compartimento de carga.

— *Disparei os mísseis, senhor. Eles quicaram na nave dos Syldrathi como bolas kebar. A nave deles já está em posição, e estão preparando para alinhar. Estou tentando fazer uma corrente localizada no nosso casco para impedir que consigam acoplar, mas estou preocupado com o isolamento desse lugar. Não quero fazer o trabalho deles e fritar todos vocês.*

— Entendido — diz Ty, sombrio, gesticulando para que nos escondamos atrás das caixas. — Cat, conforme o embarque for acontecendo, atire no cruzeiro deles. Eles vão estar tão distraídos quanto podemos esperar.

— *Entendido* — diz Cat nos comunicadores, seu tom ácido. — *Um socão no navio múmia, preparado. Vou mirar direto na fábrica do amor.*

— Eles colocam isso em cruzeiros agora? — Scarlett pergunta.

— *Bom, eu ouvi boatos...*

O elevador do compartimento de carga se abre novamente, e Primeiro Taneth aparece com a garota Syldrathi, Aedra. Cerca de uma dúzia de Syldrathi mais velhos estão os acompanhando, todos se movendo devagar, vestindo longos robes e segurando o que parecem ser armas tão anciãs quanto eles. Kal está ao meu lado atrás de uma pilha de caixas, chamando-os conforme os vê.

— Fiquem nos pórticos ao redor do compartimento. Ficaremos com o chão.

— Nós não obedecemos a suas ordens, Guerreiro. — Aedra o fuzila com o olhar. — Nem aos seus bichos de estimação Terráqueos. Essa aqui é a *nossa* estação.

— Precisamos ficar unidos nisso, Aedra — Kal responde calmamente. — Ou deixar que sejamos abatidos sozinhos.

Aedra se separa do restante dos Syldrathi, vindo na direção de nós dois. Kal troca seu peso para que fique na minha frente.

— Você fala de união? — Sua lâmina roxa vibra de volta à vida em sua mão, equiparada apenas ao fogo em seus olhos. — Quando seus semelhantes despedaçaram nosso mundo inteiro?

— Você não sabe nada sobre quem eu sou — diz Kal. — Ou o que me custou estar aqui.

Ela ergue a mão, e vejo uma tatuagem no seu anelar. Um círculo com uma única lágrima.

— Eu sei que meu be'shmai está morto por causa de seus semelhantes, Guerreiro. Ele, e também todo nosso mundo.

— Aedra! — Taneth a chama. — Agora não é a hora para isso.

— Nós vamos morrer, Taneth! — ela grita. — Tem melhor hora do que agora?

Ela vira de volta para Kal, seus lábios curvados em desdém.

— Seu caminho é repleto de morte, e seu destino está no seu sangue.

— *Cho'taa* — diz Kal, sua voz congelante. — Não tem nada a ver com o meu sangue.

E toda minha respiração se esvai nesse momento.

Porque...

Eu já vi isso antes.

Ele está parado igual à visão que tive na Estação Aurora. Perfeitamente posicionado mesmo quando está completamente parado, como uma arma encurvada, os hematomas no rosto e o desdém no seu rosto. Ele disse essas exatas palavras.

Isso não pode estar acontecendo...

Isso é a minha visão se tornando realidade.

Repentinamente, a sala se enche com um barulho alto, o grito estridente de metal. Ninguém precisa que Finian diga que acabaram de alinhar com a câmara de vácuo exterior. Kal inclina sua cabeça, e todos os olhos focam nas portas.

A garota aproveita sua chance, erguendo a sua arma roxa crepitante.

— Te vejo no Vazio, Guerreiro.

Tudo desacelera. É como assistir ao mundo em câmera lenta, como se uma fonte de luz estivesse desligando, e eu pudesse ver cada pequeno movimento e instante.

O que estou vendo, e o que eu já *vi*.

Aedra erguerá sua lâmina em um giro, um flash de roxo, tal qual minha visão, um golpe que trará a morte certa. Kal começará a virar, mas será tarde demais. A lâmina cortará diretamente dentro dele, e ele vai soltar um grito e cair na minha frente, e minhas mãos estarão cobertas de sangue. Sangue roxo.

O sangue *dele*.

Posso ver tudo na minha cabeça.

Tão claramente quanto as paredes ao meu redor.

Minhas mãos aqui, na minha frente.

E sei que posso mudar tudo.

O compartimento de carga é repentinamente aceso por uma luz branca, e eu ergo minhas mãos. E apesar de eu não estar nem um pouco perto dela, Aedra voa para trás. Ela se choca contra a parede, os braços esticados. Enquanto ela se desmonta no chão, uma dor flamejante acende no meu olho direito, injetando diretamente na minha cabeça. É como uma pinça nas minhas têmporas, e está apertando, *apertando,* e conforme me desdobro dentro de mim mesma, meu grito afogado pelo som do metal das portas sendo abertas à força, sangue começa a jorrar do meu nariz. Quente e salgado nos meus lábios, pingando no metal sob meus pés.

E Kal está na minha frente, seus lábios se mexendo, seus olhos fixos nos meus.

— Espíritos do Vazio — ele diz sem fôlego. — Seu olho...

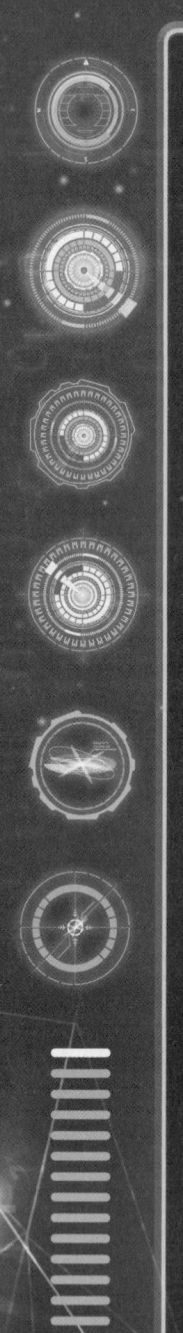

ESQUADRÕES DA LEGIÃO AURORA
▶ MEMBROS DO ESQUADRÃO
▼ MAQUINISMOS

Maquinismos são os mecânicos do **Esquadrão LA**, responsáveis por manter as máquinas e equipamentos funcionando e tentar construir qualquer coisa que os esquadrões possam precisar e não tenham trazido consigo. Inventores loucos, a maioria deles.

Eles têm uma reputação por serem engenhosos, fascinados por **engenhocas**, e estão frequentemente cobertos de **graxa**. Feições pessoais comuns incluem sobrancelhas faltando e um interesse pessoal intenso em **coisas que EXPLODEM**.

INSÍGNIA DOS MAQUINISMOS

10

FINIAN

O murmurar baixo do rádio nas minhas orelhas enquanto me debato contra os sistemas dessa sucata. Em algum lugar à minha esquerda, Zila está trabalhando silenciosamente em melhorar o alcance do nosso sistema de comunicação, e estou travando minha própria guerra pessoal contra um computador que é mais velho e mais feio que meu terceiro avô. Se esse pedaço de estação chakk iria me ferrar desse jeito, ao menos deveria ter pago o jantar primeiro.

Os Imaculados estão com as pinças de acoplagem no lugar, e estão cortando por dentro do casco exterior. Se eu não conseguir um jeito de desviar sua atenção e impedi-los de abrir uma nova porta no compartimento de carga, Zila e eu estaremos prontos para uma repentina — e breve — promoção.

— É melhor o Criador levar em conta que estamos morrendo em uma missão de resgate. — Conecto o meu univídro em um cabo, rezando para que não seja moderno demais para a interface dessa pilha de parafusos. — Porque eu vou precisar de um lugar para me esconder quando meus avós chegarem no além. Eles nunca vão me deixar em paz.

Zila não responde, e quando olho para ela, está com aquele olhar vazio fixado na tela, como se não tivesse me ouvido.

— Meus pais morreram — diz ela.

Bom.

Isso mata a conversa mais rápido do que a nossa própria morte iminente.

Eu não entendo essa garota. Não entendo o que faz o cérebro gigante dela funcionar, ou o que ela está fazendo aqui, ou como ela pode estar tão calma quando daqui a pouco seremos apenas corpos congelados flutuando no espaço.

E olha, esse é o nosso problema. Isso aqui. Nenhum de nós tecnicamente é *ruim* no que faz. Individualmente, somos bons, ao menos na teoria. É só que metade de nós não se voluntariou para estar aqui, e a outra metade não tem outro lugar pra ir. Nunca deveríamos ter sido recrutados no mesmo esquadrão.

Nós não nos encaixamos.

Eu não achei que seria o último Mecanismo a ser escolhido, para falar a verdade.

Todos eles fingem que o exoesqueleto não é um problema, mas eu sei que é. Sempre foi. Quando as pessoas olham para mim, é a primeira coisa que veem. Ainda assim, sou muito bom no que eu faço, então foi horrível quando os incompetentes foram escolhidos antes de mim. Mecanismos que não conseguem contar até vinte sem ter que tirar as meias conseguiram um esquadrão, e eu fiquei lá, em pé, segurando uma chave de fenda na mão.

Sozinho.

Fui mandado para longe de casa quando tinha seis anos — falaram que ia ser mais fácil numa estação de órbita, com meus avós. Eu poderia dormir em baixa gravidade, ter acesso aos melhores médicos. O que eles queriam dizer é que seria mais fácil para *todo mundo*. É de se esperar que eu tivesse baixado um pouco as expectativas a essa altura.

Não que eu estaria me lamentando sobre isso — ou qualquer outra coisa — por muito mais tempo.

Meu univridro resolve o problema, e uma tela virtual aparece em cima do console. A onda de alívio é como uma droga. *Isso* é no que eu sou bom. Nada de pessoas. Isso aqui.

Dou um passo para trás e ergo minhas mãos como se estivesse conduzindo uma orquestra, entrando em camadas e camadas de algoritmos de manutenção antigos. Eu os apago com meus punhos, afastando protocolos de segurança e dando mais poder aos acopladores que seguram a nave Syldrathi no lugar. Consigo ouvir um grito de longe através do uni de Tyler, e o barulho assustador de cortadores de plasma repentinamente para. Isso nos dá uns trinta segundos.

Me jogo na massa amorfa de códigos para a segunda rodada. Dou mais uma vez um choque nos acopladores, mas os técnicos Syldrathi já sacaram o que está acontecendo. Afastando a tela com minha mão, coloco meu peso nos calcanhares, meu traje chiando suavemente conforme compensa o movimento.

Talvez eu consiga bagunçar as leituras da nave, fazer com que os computadores não acreditem que há atmosfera o suficiente dentro do compartimento de carga para compensar a pressão. Isso vai precisar de um pouco mais de trabalho manual.

Tiro uma ferramenta multiuso de onde ela se esconde, na curva do metal nas minhas costelas, arrancando a parte de trás do computador para que consiga engatinhar para dentro. Espero que meu traje continue aguentando, ou vou me fritar. Mesmo se isso funcionar, sei que não consigo fazer isso para sempre. Minhas mãos tremem. Normalmente elas estão bem, especialmente com as pequenas linhas de estímulo que chegam até as pontas dos dedos — são minhas pernas que precisam de mais ajuda, os tendões do joelho e meu quadril.

Mas com uma dose extra de adrenalina pelo meu corpo, tudo fica mais forte, e agora a adrenalina está abundante. Na minha cabeça, consigo ver os Imaculados irrompendo pelo compartimento de carga, jantando meu esquadrão antes de subir para pegar a sobremesa.

Será que aguento tempo o suficiente para encará-los?

Ou será que me escondo e terão que me arrastar para fora?

Há tantas conversas que deveria ter tido. Deveria ter sido mais legal com meus avós. Deveria ter pedido desculpa aos meus pais. Deveria ter pedido desculpa para a maioria das pessoas que eu conheci, pensando bem, mas minhas desculpas sempre parecem piorar tudo.

Ainda assim, é minha última chance.

— Olha, Zila — digo —, sobre seus pais, eu...

— Senhor, estou captando uma transmissão de um exterminador da Força de Defesa Terráquea — diz ela. — Identificação: *Belerofonte*. Acabaram de passar pelo Portão da Dobra em resposta ao nosso pedido de socorro e estimam onze minutos de distância até o alcance de armas.

Tyler responde.

— Hmm, você tem certeza?

Ele parece tão perdido quanto eu me sinto. Sem chance que a FDT vai se envolver numa briguinha como essa. Sem chance que eles estariam nessa *lonjura* no meio do nada, e ainda por cima dispostos a comprometer a neutralidade da Terra com relação aos Imaculados...

— Afirmativo — diz Zila, sem hesitar um segundo.

— *Me coloca pra falar com os Syldrathi, Zila* — diz Scarlett.

— Transmitindo.

— *Invasores Syldrathi* — começa Scarlett, no mesmo tom de "não me testem". — *Estejam avisados que temos uma nave da Força de Defesa Terráquea para nos apoiar, que sem dúvida já podem ver nos seus radares. Se querem manter suas lindas bundas nas calças, aconselho que se retirem imediatamente. Ou podem esperar um pouco e ver se um cruzeiro Syldrathi da classe Sombra é páreo para um exterminador Terráqueo armado. A escolha é sua.*

É esquisito que o tom de "não me testem" dessa garota faz com que eu queira falar para ela que eu posso testá-la qualquer dia que ela quiser?

Prendemos a respiração. Fico onde estou, de joelhos, meio dentro do computador antiquado. Zila não mexe um músculo acima de mim, e por meio do meu áudio consigo ouvir sua respiração suave e o murmúrio do pessoal conforme tentam manter sua posição no compartimento de carga.

E então, com um barulho estremecedor, a nave Syldrathi vai embora.

— Senhor, eles estão batendo em retirada — reporta Zila no mesmo tom que usou durante toda nossa experiência de quase-morte.

O que *acontece* com essa garota?

Tyler responde através dos comunicadores:

— Cat, avise ao exterminador FDT *que você está por aí para que não atirem em você sem querer. Zila, precisamos de você aqui para cuidados médicos. Finian, você também.*

Saio engatinhando por trás, e eu e Zila trocamos olhares.

Por que precisam de cuidados médicos se ninguém conseguiu entrar na estação?

Quando chegamos ao compartimento de carga, os refugiados Syldrathi estão agrupados, fazendo um bom trabalho de parecerem desinteressados e serenos apesar do fato de todos acabarem de escapar de um assassinato certo e brutal. Os gêmeos Jones estão agachados perto de uma jovem Syldrathi desmaiada no chão, cabelo prateado ao seu redor como uma auréola, braços estendidos. Kal está ocupado ficando por perto, assim como nossa passageira clandestina. Eu me lembro do seu nome agora — Aurora — e sei onde já o ouvi antes.

Ela é quem o Garoto de Ouro tirou da *Hadfield*.

O que é que ela está fazendo aqui?

Zila abre uma caixa de tecnologias médicas, e eu ajudo a carregar o kit para onde a garota Syldrathi está deitada. Alguém claramente a socou, e ela bateu a cabeça na parede atrás dela. Pode ter sido Aurora, porque agora que olho para ela de novo, ela está com o nariz sangrando. Parece selvagem, com um joelho no chão, as bochechas molhadas como se estivesse chorando, uma mão tentando estancar o sangue. E mais esquisito entre as outras esquisitices, a sua íris direita ficou completamente branca.

— O que aconteceu com o olho dela? — pergunta Zila.

Dou de ombros, olhando para a mecha esbranquiçada que percorre a franja de Aurora.

— Pelo menos agora combina com o cabelo.

Aurora nos ignora, olhando para Tyler em vez disso.

— O governo Terráqueo está lá fora?

— É isso mesmo — diz ele, falando com cuidado.

— Por favor, não diga a eles que estou aqui. Não posso ir com eles.

Tyler pisca, trocando um olhar com a irmã.

— Auri — tenta ele. — É *exatamente* para onde você deve ir. Não sei como você chegou aqui, mas você é Terráquea, eles cuidarão de você.

— Você não entende — insiste ela, abaixando o curativo ensanguentado. — A Líder de Batalha de Stoy me disse para evitá-los. Ela *mandou* eu vir com vocês.

Outro olhar de gêmeo-para-gêmeo acontece enquanto Auri vira seus olhos implorando para mim. E então ela sibila, a mão na cabeça como se estivesse a machucando. Pressionando seu nariz sangrento.

Scarlett assume o controle do seu irmão. Aparentemente durante sua comunicação silenciosa decidiram que isso era um trabalho para uma diplomata.

— Auri, não há nenhuma razão para de Stoy dizer isso. Talvez tenha entendido errado?

— Não posso ir — insiste Auri, seus olhos parecendo mais loucos, e não ajudando em nada na situação. — Você não entende. *Vocês não entendem.* Eles apagaram qualquer traço da minha colônia. É como se Octavia nunca tivesse existido. Querem me apagar também.

Kal a encara com os olhos violeta frios. Zila está olhando para ela como se fosse um inseto através de uma lupa. Ela não parece estar sendo razoável, e sua desconfiança está me infestando, sendo sincero. Talvez sejam só meus nervos depois de um bando de Imaculados chegar tão perto para me fazer de churrasquinho. Ou talvez seja que, de tempos em tempos, os Terráqueos me deixam desconfortável também. Eles são tão complexos, com tantos idiomas, com tantas roupas e cores diferentes, como uma revoada de pássaros kazar, sempre tentando comprar brigas e voar em redemoinho. Mesmo assim, não sei se deveríamos forçar essa garota a ir a algum lugar que não queira.

— Escute — diz ela, falando diretamente com o nosso líder de esquadrão. — Sei que parece loucura, mas... eu vi de Stoy antes de encontrá-la, Tyler. Eu vi Kal no quarto do hospital, dizendo *exatamente* o que ele disse alguns minutos atrás. E eu vi o que eles farão comigo. Eu consigo ainda ver na minha cabeça, e consigo *sentir* isso, e...

Ah. Entendi agora.

Essa garota passou tempo demais na Dobra.

Nosso indomável líder chegou à mesma conclusão que eu, porque sua voz fica repentinamente gentil.

— Eles podem te ajudar, Auri. Vai ficar tudo bem.

Kal se abaixa, murmurando no ouvido dela. Ela lança um olhar feio e, por um instante, a mão aperta a pistola que está segurando. Surpreendentemente, o que ele diz parece acalmá-la, e ela deixa que ele tire a pistola dela, que segurava tão forte que os nós dos dedos estavam brancos.

Consigo ouvir Scarlett falando no sistema de comunicação com a FDT conforme o exterminador se aproxima da estação. Com um barulho pesado, a pinça umbilical se acopla nas portas exteriores, e Primeiro Taneth habilita a câmara de vácuo. Todo o nosso esquadrão está em silêncio. A respiração de Auri é audível, pesada e arfando, como se estivesse tentando não chorar.

— Eles não têm rostos — ela sussurra.

Eu pisco.

— O que disse?

— Eles não têm *rostos* — ela sussurra desesperadamente. — E vão apagar todos nós, vão nos limpar, vão pintar tudo de *preto*.

Kal se levanta conforme a câmara de vácuo se abre. Vejo os uniformes cáqui da Força de Defesa Terráquea marchando no compartimento, as armaduras e botas pesadas. Nenhum deles tem mais de vinte e cinco anos.

O famoso Ty Jones atravessa o compartimento para cumprimentá-los, e apesar de ser apenas um legionário recém-chegado, ainda consegue parecer que é quem comanda a situação. O que é ainda mais impressionante, porque ele deve estar tão confuso quanto o resto de nós do porquê da FDT estar se envolvendo.

— Estamos mesmo felizes em te ver, Tenente — diz ele, oferecendo um cumprimento educado e um daqueles sorrisos incríveis que ele faz tão bem.

— É claro. — Uma jovem mulher presta a continência de volta. — Estamos felizes em ajudar.

— Tenho que dizer, Tenente, não estávamos esperando ajuda — admite ele.

— Se a notícia de que a FDT se envolveu se espalhar, os Imaculados podem considerar que o governo Terráqueo tomou partido. Poderia haver represálias.

Uma voz vem de trás do grupo de soldados, baixa e metálica, como se estivesse falando através de uma máscara.

— Esse risco foi calculado, legionário.

Os soldados se partem como se um pente corresse entre eles, e com passos pesados e deliberados, cinco figuras altas chegam até a linha de frente.

Mas o que...?

Eles estão cobertos dos pés a cabeça em cinza-escuro, e seus rostos estão escondidos completamente atrás de máscaras sem feições, como capacetes de bicigrav alongados. Sem olhos, sem nariz, sem boca. Só uma superfície refletora quase opaca, escondendo todas as partes do indivíduo por trás dela. Com suas vozes eletrônicas, não dá para adivinhar nem o gênero, nem a idade.

— Puta merda — diz Scarlett. — Eles são da AIG.

Pergunto-me se seria uma má hora para retomar aquela conversa sobre as calças extras, porque eu posso não ser Terráqueo, mas até eu sei que o pessoal da Agência de Inteligência Global *não* é um pessoal que deve ser confrontado.

Eles não têm rostos.

E aqui estão eles.

Os cinco agentes da AIG são perfeitamente idênticos, exceto o que está na frente do bando. O líder está vestido de branco em vez de cinza, sem manchas, e tão alvo que é um pouco assustador. E eu sou Betraskano, então quando acho branco demais intimidante, saiba que é pra valer.

Acho que a ausência de cor é um marcador de algum tipo de posto, porque o Garoto de Ouro presta uma continência e fica em posição de sentido como se estivesse em um desfile.

— Apresentando Legionário Tyler Jones.

A figura nos inspeciona, a respiração chiando. Não consigo ver os olhos, mas consigo ver que está olhando diretamente para a nossa clandestina, e fala com o Garoto de Ouro sem prestar muita atenção.

— Você vai se referir a mim como o princeps.

Tyler pigarreia, finalmente parecendo que está deslocado.

— Princeps, não quero dar nenhuma ordem, mas se aqueles Imaculados forem...

— A Belerofonte já despachou dois caçadores — a coisa interrompe, sua voz monótona e morta. — O Sombra Syldrathi será incinerado. Não haverá evidências do envolvimento da Terra nesse... Incidente.

— Perdoe-me por perguntar, Princeps, mas como chegou até nós tão rápido? Não recebemos nenhum aviso de uma nave Terráquea nesse setor.

Ele está pressionando só um pouco, e consigo ver Scarlett ficar tensa imperceptivelmente conforme o observa. O agente vira e encara Tyler.

— A agência de inteligência global tem mil olhos, legionário Jones.

Ele estende uma mão para a nossa clandestina.

— Aurora — a coisa diz. — Viemos para escoltá-la para casa.

Eles não têm rostos. E vão apagar todos nós, vão nos limpar, vão pintar tudo de preto.

— Não me façam ir — implora ela.

Ela olha para Tyler, o Garoto de Ouro, nosso líder destemido. Lágrimas nos olhos e sangue nos lábios.

— Por favor, Tyler — sussurra ela. — Não deixe que me levem.

Tyler olha para as tropas da FDT, as máscaras em branco da AIG. Ele pode ser um legionário, mas embaixo de tudo isso, ainda é um Terráqueo. Posso ver nos olhos dele. Todos os anos de treinamento militar, todos os anos de "sim senhor, não senhor, posso pegar outro, senhor". Não dá para ser o melhor Alfa na Academia se tentar comprar brigas. Não dá para ser o Garoto de Ouro desobedecendo as regras.

— Você deveria ir com eles, Auri — diz ele.

Kal dá um passo à frente, a mão na pistola conforme olha para o Princeps.

— Essa estação está sob controle Syldrathi, Terráqueo. Você não tem autoridade...

A tropa da FDT ergue suas armas. Duas dúzias de lasers de alcance acendem em Kal como se fosse o Dia da Federação.

— Controle seu soldado, legionário Jones — diz o Princeps.

— Legionário Gilwraeth — diz Tyler suavemente. — Afaste-se.

— Kii'ne dō all'iavesh ishi — diz o Syldrathi, um pequeno pedaço de raiva quebrando o gelo. — Eu vou...

— Isso é uma ordem! — interrompe Tyler.

Kal fumega, mas sem contar com a arrogância Syldrathi, as armas apontadas todas na direção da sua carinha bonita fazem com que ele hesite. Ele se afasta.

Auri olha para o grupo, lágrimas nos olhos, mas está claro que ninguém vai se adiantar. Eu é que não vou, de todo modo. Os Betraskanos sempre pensam em termos de negociação. De acordo. E com o negócio ruim desse jeito, a coisa esperta a se fazer é se afastar. Meus colegas legionários parecem felizes de seguir a liderança de Tyler, e ele não está se adiantando para salvar ela tampouco. Ele já arriscou tudo por essa garota uma vez, afinal de contas. E olha só onde ele foi parar.

Aqui.

Com a gente.

E então ela ergue o queixo e anda para se juntar à escolta como se estivesse indo para sua execução.

As tropas da FDT movimentam suas armas para que nós os sigamos.

É, eu acho que isso não vai ser *nada* bom.

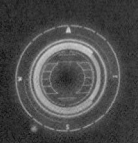

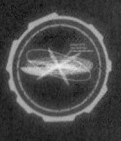

EXECUÇÃO DA LEI TERRÁQUEA

▶ AGÊNCIA DE INTELIGÊNCIA GLOBAL
▼ VISÃO GERAL

A execução da lei Terráquea é reforçada pelas seguintes agências.

Operações Militares: A **Força de Defesa Terráquea (FDT)**

Manutenção da paz: A **Legião Aurora (LA)** independente, que também incorpora **Betraskanos** e os **Syldrathi livres**.

E então há a Agência de Inteligência Global (AIG), o braço investigativo do **Governo Terráqueo**. Os agentes da AIG são os desgraçados assustadores responsáveis por saber todos os seus segredos.

Eles podem ser reconhecidos pelos trajes cinza e capacetes sem feições, que junto com suas vozes de sintetizadores, deixa todos idênticos. Também são reconhecíveis por seus poderes quase ilimitados de **perseguir e deter aqueles que entram em seu caminho**.

Se alguma vez se deparar em um confronto contra a AIG, sugiro pedir desculpas apavoradas e sinceras. Ou isso, ou **oração**.

11

AURI

Tropeço por um longo corredor de aço inoxidável, a figura vestida de branco na minha frente, as outras de cinza seguindo atrás. Eles andam em conjunto, os pés pisando no mesmo instante nas placas de metal, como soldados em um desfile. Fico no meio, bagunçada e fora do lugar, me apressando para continuar no ritmo. Meu olho direito está ardendo como se tivesse vidro dentro dele. Consigo sentir sangue nos meus lábios.

Estou repetindo as palavras de Kal para mim mesma, sussurradas em meu ouvido conforme ele tirava a pistola da minha mão.

Vá com dignidade. Você é mais do que isso.

Apesar de falar como uma reprimenda, suas palavras são o suficiente para eu me endireitar. Passei anos em competições e campeonatos, dando o melhor de mim, provando que eu era capaz de ter um lugar em Octavia. Agora eu tento alcançar desesperadamente a compostura que me ajudava naqueles tempos, apesar de senti-la escapando no mesmo momento em que tento agarrá-la.

A figura de branco para em frente a uma porta selada pesada, e se vira para os outros atrás de mim. Há uma pausa curta e desconfortável, e apesar de nenhuma palavra ter sido dita, dois agentes assentem e voltam pelo caminho que vieram. Minha cabeça está doendo, meu olho ainda ardendo. E olhando para meu reflexo no capacete opaco sem marcas, vejo que meu olho direito ficou inteiramente branco.

Quero minha mãe. Quero meu pai. Quero correr o mais longe que conseguir, e me esconder em um lugar seguro, e nunca mais sair.

— Por favor — sussurro. — P-Prin...

— Princeps — responde a figura de branco, afastando poeira invisível de seu uniforme.

Consigo sentir meus olhos queimando.

— Eu q-quero ir pra casa.

— Você está indo para casa, aurora. Estou prestes a reportar que você está a caminho. — Princeps acena com uma mão enluvada para os agentes atrás de mim. — Os meus colegas vão cuidar de você até que eu volte.

A figura de branco se vira e marcha pelo corredor. Um dos agentes de terno cinza atrás de mim põe a mão em um painel, e a porta pesada ao nosso lado desliza para cima com um sussurro.

Começo a seguir o agente pela porta, e então paro assustada depois de dois passos, de maneira tão repentina que o agente sem rosto atrás de mim quase tromba comigo.

Já vi esse cômodo, e o choque do reconhecimento foi tão forte que me paralisa. Uma imagem dele piscou em minha mente no compartimento de carga, no momento que ouvi as palavras *Força de Defesa Terráquea*. Outra visão, que chegou com um terror que me fez desviar meu pânico por ter atirado a garota Syldrathi em uma parede com o que tenho quase certeza ter sido o poder da minha mente.

O que está acontecendo comigo?

Vi as mesmas paredes de aço cinzentas que vi antes, as mesmas luzes ofuscantes, a mesma cadeira, sozinha no centro do cômodo, e eu sentada nela. Minhas mãos estavam atadas na minha frente com algemas cinzentas da mesma cor dos uniformes dos meus interrogadores, e a dor que estava sentindo por causa das algemas — apenas a memória é o suficiente para me fazer estremecer. Era o tipo de dor que derretia a carne dos ossos, que me fazia pensar em cortar minhas mãos fora, e por puro instinto me retraio, trombando com aqueles que me aprisionam.

Duas mãos enluvadas e cinza pousam sobre meu ombro, apertando até que meus ossos estejam prestes a quebrar e se fundir uns aos outros, e meus joelhos cedem, minha visão turva.

Essas mesmas mãos agarram meu bíceps e me direcionam, trôpega, para a cadeira, me retorcendo e me jogando sobre ela. Lembro-me da garota Syldrathi, me lembro de erguer minhas mãos e empurrá-la sem que eu a tocasse, e olho para meus captores, meio cega pela dor e pelas lágrimas, desesperadamente tentando alcançar a parte da minha mente que sabe atirá-los para o outro lado do cômodo, tentando fazer qualquer coisa que possa ajudar, tudo em vão.

Essa era minha visão. As algemas, a dor, e as mesmas palavras gritadas de novo e de novo em uma voz tão rouca que mal podia reconhecer que era minha.

— *Eu não sei. Por favor, eu não sei.*

É só quando os dois capacetes se inclinam para olhar para mim que percebo que já estou começando a sussurrar minha resposta. Já estou implorando, e eles nem sequer fizeram a primeira de suas perguntas impossíveis.

— SENHORITA O'MALLEY — um deles diz baixinho, sua voz perfeitamente rasa, perfeitamente neutra, fria como o vácuo além das finas paredes dessa nave. — ACREDITE, PREFERIMOS FAZER ISSO DO JEITO FÁCIL.

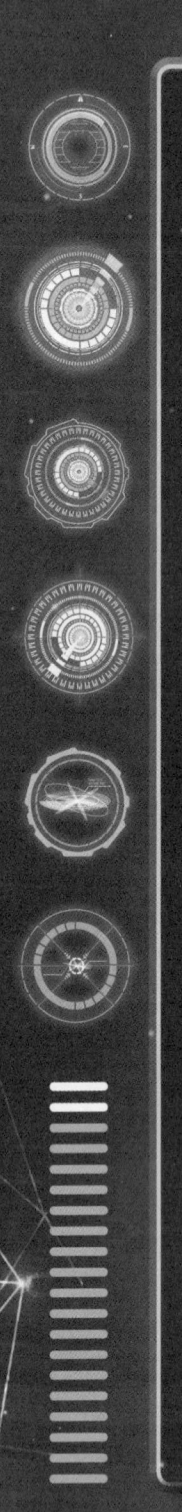

ESQUADRÕES DA LEGIÃO AURORA

▶ MEMBROS DO ESQUADRÃO
　▼ ALFAS

Alfas são os líderes dos **Esquadrões da Legião Aurora (LA)**, e quase sem exceção, levam isso **muito a sério**. Alfas geralmente possuem um conhecimento enciclopédico do regulamento e uma ética de trabalho assustadora, mas a maioria também são líderes carismáticos. Afinal de contas, ajuda muito se os seus seguidores querem, er, seguir você.

Apenas os mais talentosos cadetes na Academia são aceitos como líderes de esquadrão, e os Alfas são os responsáveis pelo sucesso ou fracasso de qualquer missão, bem como pelo bem-estar dos membros de seu esquadrão.

Sem pressão...

INSÍGNIA ALFA

12

TYLER

— Bem, não é aconchegante?

Olho para Finian. Ele está recostado contra a parede de aço inoxidável, seus olhos negros fixados em mim. Seu exotraje brilha prateado na luz fluorescente que paira acima de nós, murmurando suavemente conforme ele se inclina para pegar água no galão ao seu lado.

— A decoração é muito escassa para uma "sala de reunião" — continua ele, bebendo um gole do copo descartável e olhando em volta. — Eu sei que vocês Terráqueos não são a espécie mais estilosa na Via Láctea, mas isso mais parece uma cela de detenção.

— Ah, por favor, continue — Scarlett diz, inclinando-se para a frente no banco e pressionando os cílios. — É sério, posso ouvir você reclamar e gemer o dia todo, Finian.

Finian se senta e suspira.

— Estou velho demais para essas coisas.

Zila inclina sua cabeça.

— Você mal completou dezenove anos, Legionário de Seel.

— É. E estou velho demais para essas coisas.

— Parem com isso — solto um grunhido. — Todos vocês.

Estamos em um cômodo quadrado, cinco metros de cada lado, com bancos em todos os lados. Scarlett está sentada ao meu lado, Zila na minha frente, Kal o mais longe que consegue chegar de todos nós e fazendo bico como um pato. Todos estamos tensos depois de quase sermos massacrados pelos Imaculados, e eu tenho que tentar manter todo mundo em linha. O problema é que eu também estou tenso. Finian está certo. Quando nos mandaram a bordo da *Belerofonte*, uma dúzia de soldados nos escoltou para uma sala para "esperar o briefing", mas com uma porta trancada e as paredes cruas, a caixa em que nos jogaram realmente parece *muito* com uma cela de detenção.

Consigo sentir o motor do exterminador pulsando no assento abaixo de mim, a grande nave passando pelo escuro, de volta para o Portão da Dobra. Estou tentando lembrar como Auri olhava para mim conforme a arrastavam para longe, um olho castanho e outro branco, os dois fixados em mim como se fosse sua última esperança.

Por favor, Tyler. Não deixe que me levem.

Coitada. Todos sabem que ficar tempo demais na Dobra faz mal ao cérebro, mas nunca tinha ouvido falar de exposição transformar a *cor do olho* antes. O que quer que esteja acontecendo com ela, não havia percebido que estava tão mal.

Espero que consigam ajudá-la.

O Criador sabe que eu não consegui....

— Tire suas mãos imundas de mim, seu bando de assediadores de gremp de mer...

A porta sussurra ao abrir, e dois soldados da FDT, em armaduras, empurram minha Ás para dentro da sala, xingando o tempo todo. Nossa escolta disse que a trariam assim que acoplasse a Longbow, e não parece que foi um caminho fácil. O rosto de Cat está vermelho, seu moicano bagunçado. Ela está com seu dragão de pelúcia, Trevo, dentro da jaqueta, e está mais brava do que eu jamais havia visto. Conforme ela encara o maior dos soldados, ele dá um tapa no controle da porta e a tranca com o restante de nós. Sua bota deixa uma marca no plastil quando ela chuta a porta, gritando com toda a força dos pulmões.

— É melhor você correr mesmo, seu filho da puta *covarde*!

— Cat? — pergunta Scar, ficando em pé. — Você está bem?

— Eu pareço bem? — ela reclama. — Não, eu estou pronta para acabar com a raça do próximo — outro chute na porta — *capanga* da FDT que aparecer no meu radar!

— Cat — digo, me levantando. — Respira fundo.

— Eles *apagaram* eles, Tyler! — ela grita, virando-se para mim.

Eu pisco.

— O quê? Quem?

— Os refugiados! — Cat grita, os braços apontados para a porta. — Taneth e o resto deles. Assim que acoplei a Longbow, a FDT obliterou o resto da estação. Ela já *era!*

A voz de Finian sai num sussurro.

— Grande Criador...

Eu pisco novamente, tentando entender o que Cat está dizendo. Scarlett se afunda de novo no banco, o rosto pálido.

Todos se viram para Kal.

A frieza tradicional do nosso Tanque Syldrathi não se altera, mas a linha da sua mandíbula fica tensa como o aço conforme ele se levanta e vai para o outro lado do cômodo. Ele coloca a mão nas paredes, inclina a cabeça, e murmura algo inaudível. Eu não falo Syldrathi tão bem quanto Scar, mas sei que todas as palavras que está usando são xingamentos.

— Kal? — Scar pergunta, baixinho. — Você está bem?

Consigo ver a raiva em seus olhos conforme ele se vira para ela. Consigo ver a luta dentro dele, mas sua voz é tão vazia e fria quanto o vácuo lá fora.

— Cem do meu povo — diz ele. — Cem canções agora silenciadas. Cem vidas e milhares de anos, perdidos para o Vazio. Não estavam contentes em nos deixar ser massacrados pelos nossos irmãos, agora a Terra se junta aos Imaculados nos assassinatos?

— Tenho certeza de que há uma explicação — diz Scarlett.

— Eles eram Andarilhos — diz Kal, aproximando-se da minha irmã. — Sacerdotes e estudiosos. Que tipo de explicação há para isso?

— Calma, legionário — aviso.

— De'sai! — ele sibila, olhando entre mim e Scar. — De'sai si alamm tiir'na!

Minha mandíbula se fecha conforme reconheço algumas palavras.

— Ele acabou de dizer o que acho...

— Vergonha — traduz Scarlett, tremendo com a raiva. — Vergonha para a casa de seu pai.

E é isso. A última gota d'água. Perder meu lugar no Alistamento. Essa missão de nada. Esse esquadrão de nada. As mentiras do Comando e o olhar de Auri conforme a levavam, e agora esse Garoto-fada bruto falando do meu pai.

Essa é a faísca que inicia o incêndio.

Ele bloqueia meu primeiro soco — parece que ele é muito mais rápido do que eu, mas eu o travo e engancho sua perna e vamos ao chão em uma briga em que sua rapidez conta bem menos, e o Criador que me ajude, quando meu segundo soco parte o lábio dele, estou sorrindo. Toda a frustração dos últimos dias entra em ebulição dentro de mim conforme lutamos e cuspimos, conforme Cat grita para eu parar, conforme Fin oferece uma pequena rodada de aplausos, conforme Zila começa a digitar no seu unividro como se estivesse entediada até a morte. Os dedos de Kal se fecham ao redor da minha garganta, e eu levanto para alcançar...

Água fria jorra em cima de nós, atingindo minha nuca. Eu cuspo e arfo, empurrando as mãos de Kal para longe do meu pescoço. Olhando para cima, vejo Scarlett, esvaziando o galão na nossa cabeça. Ela chacoalha enfaticamente para as últimas gotas caírem antes de jogar o galão no canto.

— Vê se cresce — diz ela. — Senhor.

Minha irmã marcha de volta para o banco, senta com as pernas e os braços cruzados. Finian fala no silêncio que seguiu, uma sobrancelha levantada.

— Eles ensinam isso nas aulas de diplomacia?

— Eu improvisei. — Scarlett o fuzila com os olhos.

Cat oferece sua mão e eu aceito, me colocando de pé com um grunhido. Água se junta numa poça em meus pés, o cabelo molhado encharcando meus olhos. Minha Ás me olha com um sorriso malandro, sacudindo a cabeça. Kal parece deslizar de volta a sua altura ao meu lado, seu uniforme ensopado, seus olhos ainda cheios de fúria, sangue roxo em seu lábio. Ele provavelmente me arrebentaria até ficar em pedaços agora que perdi o elemento-surpresa, e me pergunto se ele está mentalmente se preparando para a segunda rodada quando todos os nossos univridros tocam simultaneamente.

Olho para o aparelho preso em meu cinto. Uma única linha de texto brilha na tela.

Mensagem, grupo do esquadrão. Remetente: Zila M, oficial de ciências.

Zila M: assumo que a FDT ainda não hackeou a rede criptografada do nosso esquadrão. Certamente estão fazendo isso agora. Devemos falar rápido.

Cat olha para Zila como se ela fosse louca.

— Hm, o gato comeu sua língua?

Zila digita um pouco mais, e alguns instantes depois, meu univridro apita novamente.

Zila M: esse cômodo está sem dúvida sob vigilância audiovisual. Falar abertamente apenas irá fazer com que nos assassinem mais rápido. Precisamos sair desta cela e resgatar Aurora. Ou todos nós vamos morrer.

Eu franzo o cenho, abrindo minha boca para falar, mas Zila sacode a cabeça em aviso, deixando com que sua argola dourada chacoalhe na orelha, e alguma coisa em seus olhos faz com que eu digite uma mensagem.

Tyler J: em nome do Criador, do que você está falando?

Zila M: estimo que temos alguns instantes antes da FDT chegar e tirar você da cela para "dar o briefing", senhor. Ao fim de seu interrogatório, você será morto. E, um por um, eles irão interrogar todos e nos matar.

Fin digita rapidamente, os olhos firmes em Zila.

Finian dS: você se esqueceu de tomar os remédios de felicidade hoje?

Zila M: não. Eu sou sempre assim.

Tyler J: Fin, cale a boca. Zila, o que está dizendo?

Zila suspira e começa a digitar com rapidez tremenda.

Zila M: a tripulação da *Belerofonte* acabou de liquidar cem refugiados Syldrathi inocentes. Presumo que também destruíram a Sombra dos Imaculados, Legionária Brannock?

Cat faz que sim com a cabeça.

Zila M: portanto, somos as únicas testemunhas vivas.

Digito rapidamente, franzindo o cenho, sem acreditar.

Tyler J: está dizendo que eles vão nos matar para acobertar o fato de que violaram a neutralidade Terráquea com os Imaculados? Não que eu não valorize sua colocação, Zila, mas isso não faz nenhum sentido. Por que nos salvar só para matar depois?

Zila M: eles não estão acobertando a violação da neutralidade, senhor. Estão silenciando qualquer um que saiba que Aurora O'Malley está sob a sua custódia.

Scarlett J: espera um pouco, o que Aurora tem a ver com isso?

Zila M: considere logicamente. Como um exterminador da FDT poderia estar coincidentemente perto quando enviamos nosso pedido de socorro?

Cat B: eu disse que o Trevo nos traria sorte.

Finian dS: você não ouviu, Legionária Madran? *Voz assustadora* a Agência de Inteligência Global tem mil olhos, saaaaaabe.

Zila M: eles estavam nos perseguindo. É a única explicação para sua proximidade. Aurora disse que foi mandada entrar clandestinamente na nossa Longbow pela Líder de Batalha de Stoy. De Stoy queria que Aurora ficasse conosco, longe da AIG.

Cat B: besteira. O'Malley passou tempo demais na Dobra. Ela perdeu uns parafusos.

Zila M: considere as palavras da Líder de Stoy para nós. "A carga que carregam é mais preciosa do que qualquer um de vocês imagina." Levar os suprimentos não era nossa missão. Nossa missão era levar Aurora O'Malley para longe da Academia antes que a AIG chegasse para levá-la de volta para Terra.

Finian dS: eles não têm rostos.

Cat B: Sopro do Criador, Finian, você também surtou?

Finian dS: vá se foder, cat.

Cat B: prefiro foder o Grande Ultrassauro de Abraaxis IV, valeu.

Tyler J: calem a boca. Fin, explique-se.

Finian dS: Aurora disse isso antes da AIG chegar. "Eles não têm rostos." E ela disse algo sobre apagar todos nós. Pintar tudo de preto.

Zila M: é o que os agentes da AIG sem rostos estão fazendo nesse exato momento. Aurora também disse que viu Kal em uma visão antes de conhecê-lo.

Cat M: *porque a dobra bagunçou todo o cérebro dela*!!!

Kaliis G: isso vai parecer loucura, mas no compartimento de carga, quando Aedra me atacou, foi aurora que a jogou contra a parede, sem sequer ter tocado nela.

Finian dS: você tá brincando?

Kaliis G: juro pelos espíritos do Vazio. Seu olho direito estava brilhando tanto que doía encarar. E depois da batalha, mudou de cor.

Scar e eu olhamos um para o outro. Vejo a desconfiança no seu olhar azul-claro.

Mas os olhos de Auri *realmente* mudaram de cor.

Tyler J: escutem, eu não mencionei isso no meu relatório porque não queria acreditar nisso, mas quando eu resgatei Aurora da Hadfield, eu acho que

Tyler J: bem, ela mexeu comigo.

Scarlett J: mexeu com você? Tipo como uma música romântica mexe com você?

Cat B: ah, me poupe.

Tyler J: como se eu estivesse prestes a desmaiar a duzentos metros da Fantasma, e de repente, estávamos do lado da câmara de vácuo.

Zila M: telecinese. Premonição. Interessante.

Cat B: isso é maluquice completa.

Scarlett J: sinto que preciso concordar com minha violenta, porém sábia colega.

Cat B: valeu, colega de quarto.

Scarlett J: tudo certo, garota. Você ainda está com meu delineador, aliás.

Zila M: é de conhecimento geral que exposição à prolongada Dobra exerce estresse mental extremo nos viajantes. Quero lembrá-los de que Aurora estava flutuando nela por duzentos anos. Ninguém sobreviveu a esse tipo de exposição antes.

Finian dS: então o que a AIG quer com ela?

Zila M: uma excelente pergunta, mas creio que a preocupação mais urgente seja o nosso assassinato iminente e certamente brutal nas mãos de seus agentes.

Finian dS: admito que o princesa não parecia gostar de brincadeiras.

Scarlett J: Princeps. É latim. Significa "primeiro entre iguais".

Zila M: não sabia que falava latim, Legionária Jones.

Finian dS: o que em nome do Criador é latim?

Cat B: olha, isso ainda não faz nenhum sentido. Se nos querem mortos, por que não nos apagaram na estação?

Zila M: talvez queiram falar com Tyler sobre como encontrou Aurora? Ou para assegurarem que não repassamos sua localização para outra pessoa? O que quer que seja, a não ser que encontremos um jeito de sair dessa nave, nós não sairemos dela vivos.

Tyler J: essa é a Força de Defesa Terráquea.

Zila M: a Agência de Inteligência Global está comandando essa operação, senhor. A FDT está simplesmente dando uma carona.

Tyler J: são Terráqueos! Pelo amor do Criador, o que quer que a gente faça? Ataque nosso próprio povo?

Finian dS: em vez de ser executado por eles?

Um alarme soa pelo sistema de comunicação geral do exterminador, seguido por um anúncio para toda a tripulação.

— TRIPULAÇÃO, PREPARAR PARA ENTRADA NA DOBRA. T-MENOS QUINZE SEGUNDOS.

O barulho dos motores muda de tom, e cada um de nós respira fundo. Há uma sensação de vertigem vagarosa, uma sensação leve de perder a gravidade, e todo o redor muda de cor conforme o exterminador entra no Portão da

Dobra, e tudo ao nosso redor fica preto e branco. Vejo o meu esquadrão olhar para mim, esperando que tome uma decisão.

Mesmo que pareça impossível, o que Zila diz tem sentido. A vida de pessoas que dependem de mim está em jogo. E as consequências de não acreditar nela — e estar errado — seriam fatais.

O problema é que se a FDT quer nos apagar, a única saída que consigo ver é *lutar* para sair daqui, e isso significa lutar contra outros Terráqueos. Meu pai estava na FDT antes de virar senador. Se a Legião Aurora não existisse, eu provavelmente seria da FDT.

Eu encontro o olhar de Scar, e ela inclina a cabeça só um pouquinho.

É uma coisa estranha, ser um gêmeo. Papai dizia que eu e Scar inventávamos nossa própria linguagem quando éramos crianças. Falando um com o outro em palavras que ninguém conseguia entender. Scar consegue me contar uma história só com um olhar. Escrever um livro inteiro com o erguer de uma sobrancelha. E nesse momento, sei exatamente o que está dizendo, mesmo que não tenha falado nenhuma palavra em voz alta.

Mostre o caminho, irmãozinho.

A porta se abre, e quatro soldados da FDT marcham dentro do cômodo, cobertos da cabeça aos pés com armaduras, carregando rifles disruptivos. A jovem tenente com quem conversei na estação Sagan está liderando. Uma sobrancelha erguida no visor, ela inspeciona a poça de água no chão, e meu uniforme encharcado.

— Certo, legionário. — Ela sorri. — Se vier comigo, vamos fazer o briefing e logo você e seu esquadrão estarão de volta à Estação Aurora a tempo do rango.

Olho para Scar de novo, atento para suas opiniões. Não estou exagerando quando digo que ela consegue ler pessoas como livros. É assustador. Nunca consegui enganá-la desde que tínhamos cinco anos.

Ela olha a tenente da cabeça aos pés.

Olha para mim.

Faz um bico.

Mentindo.

Consigo sentir a tensão ao meu redor. As mãos de Cat estão em punhos. A fúria gélida de Kal conforme ele olha para os soldados que acabaram de assassinar uma centena de seu povo e estão agindo como se nada estivesse errado. Não sei o quanto Finian e Zila são bons em uma briga vale-tudo, mas somos seis, e eles são quatro, e se acham que eu sou do tipo que marcha contente até minha sentença de morte, eles não me conhecem.

Eu me ergo com um sorriso fácil, as covinhas à mostra.

— Sem problema, tenente — digo.

E enterro meu cotovelo direito na sua garganta.

A armadura absorve a maior parte do impacto, mas faz com que ela perca o equilíbrio. Chuto ela no joelho e ela vai ao chão, o disruptivo voando de sua mão.

O cômodo explode em movimento, os outros três soldados da FDT apontando suas armas para meu peito. Kal vem por trás deles e a atinge com dedos esticados atrás da orelha, e a soldado cai como se houvesse recebido uma dose letal de fumaça Leirium. Cat pega o outro, brigando pelo controle do rifle, e Scar acerta o galão vazio na cabeça do terceiro soldado, empurrando-o contra Finian, cujo exotraje range quando o pega como uma prensa.

Pego o rifle disruptivo da tenente caída e dou uma coronhada contra sua cabeça; o capacete vira quando acerto o golpe. Continuamos a lutar, e a tenente joga o rifle para longe. Ela dá uma joelhada na minha virilha e o mundo inteiro fica branco com a dor. Me virando de costas, ela consegue pegar a pistola do cinto, erguendo para mirar na minha cabeça.

Uma mão segura sua mandíbula e três dedos esticados batem ao lado do pescoço. Com um suspiro, a tenente desmonta ao meu lado, os olhos revirando para trás. Em cima de mim está Kal, seus olhos estreitos. Nenhum fio de cabelo está fora do lugar. Não está nem ofegante. Gemendo com a dor na virilha, olho ao redor da cela. Os outros três soldados da FDT estão esparramados como brinquedos quebrados.

Estão todos desmaiados. Estilhaçados e ensanguentados, com os ossos quebrados. Scar, Cat e Finian estão olhando para o nosso Tanque, meio abismados, meio apavorados, todos em silêncio.

— Não quero que ache que isso significa que eu goste de você, Kal — diz Cat finalmente —, mas tudo bem. Eu estou oficialmente impressionada.

— Ficou quente aqui, ou só sou eu? — diz Scarlett.

— Não é só você — murmura Finian, abanando a si mesmo.

O Syldrathi oferece a mão para mim.

— Precisamos nos mexer, senhor.

Percebo que é a primeira vez que Kal se ofereceu para me tocar desde que ele me bateu na Academia. E sabendo que é uma grande coisa para os Syldrathi se permitirem ser tocados, sinto que devo aceitar a oferta. Pego sua mão, e ele me ergue. Estou tentando não olhar para os soldados ensanguentados ao meu redor. Os soldados *humanos* ensanguentados. Minha mente está a todo vapor, procurando uma saída.

As proporções são de cem contra um. A AIG tem Auri sob sua custódia. Estão com a nossa Longbow presa. No entanto, eu estudei as naves Terráqueas desde que eu tinha seis anos — sei a configuração de um exterminador de trás para a frente. E apesar desse bando de perdedores, indisciplinados e sociopatas terem sido a última escolha na cabeça de alguém no Alistamento, parece que nenhum deles é ruim no que faz. Se eu conseguir aguentar isso, se conseguir que trabalhemos em grupo, talvez saiamos dessa vivos...

Um alarme começa a tocar, um anúncio começando no sistema de som.

— SEGURANÇA, IR ATÉ A CELA DE DETENÇÃO 12A. SEGURANÇA, CELA DE DETENÇÃO 12A, IMEDIATAMENTE.

— Isso aí é pra gente — avisa Cat.

— Tudo bem, escutem — digo. — Eu tenho um plano.

• • • • • • • • • • • • •

— ALARME DE INCÊNDIO, NÍVEL DOZE. PESSOAL DE EMERGÊNCIA PARA O NÍVEL DOZE, IMEDIATAMENTE.

Marchamos na direção dos elevadores com os alarmes estridentes quando o primeiro esquadrão da FDT nos encontra. Eles viram o corredor, rifles disruptivos erguidos, os lasers da mira cortando a chuva dos aspersores do sistema de incêndio. Ainda estamos na Dobra, então as cores são todas monocromáticas, e os esguichos de água são prateados, os olhos do sargento do esquadrão quase pretos.

— Não se mexam! — ele grita.

Scarlett se adianta, a insígnia da tenente brilhando em seu colarinho, seu cabelo vermelho desbotado para o cinza. Minhas botas são grandes demais, e não estou me gabando nem nada, mas o gancho da calça dessa armadura não está caindo bem. Considerando que roubamos os uniformes de quatro guardas FDT inconscientes, até que estamos dando conta. Cat e Zila ainda estão escondidas no fundo, e Kal e Finian ficam entre nós, as retenções-mag ao redor de seus pulsos, parecendo devidamente intimidados. Scarlett tem lábia o suficiente para preencher os furos.

— Temos dois deles — diz ela. — Os outros quatro conseguiram subir para a ventilação. Leve o esquadrão para o treze, vamos levar esses aqui para os calabouços!

O sargento do esquadrão franze o cenho debaixo do seu visor.

— A ventilação? Nós temos...

— Você bateu a cabeça quando era bebê, soldado? — interrompe Scarlett. — Acabei de dar uma ordem! Mexam seus traseiros antes que eu os mande para a Dobra!

Pode criticar os militares à vontade, mas, Criador abençoado, ao menos nunca ensinam você a pensar. Ensinam a seguir ordens. Não importa qual uniforme estão vestindo, Legião, FDT, qualquer que seja, quando um tenente começa a gritar com o sargento comum dizendo que pule, a única pergunta vai ser "Quão alto?"

Felizmente para nós, esse é um sargento comum.

— Senhora, sim, senhora — ele ladra, virando-se para seu esquadrão. — Nível treze, mexam-se!

O esquadrão passa apressadamente por nós. Scarlett começa a gritar no microfone do colarinho, exigindo saber onde estão os bombeiros. Nós chegamos ao elevador turbo, e aperto os controles conforme a chuva prateada cai ao nosso redor, as luzes piscando em cinza.

— Está bem, Finian, quanto tempo temos até que as câmeras voltem a funcionar? — pergunto.

Ele olha para seu univídro, sacode a cabeça.

— Fiz um hack bem básico ali dentro. Temos cerca de um minuto, talvez dois.

— Certo. Todos os esquadrões de segurança estão subindo para o nível doze. O atracadouro está no nível cinco. Cat, leve Zila, Fin e Kal até lá e prepare a Longbow para partida. *Discretamente*. Se não estivermos a bordo em cinco minutos...

— Ty, eu não vou sem você — diz Cat.

— Eu estava prestes a dizer para você esperar mais uns cinco minutos, mas você está certa, deve partir sem mim.

— Aonde você vai? — Finian pergunta.

— Scar e eu vamos pegar Aurora.

— Vou com vocês — diz Kal.

— Não — eu o corto. — Você não vai. Você chama atenção como o elfo de dois metros que você é. Vá para o atracadouro. Talvez vocês precisem lutar para chegar até lá.

— Você *definitivamente* vai precisar lutar para chegar até Aurora — diz Kal, dando um passo a frente. — Sou melhor nisso do que você.

— Acabei de te dar uma ordem, legionário — rosno.

Kal inclina a cabeça.

— Sinta-se livre para apresentar uma queixa em seu relatório, senhor.

— Pelo amor de... — Scar suspira. — Vocês querem se beijar logo e a gente acaba com isso?

— Quer dizer, já assisti a coisas piores — diz Finian.

O elevador finalmente chega ao nosso andar e as portas se abrem conforme o alarme continua a apitar. Me pergunto o que está acontecendo, e por que Kal está tão determinado a resgatar Aurora quando ele foi um idiota com ela em Sagan. Olhando nos olhos dele, consigo ver que ele não vai se dar por vencido a não ser que eu insista, e sopro do Criador, a gente não tem tempo para nada disso.

— Scar, vá com Cat. Cinco minutos e vocês decolam. Isso é uma *ordem*.

Scarlet olha para mim, piscando na chuva prateada.

— Sim, senhor.

Os quatro entram no elevador, e olho nos olhos de Cat conforme as portas se fecham num sibilar. Viro para fuzilar Kal com o olhar, e ele me encara de volta, duro como diamante.

— Prisioneiros prioritários estarão nas celas no décimo primeiro andar — digo.

— Siga-me — responde o Syldrathi. — Senhor.

Corremos pela escada, descendo quatro degraus de uma vez para o andar abaixo de nós. No corredor, Kal anda na frente, as mãos ainda presas pelas retenções-mag. Eu marcho atrás, apontando meu rifle disruptivo para suas costas, esperando que eu pareça com um guarda escoltando um prisioneiro. Alguém do esquadrão de tecnologia usando armas de repressão de fogo passa por nós, seguido de perto por um esquadrão de soldados FDT. Nenhum deles sequer olha para nós. Os alarmes ainda estão a toda, os avisos ainda ecoam anunciando o fogo que Zila começou com os condutores elétricos. Faço uma nota mental para perguntar a Fin por que ele tem um maçarico de propano escondido no exotraje, e quais outras surpresas ainda estão guardadas naquela coisa.

Isto é, presumindo que saiamos dessa vivos.

O calabouço está quase deserto — a maioria dos soldados está nos procurando. Vejo o corredor além da área de admissão, atrás de portas pesadas. Um oficial júnior está digitando em uma estação de trabalho, e um segundo está sentado atrás do balcão, gritando para as unidades de comunicação por cima dos alarmes da nave. Ele ergue uma mão para mim, sinalizando que preciso esperar.

E então começa.

Começa com uma sensação estranha na minha nuca. O ar parece pesado e oleoso repentinamente — quase carregado, como se fosse elétrico. Há um barulho por cima dos motores, um pouco abaixo do som dos alarmes. É quase como se fossem...

Sussurros?

Olho para Kal, e vendo o franzir do seu cenho, sei que ele também está ouvindo. O oficial do calabouço pisca e olha na direção das celas.

Sem sobreaviso, as luzes piscam e se apagam, mergulhando tudo na escuridão. Os sussurros aumentam, quase distintos o bastante para conseguir ouvir as palavras, e o cômodo todo... *vibra*. Gritos estridentes ecoam na escuridão, seguidos por um barulho de algo sendo amassado, e todas as portas das celas abrem simultaneamente, o titânio amassando igual a papel.

Todas as telas de todos os consoles morrem.

Os motores e alarmes são silenciados repentinamente.

A iluminação fraca das luzes de emergência acende acima de nós.

Os exterminadores Terráqueos têm quatro reatores diferentes, mais de cem sistemas à prova de falhas, e uma dúzia de sistemas de back-up. Mesmo que seja impossível, percebo que a nave perdeu a força por completo. O silêncio depois de todo o barulho é ensurdecedor, e olho para o corredor, me perguntando o que foi que aconteceu. Escorrendo de uma das portas amassadas está um filete escuro e cinza do que só pode ser...

— Sangue — sussurra o oficial do calabouço, tentando alcançar sua pistola.

Kal aproveita sua chance, se desvencilhando das restrições e batendo-as direto na garganta do oficial. O homem cai arfando, e Kal pula por cima do balcão, golpeia duas vezes, e o deixa inconsciente e sangrando no chão. O oficial júnior se vira com um grito, a pistola erguida, e Kal quebra seu pulso e seu cotovelo e então o faz desmaiar antes que eu aperte o meu gatilho.

O Syldrathi se endireita, afastando as longas tranças dos ombros, seu rosto impassível como se tivesse acabado de pedir o jantar.

Meu Criador, ele é bom...

Não faço ideia do que destruiu a energia, mas não há tempo de abrir uma investigação para isso. As lâmpadas começam a piscar, e volto à situação, pulando por cima do balcão atrás do meu Tanque. Disparando pelo corredor, paramos quando chegamos à porta com o sangue. Ergo meu rifle disruptivo, o coração batendo rápido, e aceno para Kal. Apesar de ser mais forte do que um humano, ainda é muito para ele, mas ele finalmente consegue empurrar a porta para longe com um rangido metálico.

Adentro o quarto, a arma erguida e em prontidão.

— Sopro do Criador — sussurro.

Aurora está desmaiada em uma cadeira de metal, algemas em seus pulsos. Seus olhos estão fechados, e sangue escorre do seu nariz até o queixo. O chão, o teto e as paredes estão todos deformados para fora, como uma esfera. Vejo dois capacetes sem rosto no chão, dois uniformes cinza amassados ao lado, o conteúdo escorrendo pelas paredes em uma mistura estranha de cinza e preto, as texturas irreconhecíveis. Chegam até o teto, como se as pessoas dentro deles fossem pasta de dente e alguém tivesse simplesmente... *apertado*.

— Amna diir... — Kal respira fundo.

— Pegue Aurora — digo, lutando contra o nó no meu estômago. — Temos que ir.

Ele assente, seu rosto solene. Ele se ajoelha ao lado dos uniformes rasgados e procura nos bolsos encharcados, finalmente encontrando uma chave. Ele passa o cartão em cima das algemas e elas se abrem, e então Kal pega Aurora e a ergue sem esforço, gentilmente a embalando nos braços. Então estamos nos mexendo de novo pelo chão ensanguentado, de volta para a luz piscando, pegadas molhadas atrás de nós. Meu rifle tem uma pequena luz em cima do cano, um feixe nos mostrando o caminho através das trevas bruxuleantes.

Os elevadores estão sem energia, então vamos pela escada, disparando o mais rápido que conseguimos para o nível cinco. Passando pela porta, vejo quatro soldados da FDT em um grupo tentando controlar o console da parede, tentando erguer a ponte.

Eu sei que somos nós ou eles, sei que não tenho escolha, mas meu estômago se aperta conforme ajoelho e atiro. Eles gritam e procuram abrigo como os bonecos nos exercícios de treino nunca fizeram, e eu viro para Kal e dou um grito:

— Vai! *Vai!*

Ele dispara pela escada e o atracadouro na *Belerofonte*, na direção da nossa Longbow e com Aurora em seus braços. Soldados ao redor do atracadouro se viram ao ouvir o som dos tiros. Scar aparece atrás de caixotes de carga com seu próprio rifle, e o disruptivo dispara branco no breu. Olhando pelo painel da Longbow, consigo ver que Cat de alguma forma conseguiu subir a bordo em meio ao caos. Rezo ao Criador para que a coisa que acabou com a força do exterminador, seja lá o que for, não tenha afetado nossa nave, suspirando aliviado conforme ouço os motores.

Faíscas ricocheteiam no galpão enquanto os soldados atiram em Kal. Uso neles o que restou de força no disruptivo, tentando dar um pouco de cobertura. Cat abre fogo com os canhões Gauss da Longbow, e os soldados da FDT são forçados a retirar para se protegerem conforme uma barreira de ondas supersônicas explode ao redor do atracadouro.

Scar sai de seu esconderijo e corre até a Longbow, e também aproveito minha chance, correndo atrás de Kal, meu coração batendo como um martelo. Os motores da Longbow estão aumentando os roncos, a nave começando a levantar do cais. Finian está na rampa de acoplamento, acenando desesperadamente para mim quando Scarlett salta para a segurança. Kal chega até a rampa em três passos largos, e chego logo atrás dele conforme os tiros da FDT passam por mim. Estirado no chão, eu grito:

— PISA FUNDO, CAT!

A rampa estremece ao se fechar e a Longbow se inclina na direção do bombordo. Há um gemido suave e um sibilar distinto quando Cat atira dois mísseis de plasma nas portas do atracadouro, derretendo-as até não sobrar nada. As balas continuam a atingir o casco como granizo e Cat atira de novo, dessa vez derretendo o plastil do casco exterior, expondo o vazio sem cor da Dobra ao além.

Há um estalar de descompressão violento, e a atmosfera no atracadouro saindo para a Dobra e forçando a FDT a se retirar ou sufocar. Alarmes estão gritando, nossos motores roncando, a voz de Cat crepitando no comunicador interno.

— *Segurem as cuecas, criançada!*

Nós explodimos para fora do atracadouro, uma rajada de balas da FDT como despedida. Os motores do bombordo raspam contra as portas derretidas conforme disparamos na direção da Dobra.

Olho ao redor para checar os outros, e ninguém parece ferido. Kal está agachado ao lado de Aurora, se certificando que ela não deslize. Ela está desmaiada — os olhos fechados, os lábios e o queixo ainda manchados de sangue, a expressão tão pacífica quanto no instante em que eu a encontrei no tubo criogênico.

Isso só foi há três dias.

— *Todo mundo bem por aí?* — Cat pergunta no comunicador.

Dou um tapinha no unividro para responder.

— Entendido — digo. — Todos estamos bem.

Scarlett olha para mim do outro lado do cômodo, os olhos ainda fixos em mim.

— Você tem uma definição bem esquisita de "bem", bebezinho.

Olhando para minha gêmea, sei o que ela está pensando, como se ela tivesse falado em voz alta.

Acabamos de fazer uma insurreição armada em um exterminador da Força de Defesa Terráquea.

Violamos umas cem ou mais regras da Legião, tudo antes do jantar.

Atacamos soldados da FDT.

Meu Criador...

Os motores roncam conforme aceleramos pela Dobra, cada vez mais longe da *Belerofonte* incapacitada, a cena do crime, e adiante para escuridão brilhante.

Nós podemos ter escapado dessa vivos, mas não saímos limpos. Não depois do que Aurora fez naquela cela. Não dá para matar agentes da AIG e esperar que continuemos respirando. É só uma questão de tempo até que a Agência de Inteligência Global, e toda a Força de Defesa Terráquea, esteja atrás de nós. Eles estavam determinados a nos matar, é verdade, mas...

Nós somos fugitivos, percebo. *Do nosso próprio povo.*

Scar morde o lábio inferior e assente.

Finian olha ao redor, seus grandes olhos negros finalmente parando em mim.

— E então, Garoto de Ouro — diz ele. — O que exatamente, em nome do Criador, nós fazemos agora?

Respiro fundo e tiro o cabelo dos meus olhos.

— Isso — suspiro — é uma excelente pergunta.

PARTE 2

UM CÉU CHEIO DE FANTASMAS

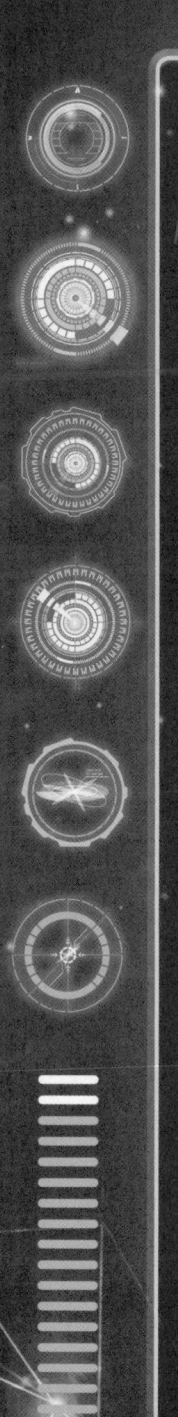

ESQUADRÕES DA LEGIÃO AURORA
▶ MEMBROS DO ESQUADRÃO
▼ FRENTES

Se está lidando com um legionário Aurora mais suave do que o vidro de **um copo de um semptar larassiano *single malt***, então as chances são de que você acabou de conhecer um Frente. Diplomatas por natureza e treinamento, o trabalho deles é lidar com amigos ou inimigos — e um bom Frente consegue transformar este último no primeiro com apenas algumas palavras bem colocadas.

Seja estabelecendo o **primeiro contato**, **mediando** uma disputa local, ou conseguindo sair ilesos de uma enorme pilha de **cocô alienígena**, Frentes são bem versados em **culturas**, **tradições** e **idiomas** de muitas espécies e sua reputação é de que são árbitros de primeira qualidade.

Jogar **cartas** contra um deles **não** é recomendado.

INSÍGNIA DE FRENTE

13

SCARLETT

Marc de Vries. Ex-namorado #29. Prós: corpo como uma parede de tijolos. Contras: cérebro como uma parede de tijolos.

— Hmmmmm talvez — murmuro.

[MANTER]

Tré Jackson. Ex-namorado #41. Prós: se parece com Adônis. Contras: está ciente deste fato.

— Nãoooooo.

[DELETAR]

Estou sentada na ponte da Longbow, os pés apoiados no console, unividro em mãos. A nave está quieta exceto pelo murmúrio baixo dos motores, o apitar ocasional das varreduras LADAR que estamos fazendo. Saímos da Dobra através do portão NZ-7810, e agora estamos cruzando o espaço em modo de economia de bateria através de um sistema discreto em uma zona neutra. Cat programou o curso para nos manter perto do portão antes de se retirar para o quarto. Só em caso de precisarmos fugir.

Todo o resto está nos quartos dormindo, mas, sorte a minha, peguei o primeiro turno de vigília. Então estou usando esse tempo para ver minha agenda telefônica e deletar alguns dos meus ex.

A memória estava ficando cheia.

Riley Lemieux. Ex-namorado #16. Prós: perdidamente apaixonado por mim. Contras: PERDIDAMENTE apaixonado por mim.

[DELETAR]

Pode parecer uma hora estranha para todo o esquadrão tirar um cochilo. Minhas mãos ainda tremem um pouco quando penso no que acabou de acontecer, e não consigo imaginar o que vem depois. Dormir um pouco, porém, é uma boa ideia — todo mundo precisa de descanso depois do caos na Estação Sagan e o exterminador da FDT. Além disso, Tyler pensa melhor depois da hora da soneca, e a decisão que tomará depois disso vai ser uma das mais importantes de sua vida.

Sem pressão, irmãozinho.

Somos fora da lei. Provavelmente criminosos. Um esquadrão da Legião Aurora que virou a casaca. Apesar de tecnicamente estarmos sob comando da Legião, ainda fugimos de uma nave da FDT. Atacamos soldados da Terra. Nosso próprio povo. E pra quê?

Mordo meu lábio, os olhos percorrendo a tela do univídro.

Alex Naidu. Ex-namorado #38. Prós: músculos!!!! Contras: desconhecidos.

— Por que foi eu terminei com você?

[MANTER]

Preciso admitir, quando me alistei para entrar na Academia Aurora não era exatamente assim que eu planejava que minha carreira ia decorrer. Para ser honesta, eu nem *queria* entrar na Legião, mas Ty estava determinado a "fazer a diferença" a qualquer custo, e eu não deixaria ele ir sozinho. Crescemos juntos sem mãe. Papai morreu em Orion quando tínhamos onze anos. Eu preferia morrer do que perder meu irmão gêmeo também.

Lembro-me de estar com Ty na fila da estação em Nova Gettysburg. Nós dois com treze anos, esperando a nossa vez com o oficial que iria nos recrutar. Lembro-me de perguntar para Tyler se estávamos fazendo a coisa certa. Se tudo ficaria bem.

"Eu não sei", ele havia dito.

Então ele tocou a marca do Criador em seu colarinho e deu de ombros.

"Às vezes, só temos que ter um pouco de fé."

Eu consigo me juntar aos melhores, então tive resultados decentes nas minhas provas. Eu na verdade poderia ter me saído muito bem se tivesse realmente tentado. O conselheiro de cadetes uma vez me disse que a frase "se ela se esforçasse" havia aparecido mais vezes nas minhas avaliações do que na de qualquer outro cadete na história da Academia. Só que eu odiava tudo.

Odiava as regras, odiava a rotina, odiava a estação.

Os garotos eram divertidos, ao menos.

Jesse Broder. Ex-namorado #45. Prós: enacional. Contras: e$croto.

— Hmmmm...

[MANTER]

O que posso dizer? Sou uma garota que gosta de coisas simples.

Ouço o sussurrar silencioso da porta da ponte abrir, e olho para cima esperando ver Zila, que acordou para me substituir na vigília. Em vez disso, vejo nossa clandestina, Aurora O'Malley. A garota fora do tempo.

A garota fora da cama?

— Como chegou até aqui? — pergunto.

Parece um pouco malvado, mas Ty havia insistido que a nossa jovem senhorita O'Malley ficasse em segurança em vez de livre para passear pela nave. O que quer que ele tenha visto no exterminador da FDT enquanto resgatava essa garota deixou meu irmãozinho abalado. Depois que ela, Kal e Ty haviam tomado banho, Finian colocou-a dentro de um quarto com um cobertor e mais uma criptografia na fechadura, que ele aparentemente se esqueceu de fechar, porque ela está totalmente em pé aqui na minha frente, e ela com certeza não deveria estar.

Vou me lembrar de encher o saco de Finian por causa disso depois.

— Aurora? — pergunto.

A garota não responde. Seu cabelo está bagunçado depois das horas dormidas, a mecha branca grossa passando pela franja em uma linha fina entre o chique e o esquisito. Seus olhos estão quase fechados. Cílios balançando. Sua íris direita é do mesmo branco alvejante da franja agora, passando direto pela linha entre o chique e o esquisito, caindo diretamente em assustadooooor.

Seus movimentos são duros, sua linguagem corporal está estranha, e meu primeiro pensamento é que ela está sonâmbula, só que isso não explica como ela saiu do confinamento. A não ser que a criptografia de Finian seja tão ruim que uma garota que nasceu duzentos anos atrás consegue quebrá-la. Enquanto *dorme*.

É, eu realmente vou encher o saco dele por causa disso...

Aurora vira seu rosto, como se estivesse inspecionando o cômodo. É difícil imaginar o que está passando na cabeça dela. Dois séculos fora do tempo. Em um lugar que ela não deveria estar, em uma galáxia que virou de ponta-cabeça. Mas ela não deveria estar aqui.

— Você está bem? — pergunto.

Ela começa a andar, indo diretamente para o console de pilota de Cat. É nessa hora que decido que, o que quer que esteja acontecendo, nossa intrépida heroína, Legionária Scarlett Isobel Jones, chegou ao limite.

Minha mão vai direto para a pistola disruptiva na minha cintura, e fico em pé.

— Certo, lindinha, se você...

Os olhos dela acendem com um brilho suave e bruxuleante, tão pálido quanto a luz da lua. Ela ergue a mão sem olhar para mim, e um golpe invisível no meu peito me joga contra a parede. Eu arfo, tentando pegar a pistola, mas Aurora encurva os dedos até que virem garras, seus olhos queimam ainda mais brancos, e há uma pressão contra o meu pulso que me impede de erguer a arma.

— *Otiumotnisue* — diz Aurora, em uma voz que não parece nada com a dela. Vazia. Reverberando, como em uma câmara de eco. — *Eodrepem*.

Sinto dor, como se uma mão invisível estivesse massacrando os nós dos meus dedos. Deixo a pistola cair, ela faz um barulho no chão, e a pressão some.

Meu coração está ecoando no peito e suor frio escorre pelo meu corpo. Percebo que não consigo nem mexer um músculo, minha garganta comprimida até que não consiga falar. Aurora observa o console de piloto, cabeça inclinada, cílios balançando. O olho direito ainda está aceso, os cabelos mexendo suavemente como se houvesse uma brisa. Com sua mão livre, ela começa a digitar, os dedos passando rápido pelas teclas.

— O que... — gemo, tentando forçar as palavras para fora da minha garganta esmigalhada, meus dentes semicerrados. — O que... v-você... está fazendo?

O nariz dela começa a sangrar. Uma linha fina de vermelho passando pelos lábios. Ela não limpa, e me dou conta de que ela está bagunçando os sistemas de navegação. Está colocando uma nova rota. Ela é uma novata, completamente destreinada, com zero horas de voo. Pelo amor do Criador, ela passou os últimos duzentos anos desacordada na Dobra.

Como é que ela conhece o sistema de navegação de uma Longbow?

— *Edadinretipmes* — ela sussurra. — *Mobmob*.

Ouço os motores alterarem seu tom, a mudança sutil do novo percurso. O sangue agora escorre pelo queixo de Aurora, caindo no console. Ela se vira para me encarar, a mão ainda esticada. Olho direito brilhando com uma luz suave, calorosa. Meu estômago está gélido, o medo martelando contra as têmporas, mas não importa o quanto eu me esforce, há um peso oculto me pressionando contra a parede.

Não consigo me mexer.

Não consigo lutar.

Não consigo nem gritar.

Aurora estremece, o sangue escorrendo pelo queixo. Suas sobrancelhas franzem, os lábios se mexendo lentamente, cuidadosamente, como se estivesse se esforçando para pronunciar as palavras.

— G-g-ga-ti-lh-lh-lho — ela diz, apontando para si mesma. — Gatilh...

Ouço o som familiar de BAM! de uma pistola disruptiva. Os olhos de Aurora se arregalam, e ela tropeça. A pressão que me segura no lugar relaxa, e eu caio de joelhos. Zila está na porta, a arma apontada diretamente para Aurora.

Um único disparo colocado em Atordoar é mais do que suficiente para derrubar um único touro de pedra Rigelliano de tamanho adulto, mas de alguma maneira, Aurora ainda está de pé. Ela se vira e Zila atira de novo, a pistola brilhando. Aurora cai de joelhos, grunhindo, erguendo uma das mãos na direção da nossa oficial de ciências. Seu olho direito queima como uma estrela. E com o tipo de indiferença que deu a ela trinta e dois avisos disciplinares, Zila continua atirando.

BAM!

BAM!

BAM!

Até que Aurora finalmente cai no chão.

— Zila — gemo.

BAM!

— ZILA!

BAM!

Zila pisca, olha para mim, o dedo ainda no gatilho.

— Sim? — pergunta.

— Ela d-desmaiou — solto um gemido, minha cabeça doendo. — Pode parar de atirar nela.

Zila olha para sua pistola. Olha para a Aurora desmaiada, esparramada no chão. E talvez só para ter certeza, talvez só para se divertir, a nossa oficial de ciências dá mais um tiro na garota em coma.

BAM!

— Interessante — diz ela.

• • • • • • • • • • • •

— Devíamos só jogar essa doida no espaço nesse exato instante — cospe Cat.

Estamos todos na ponte, em pé em um círculo ao redor do corpo de Aurora O'Malley. Ela está sentada em uma das estações auxiliares, as restrições-

-mag ao redor do pulso, apesar de não saber se isso vai ajudar quando ela acorda. Cat, Zila e eu estamos com as nossas pistolas disruptivas apontadas para ela no caso de ela decidir repetir a sua apresentação teatral de Atacar--A-Linda-E-Ainda-Assim-Pé-No-Chão-Diplomata-Do-Espaço. Tenho tempo para perceber que Zila está usando um novo par de brincos — dessa vez correntes de ouro pequenas com penduricalhos em formato de armas. Há uma pistola, uma faca, uma shuriken.

Ela parou para trocar de roupa antes de me resgatar?

Kal está parado em silêncio na porta, parecendo pensativo com os seus lábios oh-tão-formosos de Syldrathi, mas sem a menor menção em largar Aurora no espaço, ele olha para Cat.

— Não seja uma tola — diz ele, voz carregada de desdém. — Nós não podemos matá-la.

— Foda-se o que você pensa, Garoto-fada — responde a nossa Ás. — Ela acabou de tentar apagar Scarlett. Tire a cabeça da bunda, por favor e obrigada.

— Sca, tem certeza de que está bem? — pergunta Tyler.

— Sim, estou bem — respondo. — Só um pouco abalada.

— Ela realmente... te segurou no lugar só com o olhar?

Eu aquiesço, esfregando meu pescoço. Estamos novamente na Dobra, seguindo a rota que Aurora escolheu e trancou no navegador antes que Zila a fizesse desmaiar. Minha pele está pálida como um papel na paisagem monocromática da Dobra — quase tão pálida quanto o brilho nos olhos de Aurora quando ela me esmagava contra a parede.

— Tyler — diz Cat. — Perderemos a sanidade se tentarmos manter essa garota a bordo. Ou jogamos ela no espaço agora, ou a sedamos e entregamos para as autoridades antes que nos levem de carona na Corte Marcial até a idade da pedra.

Kal parece que está prestes a nos insultar um pouco mais, mas antes que ele consiga falar, uma voz fala no comunicador.

— *Garoto de Ouro, consegue me ouvir?*

Tyler dá uma batidinha no univídro.

— Estamos na escuta, Fin. Qual é sua posição?

— *Bom, estou aqui no porão, e vou te falar, é a coisa mais assustadora que eu já vi desde que entrei sem bater na porta dos meus terceiros avós quando eu tinha doze anos.*

— Explique.

— Bem, eu tinha uma consulta no médico e foi cancelada, aí voltei para casa mais cedo e encontrei minha avó e meu avô com uma tigela de sagarine e um troço de...

— Sopro do Criador, Finian, é para explicar o porão! — Tyler o corta.

— Ah — responde Finian. — Certo. Bem, não tenho certeza de como a nossa clandestina conseguiu, mas as portas estão descascadas como se fossem aquelas coisas as quais vocês nojentos comem. Não consigo lembrar o nome... são redondas. Da cor meio alaranjada.

— Você quer dizer laranja?

— É, isso aí. O ponto é que as portas foram feitas de carbeto e titânio reforçados, e ela as abriu como se fossem feitas de papelão.

— Manda ela pro espaço, Tyler — diz Cat.

Kal desencosta da parede, ficando perto de Cat, a voz fria como gelo.

— Vocês *não* irão machucá-la.

Mordo meu lábio inferior, notando a calma na voz de Kal contra a intensidade do seu olhar. A linguagem corporal de Syldrathi é difícil de interpretar muito além de "nós somos tãooooo melhores do que vocês e, sim, sabemos disso", mas Kal parece pronto para desmembrar Cat se ela tentar piscar na direção da garota com a qual ele estava sendo um escroto umas doze horas atrás.

Cat é trinta centímetros mais baixa do que Kal — talvez até mais, agora que o moicano não está em pé por causa das horas no travesseiro, mas ela não se deixa intimidar, ficando de frente para o Tanque.

— Você ouviu o que ela fez no porão, Garoto-fada! Caso você tenha reprovado em engenharia mecânica, o nosso *casco* é feito do mesmo material que essas portas. E ela bagunçou com meus controles de voo. Como é que ela saberia como fazer isso se estava dormindo na Dobra por duzentos anos? Essa garota *não é* quem ela diz ser.

— Eu concordo — diz Kal simplesmente. — E é por *essa* razão que não deve tocá-la.

Aurora solta um grunhido e três pistolas disruptivas imediatamente voltam-se na sua direção. Kal se adianta, os olhos fixos em Tyler.

— Senhor — ele diz. — Se Aurora quisesse sua irmã morta, ela já estaria morta. Você viu o que ela fez com aqueles agentes da AIG.

— Eu vi, sim. — Tyler olha para a garota se mexendo, e consigo ver as engrenagens girando atrás dos seus olhos. — Qual foi a rota que ela colocou no navegador?

Nossa Ás pisca, baixando a arma. Virando-se para o console de pilota, ela limpa o sangue que caiu do nariz de Aurora com um xingamento, e então digita uma série de comandos.

— Sempiternidade — ela finalmente diz.

— O que é isso? — pergunto.

— Nunca ouviu falar da Nave do Mundo? — pergunta Cat.

— Astrografia nunca foi meu ponto forte — respondo. — Só me lembro de dormir a maior parte do tempo.

— Bom, eu me lembro de você dormir *com*...

— SEMPITERNIDADE — uma voz alegre e aguda começa a falar, e o univi-dro velho de Tyler acende dentro do bolso de Aurora. — TAMBÉM CONHECIDA COMO A NAVE DO MUNDO. LOCALIZADA ZONA NEUTRA ADENTRO, SEMPITERNIDADE É UM POSTO DE TROCA, LONGE DE QUALQUER JURISDIÇÃO GOVERNAMENTAL, E COMANDADA POR... EMPREENDEDORES INTERESTELARES.

— Quer dizer, piratas do espaço — Cat diz.

— ESTAVA TENTANDO SER EDUCADO — responde o aparelho.

— Modo silencioso — grunhe Tyler.

— Aw.

O unividro fica em silêncio conforme Cat projeta um modelo tridimensional da Sempiternidade em cima do console central. É uma enorme coleção de mais de mil naves, de modelos e tamanhos diferentes, fundidas e amarradas e parafusadas juntas para formar uma esfera vasta e assimétrica. Linda. Horrorosa. Todo o tipo de coisa impossível.

— Sempiternidade começou como um único porto estelar — explica Cat. — Era comandado por um cartel de flibusteiros. Grupos de piratas costumavam atracar por lá, vender a mercadoria, e sair para buscar mais. Ao longo dos últimos cinquenta anos acumulou mais e mais extensões. As naves decidem ficar e só se acoplam à superestrutura. O lugar não tem fim. É tão grande quanto uma lua pequena, por isso o nome. A Nave do Mundo.

Olho para Aurora, ainda caída na cadeira.

— E por que ela quer que a gente vá até lá?

Como se sentisse que estávamos falando sobre ela, Aurora grunhe e levanta a cabeça. Gemendo com a dor, ela vê as três pistolas apontadas diretamente para ela. Seus olhos desiguais se arregalam, e então se estreitam quando vê que está algemada. E que consegue sentir o gosto de sangue nos lábios.

— Hum — diz ela. — Se isso for outra visão, eu quero acordar agora, por favor.

— Você chama isso de pedido de desculpas? — pergunto.

— P-por que estou pedindo desculpas? — Ela geme de novo, massageando os ombros e o pescoço. — E por que parece que acabei de sair de um acidente de c-carro?

— O que, você não se lembra de me jogar contra uma parede sem nem tocar em mim? Ou Zila te atingindo com meia dúzia de disparos disruptivos?

Um caleidoscópio de emoções cruza em seu rosto. Medo. Incredulidade. Frustração. Confusão genuína enquanto olha para o lado e percebe que não está mais no quarto no qual foi dormir.

— N-não — diz ela.

— Computador — peço. — Por favor, repasse o vídeo da câmera de segurança da ponte, 01:29, horário da nave.

O computador apita, e o display central começa a repassar o vídeo de segurança. Aurora assiste, ficando perfeitamente imóvel quando vê ela mesma entrar na ponte, erguer sua mão, e o olho começar a brilhar, e então me jogar contra a parede.

— *Otiumotnisue* — a gravação fala naquela mesma voz distorcida e estranha. — *Eodrepem.*

— Eu não... — Aurora sacode a cabeça e olha em pânico para Tyler. — Eu não me lembro de ter feito *nada* disso.

— Que conveniente — diz Cat.

— Muito — digo.

— Auri, por que você mexeu com o navegador? — Tyler pergunta, a voz monótona e dura. — Por que quer ir para Sempiternidade?

Ela sacode a cabeça e sussurra:

— O que é Sempiternidade?

— Esperem.

Todos os olhos se viram para Zila. Ela está brincando com uma das faquinhas do seu brinco, seu olhar escuro fixado na gravação.

— Computador, repasse a gravação de trás para a frente, em tempo real. Inclua áudio.

O computador aquiesce ao pedido com um pequeno apito, e assistimos à pequena figura que é Aurora no console de pilotagem digitando de trás para a frente. As gotas de sangue voltam do queixo para o nariz. Minha pistola disruptiva volta para minha mão. E Aurora olha para mim e fala naquela voz estranha e distorcida. Só que dessa vez, o áudio está ao contrário.

— *Meperdoe* — diz ela. — *Eusintomuito.*

Zila pisca com a gravação.

— Computador, repasse a sequência de 02:43 até 02:52.

A gravação pula até que Aurora esteja na minha frente, apontando para si mesma, o rosto retorcido ao se concentrar.

— G-g-ga-ti-lh-lh-lho — ela diz. — Gatilh...

— Gatilho — Zila repete, a cabeça inclinada.

— O que isso quer dizer? — Tyler pergunta a ela.

Nossa oficial de ciências olha para Aurora com seus olhos escuros.

— Não faço ideia, Senhor. Mas tenho certeza de que a Comandante de Stoy colocou Aurora sob nossos cuidados por uma razão. Na minha opinião, devemos seguir o curso.

Finian opina no comunicador.

— *Se vale de alguma coisa, acho que concordo com a lunática minúscula, Garoto de Ouro. Isso está ficando interessante.*

— Tenho certeza de que pensar na Corte Marcial que nos aguarda de volta na estação Aurora não tem nenhuma influência na sua decisão, certo, Finian? — Tyler pergunta.

— *É claro que não, senhor.*

Tyler suspira, e vira para mim. Parece que é uma coisa pequena, mas é uma das razões principais de meu irmãozinho ser o melhor Alfa na Academia. É também uma das razões que nunca o sufoquei enquanto dormia. Ele nunca tem medo de pedir conselhos quando precisa.

Penso na porta escancarada no porão improvisado. No frágil casco que nos protege da escuridão que nos aguarda do lado de fora.

— Deveríamos voltar para a Academia — digo. — Se falarmos com o Comando, talvez exista algum jeito de salvar a situação. Estamos lidando com algo muito além da nossa capacidade.

— Pra cacete — Cat grunhe. — Deixem que ela fique no espaço.

— Eu preciso lembrá-los de que a Comandante de Stoy nos deu um aviso? — Kal pergunta. — Ela disse, "A carga que carregam é mais preciosa do que qualquer um de vocês imagina". — O Syldrathi olha para Ty, sem desviar o olhar. — O Almirante Adams falou diretamente com você, senhor. Ele disse que precisava *acreditar*. Ao que mais ele poderia estar se referindo, se não isso?

Tyler mordisca o lábio, pensativo.

Finalmente, é Aurora quem fala.

— Quero ir p-para casa — ela diz, a voz estremecida. Lágrimas começaram a juntar nos olhos, e apesar de tentar manter a compostura, está desmoronando de todo jeito. Ela olha para Tyler. — Eu não d-deveria estar aqui.

E apesar de ela quase ter me matado, ao olhar para essa pobre coitada, não consigo evitar sentir certa empatia por ela. Coloco uma das mãos em seu ombro, aperto gentilmente enquanto a cabeça dela pende, as lágrimas caindo no colo.

— Está tudo bem, Aurora.

— Eu quero acordar — ela sussurra, brava. — Eu quero acordar em Octavia III, *como era para ter acontecido.*

Zila inclina a cabeça.

— A expedição da *Hadfield* iria para Lei Gong III, e...

— Não, não ia! — Aurora insiste, um brilho raivoso acendendo no olhar conforme nos encara. — Estou dizendo a vocês, nós estávamos indo para Octavia! Eu passei anos estudando cada centímetro do planeta, eu sei que planeta era! Não sei por que estão tentando apagar qualquer traço dele, qualquer traço de *mim*, mas é isso que está acontecendo.

Cat revira os olhos com o chilique, tamborilando os dedos no console. Kal cruza os braços, sua indiferença Syldrathi costumeira voltando em vez de uma pequena demonstração de emoção humana, mas Aurora não parece se importar.

— Eu q-quero ir p-para casa — ela repete, as lágrimas voltando quando abandona qualquer tentativa de segurar o choro. — Quero minha família de volta. Não pedi por nada disso! *Eu não pedi por nada disso e eu quero ir para CASA!*

Tyler assiste à garota desmontar, e eu vejo o coração dele na garganta. As perguntas em seus olhos. A verdade é que nenhum de nós sabe o que está fazendo aqui. De Stoy e Adams podem ter mandado essa garota com a gente por um motivo, mas Tyler cresceu seguindo todas as regras, e sei o quanto isso está consumindo ele. A ideia de que somos criminosos, provavelmente suspeitos de matar seu próprio povo.

Estamos muito além do que imaginamos.

— Três votos a favor de continuar. Três votos contra. O líder do esquadrão desempata. — Tyler olha tristemente para Aurora e suspira. — Cat, coloque a rota para a Academia Aurora. Vamos para casa.

— Entendido. — Cat sorri.

Kal suspira e sacode a cabeça, mas não discorda. Tyler passa a mão pelo cabelo conforme as mãos de Cat voam pelos controles.

— Tudo certo, nossa rota foi desviada — ela reporta. — Devemos voltar à estação em...

A Longbow estremece, repentino e violento. Estico o braço para me apoiar quando a nave trava novamente, e sou jogada contra a parede, sentindo a dor arquejando quando vou de encontro ao titânio, e depois ao chão. Afastando o cabelo dos meus olhos, observo ao redor da ponte e vejo meu esquadrão espalhado pelo convés, gemendo e grunhindo. Só Kal conseguiu se manter de pé. A voz de Finian crepita pelo comunicador.

— *O que em nome do Criador foi isso?*

— Alguma coisa bateu na gente? — Tyler demanda.

— Nada aparece nos radares, senhor — reporta Zila.

— Cat, relatório — Tyler pede.

— Nós... — Cat mexe no console para a confirmação. — Nós paramos?

— Os motores estão desligados?

— Não, quero dizer que *paramos*, porra. Os propulsores estão funcionando, mas é como se... — Cat sacode a cabeça. — Como se algo estivesse nos segurando aqui.

— Não algo — digo. — *Alguém*.

O restante do esquadrão segue o meu olhar, até que todos nós encaremos Aurora. A nossa garota fora do tempo está com a cabeça jogada para trás, o olho direito ofuscando com energia fantasmagórica branca. Seu corpo todo está tremendo com o esforço, as veias no pescoço e nos braços saltadas. Conforme observamos, mais um filete de sangue escorre do seu nariz.

— Sopro do Criador — Tyler sussurra.

— G-g-gaaat-ggatilhho — diz Autora.

De joelhos, Cat aponta a pistola disruptiva para a cabeça de Auri, mas num gesto fluido como seda, Kal se posiciona entre nossa Ás e o alvo.

— Saia da frente!

— Você *não* irá feri-la!

Aurora vira o olhar para Tyler, seu corpo inteiro tremendo. A Longbow também está tremendo, violento, assustador, como se a nave toda estivesse tentando se partir em pedaços.

— Ac... ac... — ela gagueja.

— O que? — Tyler pergunta, se aproximando.

— Ac-acrediteeeee...

Outro tremor atinge a nave, e me joga de novo no chão. O casco geme ao nosso redor, os parafusos chiando quando começam a girar. Tyler olha para mim. Para seu esquadrão. Para a nave ao nosso redor, convulsionando tanto que corre o risco de se estilhaçar. Consigo ver as engrenagens atrás de seus olhos, medindo o perigo para sua tripulação. O aviso que de Stoy e Adams nos deram quando saímos da estação. Sua mão vai para o volume embaixo da túnica — o anel de senador de papai, pendurado por uma corrente de titânio ao redor do seu pescoço. Ty sempre seguiu as regras. Desde que tínhamos treze anos em Nova Gettysburg, assinando nossos nomes na linha pontilhada.

A carga que carregam é mais preciosa do que qualquer um de vocês imagina.
— Acreditem... — Aurora sussurra.

Tyler cerra a mandíbula, e a sua mão escorrega do anel de papai para a marca do Criador no colarinho. Conforme a Longbow estremece e sacode ao nosso redor, Ty engatinha pelo convés, voltando ao console de comando. Conforme observo, ele entra no sistema de navegação e coloca uma nova rota.

Quase que imediatamente, a Longbow para de tremer. Os motores voltam a funcionar, e sinto o impacto dos propulsores passando pelos amortecedores de inércia.

A luz nos olhos de Aurora pisca e morre como se alguém houvesse apertado um botão. Ela desmonta na cadeira, sangue escorrendo do nariz, desmaiada de novo. Zila a vira para o lado para checar os sinais vitais, e Kal ajuda. Os olhos de Cat estão estreitos, as mãos tremem e seguram a pistola. Meus olhos estão no navegador, na nova rota em que Ty colocou.

— Aonde estamos indo, bebezinho? — pergunto, mesmo já sabendo da resposta.

— Sempiternidade — ele diz baixinho, olhando ao redor da cabine.
— Tem certeza de que é uma boa ideia? — pergunto.
— Eu não sei.

Ele toca a marca do Criador no colarinho de novo, encarando Auri.
— Mas às vezes só temos que ter um pouco de fé.

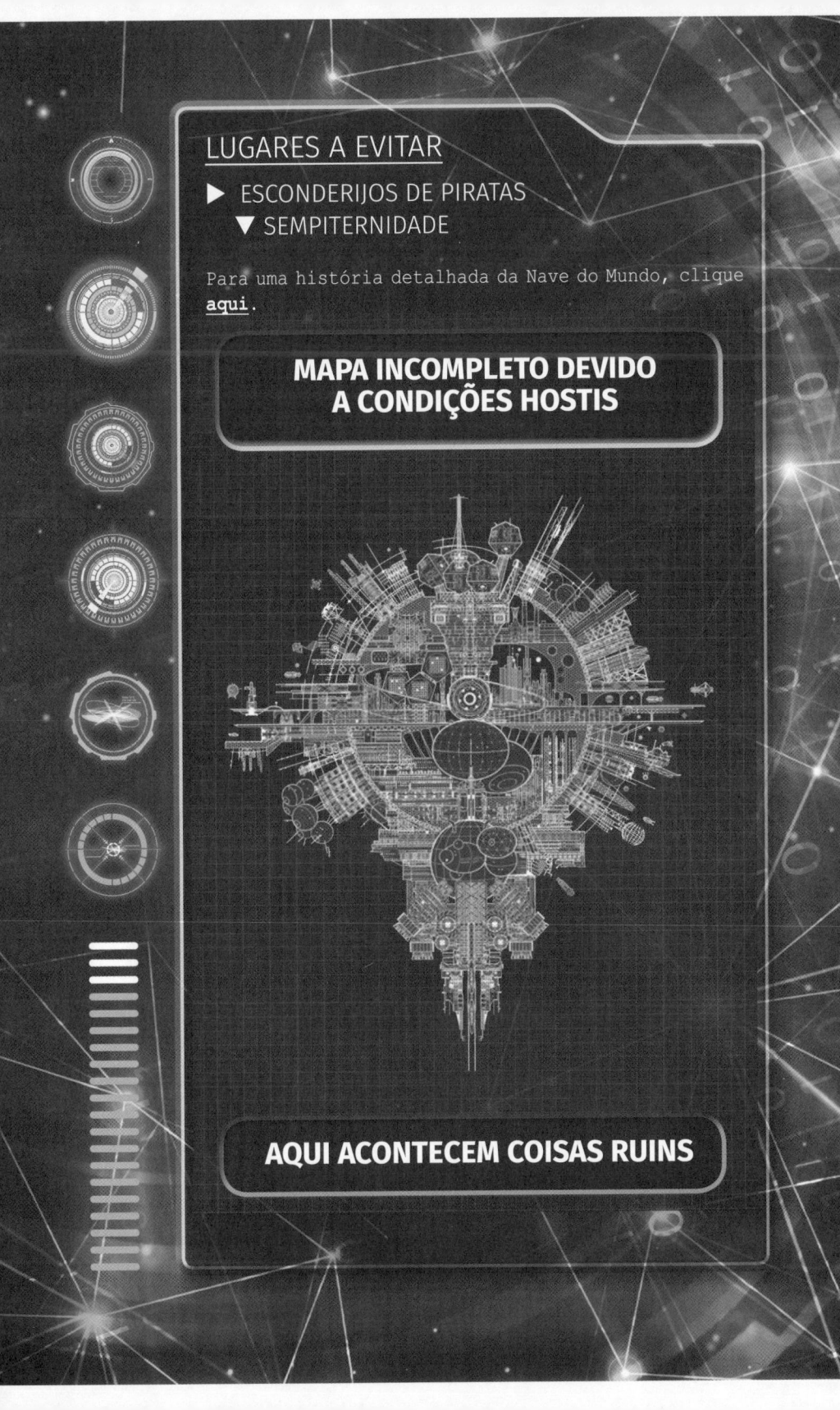

LUGARES A EVITAR
▶ ESCONDERIJOS DE PIRATAS
▼ SEMPITERNIDADE

Para uma história detalhada da Nave do Mundo, clique **aqui**.

MAPA INCOMPLETO DEVIDO A CONDIÇÕES HOSTIS

AQUI ACONTECEM COISAS RUINS

14

AURI

— Jie-Lin, acorde.

Abro meus olhos, me perguntando por um instante onde estou. Lembro-me da briga na ponte da Longbow. Tyler e Kal e Scarlett e Cat. Luz forte. Porém, agora estou deitada em uma cama macia. Uma luz calorosa ao meu redor. Pôsteres que reconheço na parede, um esquilo de pelúcia que reconheço ao meu lado.

Meu quarto.

Estou no meu quarto.

— Jie-Lin?

Olho para cima, e em cima de mim está um rosto que achei que nunca mais veria. Bochechas redondas. Rugas na testa que minha mãe costumava brincar que estavam lá desde os quinze anos, porque o mundo costumava surpreendê-lo o tempo todo.

— Papai?

— Estava esperando por você, Jie-Lin.

Ele me puxa para um abraço e consigo sentir o seu peito estremecer porque ele está rindo e está chorando, e eu também estou rindo e chorando. Todas as coisas que eu nunca consegui dizer, coisas que eu deveria ter dito, preenchem minha cabeça, pois ele não está morto e não é tarde demais e eu tento me afastar e falar porque tem tanta coisa para dizer.

Só que eu não consigo.

Eu não consigo me afastar. Ele está me segurando forte demais, e não consigo respirar ou falar. Eu empurro mais forte, tentando afastá-lo para longe de mim, mas é como se ele fosse feito de piche. Os pedaços dele vêm comigo quando eu *me afasto, pedaços longos e faixas se esticando como uma borracha humana. Entrando por debaixo da minha pele.*

— Me deixe ir!

Ele olha para mim e sorri, e suas íris têm o formato de flores azuis.

— Ra'haam — *diz ele.*

— Me solta!

— Ra'haaaaaam.

• • • • • • • • • • • •

— Aurora?

Abro meus olhos, o coração disparado. Scarlett está sentada ao meu lado, Zila e Kal na minha frente. Minha boca está seca como giz, e estou toda dolorida, mas lentamente percebo que ainda estou aqui. Não lá.

Um pesadelo.

Não sei se devo ficar aliviada ou de coração partido, tudo de novo. Não estou em casa, não estou no meu quarto. Estou em uma espaçonave a um milhão de anos-luz de tudo isso. Todo mundo se foi, e meu pai ainda está...

Scarlett me oferece um copo de água, preocupação e suspeita em seus olhos. Não deixo de observar que Zila ainda está com a mão na pistola. Que Kal também está armado, me observando com aqueles olhos frios violeta de perto da porta.

— Você se lembra do que aconteceu? — Scarlett pergunta.

Imagens piscam na minha mente. Jogando Scarlett contra a parede, sangue nos lábios. Vozes mais altas. A pele do meu pai derretendo em mim feito caramelo. Uma imagem que parece mais brilhante do que as outras. Um nome.

— Sempiternidade — murmuro.

Zila e Scarlett trocam um olhar, e a ruiva assente.

— Estamos na Dobra há quase quatro horas, e estamos quase lá. Tyler pediu que a gente trouxesse você para a ponte, no caso de você... ver alguma coisa.

Pisco mais forte, tentando esquecer a imagem de meu pai. As partes dele derretendo para se tornarem partes minhas. Gemendo quando Scarlett me ajuda a levantar, eu percebo que estamos em uma parte mais habitacional da nave. Beliches e armários e um cinza-escuro, e o logo da Legião Aurora pintado nas paredes. Vejo meu reflexo em um espelho. Ainda levo um choque quando vejo o branco no meu cabelo, o branco na íris direita. Não sei o que nada disso significa, mas parece que uma estranha me encara de volta. Impotente. Agressiva.

— Eu sei que todos vocês acham que sou louca — murmuro.

— Ninguém acha que você é louca, Auri — diz Scarlett, tocando meu braço. — Você passou por muita coisa, todos nós sabemos disso.

— A *Hadfield* estava indo para Octavia III, Scarlett — digo, vociferando baixo e determinada. — Eu estudei anos para ir na missão, eu não esqueceria algo assim. Todos os minutos que eu tinha sobrando eram para treinar, memorizar os mapas, aprender a escalar pedras, competições de orientação. E tudo isso porque tinha um objetivo em mente: Octavia.

Ela me oferece um sorriso solidário, mas balança a cabeça.

— Auri, checamos os relatórios. Octavia III não é habitável.

— Foi isso que eu disse — vem uma voz do meu bolso. — Mas ela me escuta? Nãooooo...

Coloco a mão em Magalhães para que ele cale a boca.

— Por que não vamos até lá checar, então? Eu sei a composição da atmosfera, a disposição dos continentes. Posso mostrar onde era o acampamento Butler e os postos de troca, e aí eu...

— Octavia III está interditado há mais de um século — diz Zila.

— E a última vez que tentamos alterar a rota, você quase destruiu a nave.

Olho para Kal quando ele fala, e sua expressão é impassível, como sempre — mas lembrando da gravação onde ataco Scarlett, segurando a nave no lugar enquanto meu olho queimava branco, é difícil argumentar com ele.

— Parece que é aqui que você deveria estar — diz Scarlett. — E talvez estejamos indo para onde devemos ir, também.

Ela toca no meu braço novamente, e seu sorriso é caloroso e bondoso em comparação com o olhar gélido de Kal. Não consigo evitar dar um sorriso fraco de volta. Ela votou para me levar de volta para a Academia, mas agora que estamos em rota, eu percebo...

Ela está tentando ser legal comigo.

— Vem — ela diz. — Ty quer você na ponte.

Não deixo de notar como Zila e Kal se entreolham quando nós saímos, ou o fato de a mão de Zila nunca ter saído de sua pistola enquanto conversávamos. Juntos, percorremos o corredor, Kal na frente, Scarlett ao lado, e Zila atrás. Meus ossos gemem e meu pulso está acelerado, e estou com mais uma dor de cabeça horrorosa.

Quando chegamos na ponte, os outros levantam os olhos para me ver, mas só por um instante. Olhando para a enorme tela em cima do console central, consigo ver que vamos atracar no que deve ser Sempiternidade. Cat e Tyler parecem ocupados navegando por um labirinto de naves, atracadouros, carregadores e embarcações que rodeiam a vista mais incrível que já vi em toda minha vida.

O futuro é mais encardido do que esperava. Mais sujo do que deveria ser. Sempiternidade parece um cupinzeiro revirado do avesso, com adições infinitas saindo em cada direção. Há muitas luzes piscando e formatos estranhos com ângulos impossíveis, mil naves fundidas e parafusadas em uma gigante Nave do Mundo.

— Carácoles — murmuro.

Como eu sabia que esse lugar existia?

Como eu sabia o nome disso?

E como é que consegui parar uma nave e fazer ela dar a volta para esse mundo fundido de milhares de dezenas de naves que encerraram suas histórias aqui?

Se eu conseguir a resposta para qualquer uma dessas perguntas, estarei mais próximo de entender o que está acontecendo comigo. Do porquê do meu governo estar tentando apagar qualquer traço da minha existência. Estou ansiosa para entrar em rota para Octavia, para ver se sobrou algo da colônia que eu *sei* que estava lá. Mas essa coisa que está me possuindo me trouxe até aqui, para Sempiternidade.

Então seguirei este caminho, tentarei entender por que viramos nessa direção. Esperando que, se me trouxe até aqui, é porque é aqui que minhas respostas estão.

Scar me ajuda a sentar numa cadeira na estação auxiliar, e então toma seu lugar no controle central. Sei que deveria estar observando a incrível estação da qual estamos nos aproximando, mas, em vez disso, observo o esquadrão ao meu redor. Vejo esses seis jovens soldados cujo destino entrelaçou com o meu. Os estranhos dos quais minha vida agora depende.

O Esquadrão 312.

Me pergunto o que faz eles serem quem são.

O que os trouxe até aqui.

A atenção de Cat está em desviar de uma dúzia de embarcações indo e vindo, desacoplando da bagunça do setor, e tentando alinhar a câmara de vácuo para conseguirmos nos juntar a essa turba, mas ela ainda está me observando do canto do olho. O olhar volta para mim a cada trinta segundos como se fosse um relógio.

Ela não confia em mim.

Eu não a culpo.

Tyler parece tranquilo, na verdade, considerando tudo. Seu cabelo loiro bagunçado está caído por cima dos olhos azuis fixados na leitura do painel. Ele escolheu a rota, e por bem ou por mal, essa foi a sua decisão. Ainda assim, tenho que percorrer um longo caminho para que ele e a irmã confiem em mim, e eu nem sei o que quero que eles saibam ou acreditem sobre mim.

Depois de Tyler está Fin, o cabelo branco arrepiado acima do rosto igualmente branco, difícil de ler com as lentes de contato pretas que cobrem seus olhos inteiramente. É difícil até saber para onde ele está olhando. Entre isso e o escudo efetivo de sarcasmo, é difícil saber quem ele é. Agora ele está de cabeça baixa — está consertando ou modificando algo no braço do seu exotraje com uma chave de fenda magnética. Zila fica ao seu lado, mas seus olhos escuros ainda estão fixados em mim, como se fosse um quebra-cabeça que ela conseguirá entender se estudar o bastante.

Kal olha para mim ocasionalmente, mas não consigo entender nada além dos seus olhos. Ele tem pouco mais de dois metros, e quase trinta centímetros de cabelos longos prateados, e é só músculo, e ele sempre parece que está indo pedir conselhos a Gandalf. Ele age como se fosse melhor do que eu, porém, disso eu sei. *Peso*, foi o que ele disse. *Mais uma preocupação*. Suponho que só porque ele é um alienígena não quer dizer que não seja um babaca completo.

Todos eles parecem desconfiados da minha presença de um jeito ou de outro. Alguns estão com medo. E eu tenho medo de mim mesma, mas estou tentando ser corajosa. Não sei o que está acontecendo, mas quero entender tanto quanto eles. Saber para onde vou, e por quê. Como eu fiz tantas coisas impossíveis. Porém, mal entendo do que eu estou *fugindo*, que dirá para onde *vou*.

Ainda assim, a estação pode conter respostas. Como Scarlett disse, talvez estejamos indo exatamente para onde precisamos ir.

Há uma batida gentil conforme paramos, e uma série de barulhos e apitos eletrônicos conforme atracamos. As mãos de Cat dançam pelos consoles enquanto ela desliga os motores. Ela beija as pontas dos dedos e pressiona contra a tela do monitor, e então no dragão de pelúcia sentado em cima dele. O rugido dos motores cessa lentamente, e os computadores aquietam. Todos se entreolham, tentando entender o que acontece agora.

— Precisamos de três coisas — diz Tyler, quebrando o silêncio desconfortável.

Fin olha por cima dos seus consertos, e responde sem nem hesitar.

— Eu aceito uma calça nova, uma massagem profissional e um drinque de semptar Larassiano.

Tyler continua, nobremente.

— Abrigo, informações e novas roupas. Então Fin ao menos acertou um de três. Esse lugar é comandado por piratas interestelares, então não vamos conseguir ir muito longe nesses uniformes.

— Precisamos de quatro coisas — Cat o corrige.

— Precisamos saber por que Aurora nos trouxe até aqui — oferece Zila.

E é claro que todos olham para mim de novo. Meus músculos doem do que parece ter sido uma convulsão, e o eco dos meus pesadelos ainda persiste na minha mente, e estou cansada, e eu *ainda não sei a resposta*.

Scarlett me ajuda.

— Vou às compras para pegar as roupas. Num lugar como esse não vai ser difícil encontrar um mercado. E meu gosto é melhor do que o de todos vocês juntos.

Tyler parece um pouco ofendido.

— Ei, eu...

Scarlett encara o irmão com um olhar de desdém, e ele sabiamente fica quieto.

— Eu tenho um primo aqui — diz Fin. — Posso conseguir um lugar para nos escondermos.

Zila pisca.

— Isso me parece nos limiares da coincidência.

— Não de verdade — responde ele, fazendo um gesto de "mais ou menos" com a mão. — Quer dizer, se quiser ser muito técnica, ele é um primo de terceiro grau da minha terceira mãe de segunda geração do lado da matriarca, mas, no geral, só chamamos de "primo" mesmo.

— Terceiro da segunda...? — Tyler inclina a cabeça, e consigo praticamente ver os outros contando nos dedos das mãos e dos pés tentando conectar a linhagem.

— Reunião de família é um negócio complicado para os Betraskanos — Fin ri.

— Vá atrás do seu primo — diz Tyler. — Leve Cat com você.

Cat pisca.

— Eu deveria...

— Não vou mandar ele sozinho. Ninguém vai sozinho nessa missão. Scarlett, você vai com Zila. Eu fico com Kal e Auri, e nós faremos um pouco de reconhecimento da área. Talvez Auri veja alguma coisa ou alguém que reconhece, e teremos uma ideia melhor do que estamos fazendo aqui. Usar nossas contas correntes vai denunciar nossa localização na hora, então é melhor todo mundo procurar por qualquer trocado no bolso.

• • • • • • • • • • • • •

Não tem ninguém para checar nossas identidades ou fazer perguntas quando saímos da câmara de vácuo e entramos em um longo corredor cheio de portas pesadas. É feito de material transparente, e o corredor umbilical faz um caminho sinuoso de cada câmara de vácuo. Cada uma das portas conecta com uma nave do outro lado, como se fôssemos parte de um enorme cacho de uvas. E além das naves, consigo ver as estrelas, ofuscadas pelas luzes da estação.

— É lindo — sussurro.

— É horroroso — diz Fin ao meu lado, dispensando as glórias da galáxia com um aceno de mão. Mesmo que esteja reclamando, acho que está tentando bater papo. E não é como se os outros estivessem se esforçando para falar comigo.

— Você não gosta das estrelas? — pergunto.

— Não — ele responde baixinho, e pela primeira vez, seu sorriso está em falta, e ele está olhando para o chão. — Um monte dessas estrelas já morreu há um milhão de anos. E estão tão longe que a luz que criaram antes de morrer ainda nem terminou de chegar até aqui. — Ele gesticula na direção da galáxia além do vidro. — Está olhando para um céu cheio de fantasmas.

— Nossa, isso é deprimente.

— Meu povo vive embaixo da terra. — Ele dá de ombros. — Espaços abertos, nem tanto.

— E você se alistou para ser um soldado no espaço? — Scarlett ridiculariza ao nosso lado.

— É. — Ele dá uma piscadela. — Não sou intrigante?

Scarlett revira os olhos quando chegamos ao fim dos atracadouros. Com um monte de piscar de globos e luzes reluzentes passando por nossos corpos, outra câmara de vácuo nos faz passar por um tipo de scanner e então abre para um calçadão cheio de vida, luz e barulho. Com as estrelas fora de vista, Fin parece muito mais à vontade. Ele endireita os ombros e dá um tapa nas costas de Cat.

— Vamos achar um lugar para cair, hein?

— Nunca diga a palavra "cair" para um piloto, Finian — Cat faz uma carranca. — E se tocar em mim de novo, eu vou dar os seus dedos para você comer.

— Eu gosto de você, Zero — ele sorri, fazendo com que o apelido pareça que está tirando sarro da cara dela. — Nunca mude, tá bem?

Cat lança um olhar acusador para Tyler, e ela e Fin se misturam à multidão para tentar achar um lugar para ficarmos. Scarlett e Zila vão na direção do mercado, a maior parte do nosso dinheiro no bolso delas (ou, no caso de Scarlett, dentro do sutiã), para procurarem disfarces. Fico com Kal e Tyler, cada um de um lado conforme encaro de queixo caído a multidão ao nosso redor.

Muitos são humanos, e a maioria deles tem pelo menos um formato humanoide. Há um bom número de Betraskanos, a maioria vestida em cores escuras que combinam com as lentes de contato, a pele branca como papel. Percebo agora que a maior parte deles não usa o mesmo traje que Fin — achei que poderia ser algo comum para seu povo, mas parece que é só ele mesmo.

Vejo alguns Syldrathi de cabelos prateados a distância, mas mais perto há outros... alienígenas, acho. Vejo peles azul-escuras e vermelhas com escamas, olhos cobertos por óculos amarelos e escondidos entre as dobras tenras de rostos cinzentos.

Vejo um par usando robes de seda que fluem como água atrás deles, e mais um grupo de figuras que não passam da minha cintura, mas que são corpulentos, provavelmente por viverem em um ambiente de gravidade alta. Deve haver mais de uma dúzia de espécies que nunca vi antes, e nenhum deles está prestando atenção em nós.

— Então, aonde vamos? — pergunto.

Tyler me dá um sorriso cansado.

— A um lugar onde a fofoca sempre corre solta. Um bar.

Vamos na direção do burburinho, e a multidão fica maior conforme saímos dos atracadouros. Kal vai na frente, e a expressão no seu olhar ajuda muito a proteger nosso espaço pessoal. Ele anda ereto, parecendo rondar as presas, uma das mãos sempre perto de sua arma. A maioria das pessoas dá uma olhada nas três lâminas entrecruzadas na sua testa e abre espaço para passarmos.

Não demora muito tempo para localizarmos o que parece ser um bar, a fachada repleta de luzes brilhantes e letras em neon. Passamos pela porta estreita, tão baixa que os meninos precisam se curvar. Uma luz tênue brilha dentro da porta conforme somos escaneados, e o ar tem gosto de canela e borracha. Paramos para deixar a nossa visão se ajustar, e vejo o espaço ao nosso redor.

Carácoles, esse lugar é inacreditável.

É como uma mistura de um bar de esportes e um do Velho Oeste, espalhada por três andares circulares que giram entre si. Corpos de todas as formas e tamanhos estão usando os banquinhos e mesas, as cabeças inclinadas quando conversam. Há cinco... coisas? Pessoas? As duas coisas?... no canto, tocando uma música estranha e cheia de sentimentos. Eles têm pele transparente e tentáculos em vez de dedos.

Fecho minha mandíbula para que meu queixo não caia no chão.

Há mesas no canto do cômodo, bruxuleando com a luz amarelo fluorescente. Estão cobertas de pedras coloridas — redondas, quadradas e pontiagudas —, colocadas em padrões que claramente indicam que os jogadores estão buscando uma posição entre elas. Vejo uma mulher de pele azul com uma cabeça de abóbada, vestida em uma túnica também azul que parece dar continuidade a sua pele — é difícil dizer onde uma começa e a outra termina. Ela sorri, e então delicadamente empurra uma pedra verde para a frente com um bastão comprido, empurrando outra pedra para fora do tabuleiro. Um coro de gritos vem da multidão. Não consigo dizer se estão animados ou bravos.

Um grande balcão fica em uma ilhota no meio do salão, ladeado por fumaça rosa-clara. Uma série de telas gira ao redor dele, mostrando vários jogos rápidos. Posso não reconhecer os esportes que estão jogando, mas sei exatamente o que estou vendo.

— Pegue uma mesa, Kal — diz Tyler. — Vou tentar achar alguma coisa pra gente beber.

Acho que não sou parte do time na cabeça de Ty quando se trata de tomar decisões, o que me irrita um pouco. Sei que sou uma novata em tudo isso, mas não gosto de ser tratada como uma mala sem alça. Em vez de esperar ser levada para algum lugar, vou explorar outro canto do lugar, Kal andando ao meu lado.

Quando acho uma mesa com visão perfeita do bar todo, deslizo pelo banco em meio aos copos vazios e olho para o garoto Syldrathi.

— Está bom pra você?

Kal olha ao redor, aparentemente contente com a minha escolha, e senta na cadeira a minha frente sem dizer uma palavra. Ele pressiona um botão na mesa, desligando o display tridimensional de um joguinho de bola entre bonequinhos. Fico no canto da mesa, mas ele fica mais próximo do bar, vendo o lugar girar. Os alienígenas aqui são de cores e tamanhos diferentes, vestindo desde macacões de mecânicos até túnicas fluorescentes, e para todas as ocasiões entre esses dois.

Sinto que estou sonhando.

Sinto que estou talvez ficando completamente louca.

Minha cabeça não está mais doendo, pelo menos, mas meus músculos ainda me lembram do que aconteceu na ponte da Longbow. Na minha cabeça, ainda consigo ver a imagem de mim mesma na tela, jogando Scarlett contra a parede sem nem ter tocado nela. Consigo ainda ouvir as palavras que falei na voz que não era minha. Me forço a olhar ao redor do bar de novo. Será que consigo achar alguma pista, algo que consiga me ajudar a entender por que eu — ou o que quer que tenha me possuído — insisti em vir até aqui?

— Ele não vai demorar muito — a voz de Kal me assusta.

— Hein?

Ele faz um movimento na direção de Tyler.

— Não se preocupe. Ele não vai demorar muito.

Eu não estava preocupada com ele, particularmente. Se alguém está preocupado, esse alguém é Kal. Percebo que ele não está observando Tyler, de todo modo — está de olho em um grupo de Syldrathi que está no bar, todos eles vestidos de preto.

— Amigos seus? — pergunto, olhando para o grupo.

— Não.

A palavra é pesada e cai entre nós como uma bigorna.

— Bem, quem são eles? — pergunto.

Kal só me ignora, seus olhos nunca desviando dos outros Syldrathi. Fico irritada de novo. Cansada do jeito que ele fala comigo, ou nem sequer percebe que estou presente. Ele pode ter dois metros de altura de impacto, mas, filho de uma égua, ele me enfurece.

— Deixa eu adivinhar — digo —, eu não sou importante para eles.

— Quase certamente — responde ele, sem nem olhar para mim.

— Então não devo preocupar minha linda cabecinha com isso, basicamente?

— Correto.

Respiro fundo, minha irritação finalmente vencendo.

— Todos os Syldrathi são assim convencidos que nem você?

Ele pisca, finalmente se dignando olhar na minha direção.

— Eu não sou convencido.

— Se seu nariz ficasse mais empinado, ele entraria em órbita — falo. — Qual seu problema comigo? Eu não pedi para estar aqui. Era pra eu ter acordado em Octavia III com meu pai, e agora estou aqui, escondida em uma estação pirata espacial com um olho zoado e um cabelo idiota, e um energúmeno condescendente.

Uma carranca aparece lentamente na sua tez tatuada.

— O que é um energúmeno?

— É só se olhar no espelho, Elrond.

A carranca fica ainda mais confusa.

— Meu nome é Kal.

— Você. É. Insuportável.

Cruzo meus braços e o encaro. Ele me encara de volta, inclinando levemente a cabeça.

— Você está... irritada comigo? — ele pergunta.

Eu continuo o encarando, inconformada.

— Por que está irritada? — ele pergunta. — Eu tenho te protegido.

— Não, você tem me tratado como uma criancinha — eu digo. — Eu não sou idiota. Você não tirou os olhos daqueles Syldrathi desde que chegamos, e sua mão nunca deixa sua pistola. Então se você quer tanto me proteger, talvez devesse me ajudar a entender por que você está tão preocupado em vez de me ignorar?

Ele olha para mim durante um bom tempo, em silêncio. Me pergunto se ele sequer vai responder. Esse garoto é gentil num momento, gélido no seguinte, e não consigo entender nada.

Finalmente, ele se pronuncia.

— Meu povo é dividido em seitas que chamamos de Clãs. Tecelões. Trabalhadores. Vigilantes. Os Syldrathi que encontramos na Estação Sagan eram Andarilhos. Eles são os mais místicos entre nosso povo, devotados aos estudos da Dobra. — Ele dá um tapinha na tatuagem em sua testa. — Todos usamos um glifo aqui. O símbolo do nosso clã.

Fico um pouco mais calma. Ele ainda está falando como o Lorde Sabe-tudo Sabichão, mas ao menos está falando. É um ponto a seu favor.

— Seu glifo é diferente dos que encontramos em Sagan — digo.

— Sim. — A palavra é pesada novamente. — Sou um Guerreiro. Nascemos para a guerra.

Eu observo por um momento. Sim. É exatamente o que ele é. Olhando para ele, dá para ver que Kal foi feito para a violência. A maneira como anda, a maneira como fala — todos os seus movimentos comunicam isso de modo sutil. Há uma raiva escondida neste garoto, queimando atrás da sua compostura gélida e plácida. Ele mantém a raiva em uma coleira, mas conseguia sentir quando estava enfrentando Aedra na Estação Sagan. E consigo sentir agora, quando ele volta a olhar para os outros Syldrathi.

— Então a qual clã eles pertencem? — pergunto, indicando o grupo de preto.

— Nenhum — ele responde. — Eles são Imaculados.

— Achei que tinha dito...

— Meu povo e o seu ficou em guerra por muitos anos — ele interrompe, apagando todos os pontos que havia acabado de dar para ele, e me deixando novamente irritada. — A guerra entre nós deixou um gosto amargo. Sou um dos poucos Syldrathi que se juntaram à Legião Aurora depois que o acordo de paz foi estabelecido. Muitos ainda desconfiam de mim. Foi por isso que me deixaram por último para me juntar ao esquadrão de Tyler Jones. Mesmo após as hostilidades terem acabado, alguns Guerreiros se recusaram a aceitar o tratado entre humanos e Syldrathi. Eles se denominaram de Imaculados, e agora estão em guerra contra os Syldrathi que apoiaram a paz com a Terra.

— Eles parecem... amigáveis — eu me aventuro a dizer.

— Espero que esteja sendo sarcástica.

— Duh, óbvio.

Tyler se senta ao meu lado a tempo de pegar o restinho da conversa. Ele está com três copos na mão, tão gelados que contam com uma fina camada de gelo. Cada um tem uma fita de isolamento ao redor para que seja possível segurá-los sem que os dedos fiquem grudados na superfície. Uma segunda fita de borracha fica na boca do copo para que a língua não sofra o mesmo destino.

— Do que estamos falando? — ele pergunta, entregando as bebidas.

— Energúmenos — responde Kal.

— De que lado os humanos estão? — pergunto a Tyler, querendo saber mais. — Na guerra Syldrathi, quero dizer.

Ty olha para Kal e depois para mim, tentando obviamente decidir o quanto ele deve falar.

— De lado nenhum — diz ele finalmente. — O Destruidor de Estrelas garantiu isso.

Ele pausa, e Kal fecha os olhos com o uso das estranhas palavras.

— O que é um Destruidor de Estrelas?

— Não o quê — Kal murmura. — Quem.

Um pequeno apito vem do meu bolso da jaqueta.

— Caersan, também conhecido como o Destruidor de Estrelas, é um arconte Syldrathi renegado, e líder dos Imaculados. Sua facção se desassociou do governo Syldrathi em 2370, quando os acordos de paz com a Terra estavam tomando forma. Os Imaculados atacaram as forças Terráqueas durante as negociações de paz e do cessar-fogo, atingindo as docas em Sigma Orionis. — Outro apito. — Gostaria de saber mais?

— Magalhães, fique quieto — sussurro.

Eu toco a tela, colocando-o no modo silencioso. Uma coisa é ter uma enciclopédia falante no meu bolso, outra completamente diferente é ter uma conversa com as pessoas que viveram essa época. Eu consigo ver que Kal e Tyler têm mais a dizer sobre isso. Que tudo isso *significa* algo para esses dois.

Olho para Tyler, esperando que ele comece.

Ele toca na corrente ao redor do pescoço, o anel pendurado nela, um olhar distante nos seus olhos. Lembro que fez o mesmo no centro médico.

— Meu pai... ele era um senador. Ele era um militar Terráqueo antes disso. Quando os Imaculados atacaram Sigma Orionis, a Terra chamou seus pilotos de reserva...

Consigo ver a tristeza em seus olhos conforme ele fala, e percebo...

O pai dele deve ter morrido ali.

— Lembrem-se de Orion — diz Kal baixinho.

Tyler olha para cima repentinamente com essa frase, mas o garoto mais alto ainda está com o olhar fixo nos outros Syldrathi. Sua voz é tão baixa que mal consigo ouvir.

— O ataque em Orion prolongou a guerra por mais oito anos — diz Kal. — Eventualmente, nossos povos encontraram a paz, mas os Imaculados estão se rebelando desde então. Um ano atrás... — Ele pressiona os lábios, sacudindo a cabeça. — Eles atacaram Evaa. A estrela onde o nosso planeta natal Syldra orbitava.

— Ninguém sabe como conseguiram. — A voz de Tyler é baixa. — Mas fizeram com que o sol de Syldrathi entrasse em colapso. Fizeram a estrela virar um buraco negro que destruiu tudo no sistema.

— Dez bilhões de Syldrathi morreram. — Kal olha para mim, e a tristeza em seus olhos adentra meu coração. — Dez bilhões de almas foram para o Vazio.

Penso nesse número. Tento entender o tamanho desse massacre.

— Destruidor de Estrelas — eu murmuro.

Tyler assente.

— Com uma arma desse porte a sua disposição, a galáxia inteira morre de medo dele. E ele deixou muito claro que enquanto a Terra permanecer neutra no que agora é uma guerra civil Syldrathi, ele não se importará conosco.

Ficamos sentados em silêncio por alguns instantes, a atmosfera pesada, a luz mais abafada. Kal é quem muda de assunto, sua voz calma, suas emoções novamente escondidas pela parede de gelo.

— Ouviu alguma coisa no bar?

Tyler suspira e sacode a cabeça.

—A barman definitivamente viu meu uniforme, mas não achou que tinha alguma notícia relevante para compartilhar. Pelo menos não parece ter nenhuma novidade sobre nosso ataque à FDT.

Dou um gole devagar na minha bebida, pensando no que aprendi. O líquido brilhante e doce parece quase vibrar na minha língua, me energizando e refrescando, tudo ao mesmo tempo. Olho para Kal e Ty, e penso em qual dos muitos problemas e mistérios cada um está focando nesse instante. O fato de que são renegados entre seu próprio povo? Que somos as únicas testemunhas de um massacre Terráqueo na Estação Sagan? Que estamos aqui sem nem ter plano, nem alguma oração?

Ou o fato de que eu sou o motivo para tudo isso?

Não tenho nenhuma resposta. Nem sobre a colônia, nem sobre meu pai, nem sobre o que está acontecendo comigo. Mas dia após dia estou aprendendo mais sobre essa galáxia na qual acordei. E vou descobrir a verdade, nem que seja a última coisa que eu faça.

— Não levante a cabeça — diz Kal, a voz fria como o drinque na minha mão —, mas os Imaculados estão vindo para cá.

Faço o que Kal diz, erguendo apenas os olhos. Meia dúzia de Syldrathi está vindo na nossa direção, cortando pela multidão como se fossem facas. Olhando rápido, todos parecem iguais. Iguais a Kal. Longos cabelos prateados presos em tranças complexas, os olhos de todos os tons de roxo. Usam um tipo de armadura preta elegante, arranhadas com as fúrias da batalha, pintadas com linhas de branco que se entrelaçam em letras em um idioma que não sei. Todos são altos, esbeltos, fortes. Etéreos e graciosos. E todos eles têm o mesmo glifo que marca a testa de Kal.

As três lâminas.

Conforme se aproximam, no entanto, vejo que cada um tem uma pequena diferença — um tem ossos trançados no cabelo, outro tem o que percebo serem orelhas afiladas em uma fita diagonal no peito, como se fosse a faixa de Miss Universo mais mórbida do mundo. O mais alto deles tem uma cicatriz cortando o meio de seu rosto belo. Todos eles se portam da mesma maneira — frios e ameaçadores, irradiando desdém, levando com eles a sensação de que a violência pode começar a qualquer instante. Eu saberia mesmo sem ninguém me falar — esses Syldrathi são guerreiros.

Há uma mulher na frente. Cabelo prateado pálido preso em uma única trança tão repuxada que deve estar dando a ela uma baita dor de cabeça. Talvez seja por isso que está nos olhando com uma expressão pouco amigável.

— Humano — diz ela, se endereçando a Ty. — Vejo que tem um bichinho de estimação.

— Eu tenho um colega de esquadrão — diz Ty, acenando a cabeça educadamente. — E ele está degustando sua bebida, assim como eu. Nós não queremos confusão.

Um movimento pouco amigável percorre os Syldrathi.

— Ele abdicou das causas verdadeiras do seu povo — a líder diz. — Ele procura a companhia de Terráqueos quando ainda há trabalho a ser feito por todos os Guerreiros. Até que todo nosso povo esteja unido sob o cuidado do Arconte Caersan, não haverá descanso, quer queiramos ou não. Ele é um traidor. Cho'taa.

Atrás dela, há um murmúrio de concordância de seus seguidores. Seus olhos estreitam, brilhando com o ódio. Lindos e horríveis ao mesmo tempo. A mulher se inclina para a frente, lenta, deliberadamente, e cospe na mesa no lugar entre Kal e Tyler.

— Tome cuidado para que ele não seja o próximo a te trair, humano.

— Você não quer comprar essa briga, Templária — diz Kal baixinho, nem sequer olhando para ela. — Acredite em mim.

— Acreditar em você? — Ela ri, um som alto e agudo. — Você, que não tem honra nenhuma? Você, que veste o uniforme do inimigo?

— Nós estamos quase terminando nossas bebidas — diz Tyler, ainda no mesmo tom amigável. — Assim que terminarmos, vamos seguir nosso caminho, e vocês seguirão o de vocês.

— Vão mesmo? — pergunta a mulher, inclinando a cabeça como se ele tivesse dito algo curioso. — Não vejo nenhum caminho entre vocês e a porta.

Os olhos de Kal encaram a mulher, depois voltam para a bebida.

— Talvez seja porque é tão cega quanto é tola.

Tyler olha para o outro garoto.

— Vá com calma, Legionário Gilwraeth.

Kal fica imóvel por um instante, e então a mulher de tranças olha para ele de verdade. O ar fica completamente imóvel, como se estivéssemos em um vácuo.

— I'na Sai'nuit — ela fala baixinho.

Kal vira a cabeça para falar comigo.

— Fique atrás de mim, be'shmai.

A mulher olha para mim, incrédula.

— Você ousa nomear uma humana como...

A palma aberta de Kal colide contra o estômago dela, o cotovelo contra o queixo, jogando-a para trás com um esguicho de cuspe e sangue. Ele pula da cadeira, atacando os outros dois Syldrathi e fazendo com que tropecem com narizes e lábios sangrando. Os seus oponentes estão despreparados por um instante, mas então estão prontos para reagir, gritando e grunhindo. Tyler também estava despreparado, mas se recupera rápido, ficando de pé e ao lado de Kal com os punhos erguidos.

O problema é que eles estão em seis, e nós temos apenas dois.

Bem, três, acho. Contando comigo.

Kal ainda está segurando seu copo, e ele o arremessa rápido como um relâmpago contra a cabeça de um Syldrathi. Ele se quebra e o homem cai, sangue roxo saindo de suas feridas. Kal e Ty começam a desferir socos, cada um mirando num Syldrathi diferente. Isso não é como ver uma luta num videogame — é brutal, feio, selvagem. Os oponentes tropeçam e recuam, mas os garotos não avançam, com as costas para a mesa, limitando os ângulos pelos quais os inimigos podem se aproximar.

Seus estilos de combate são completamente diferentes. O estilo de Kal tem uma graciosidade sombria. Para um cara tão alto, ele é perfeitamente fluido, e conforme bloqueia cada golpe, e então desfere um seu, é como se seus movimentos fossem coordenados em uma dança perfeita e fatal.

Ty luta como um atleta. Ele é ágil e forte e tem boas técnicas — até eu consigo ver isso. Ele disfere socos, ele chuta, e chuta o saco de alguém quando precisa. Todos são maiores do que ele. Mais rápidos e mais fortes. Mas ainda assim, ele é destemido.

Um terceiro Imaculado já está aos pés de Kal quando surge mais um do grupo para tomar o lugar dos caídos.

Ty está trocando socos com seu oponente, indo e vindo como um lutador de boxe. Kal está indo de um lado para o outro, falando algo para o adversário que faz com que ele rosne, e então Kal acaba com ele, tirando todos os seus dentes. A briga está rodeada por frequentadores do bar que se juntaram para ver o que está acontecendo. Uma parte de mim está ocupada vendo a briga, outra parte está monitorando a mim mesma — com medo de que eu vá me deixar sair de controle, sinta o cinza se aproximando, faça algo horrível para defendê-los, algo que o bar todo vai perceber.

Mas também não quero só ficar aqui fazendo nada.

Um dos Imaculados empurra um dos jogadores de Pedras Na Mesa, rouba o bastão dele, e o brande como uma lança. Sem pensar, pego meu copo, o frio congelando meus dedos por um instante antes de atirá-lo. O copo acerta bem no meio da cara dele, que tropeça com um xingamento.

Kal olha por cima do ombro, os lábios erguendo o que pode ser um sorriso.

E, filho de uma égua, eu estou sorrindo de volta.

Então a multidão está se abrindo, revelando uma bartender muito brava de dois metros de altura. Tem um piercing no nariz e tatuagens cobrindo os dois braços, e *não* parece estar para brincadeiras. Está segurando uma mangueira, e conforme olha para as costas de um dos Imaculados, ela libera um esguicho de gosma branca espumante, e logo percebo que é um extintor de incêndio.

— Os seguranças estão a caminho! — ela rosna. — Agora levem essa briga lá pra fora antes que chute vocês da câmara de vácuo.

Pontos por estilo, Mulher Bartender. Eu gosto de você.

Estamos todos praticamente congelados, Ty e Kal balançando nos pés, os Syldrathi esparramados ao nosso redor, todos nós ainda encharcados com a espuma. Agora seria uma *ótima* hora para sair correndo. Meu olhar percorre o lugar, checando o que está entre nós e a saída, e é aí que vejo Zila e Scarlett.

Elas estão paradas no batente com várias sacolas de compras enormes nas mãos. Scarlett se adianta para fazer o seu papel de diplomata, mas as suas primeiras palavras são abafadas por um alerta ruidoso e agudo.

Todos no bar param o que estão fazendo. Os anúncios começam em vários idiomas diferentes diretamente dos alto-falantes. Os displays holográficos em cima do bar dissolvem como neve, e depois voltam à vida.

E cada um deles está mostrando uma foto minha.

É uma imagem que devem ter tirado de uma câmera de segurança no exterminador da FDT. Estou ainda vestindo o mesmo uniforme. É uma foto muito clara — o cabelo preto e branco emoldura meu rosto em um corte joãozinho mais bagunçado do que o normal, meus olhos desiguais arregalados.

Texto brilha em todas as telas, bem abaixo do meu rosto.

FUGITIVA PROCURADA.
OFERECEMOS RECOMPENSA.
CONTATE A FDT PARA MAIS INFORMAÇÕES.

O tempo para. Meu coração acelera enquanto olho para a tela, mas enfim, desesperadamente não querendo olhar, viro meu rosto e observo o restante do lugar.

Cada alienígena dentro do bar está olhando diretamente para mim.

Filho de uma *égua*.

SOCIEDADE BETRASKANA

▶ ESTRUTURA DOS CLÃS
▼ OBRIGAÇÕES

A sociedade Betraskana é complexa de uma maneira tão alucinante que até mesmo os próprios Betraskanos têm dificuldade em saber o que está acontecendo na metade do tempo. A coisa mais importante a se saber é que a estrutura dos clãs Betraskanos é mais complicada do que uma **Cerimônia de Casamento Firalorista** de seis lados, e eles devem sua lealdade em dois níveis, como declarado em seus nomes.

Por exemplo, Sara de Mosto de Tren é primeiramente um membro do Clã Mosto — que é composto por seus irmãos, e não mais do que uma dúzia de pais (Ver **Estrutura Familiar Betraskana**), e talvez cem ou duzentos parentes de sangue.

Em seguida, ela é também um membro do Clã Tren, que compõe mais de mil indivíduos. A sociedade Betraskana dá um valor inestimável a obrigações familiares, conhecidas como **Indultos**, e qualquer membro do clã pode ser chamado para fornecer um Indulto devido ao clã como um todo.

Ninguém nunca compreendeu com exatidão como Betraskanos conseguem monitorar tudo isso.

15

FINIAN

Meu meio-que-primo Dariel está bloqueando a porta, e isso não está indo tão bem quanto eu esperava que fosse. Estou tentando convencê-lo a nos deixar entrar, nos dar um pouquinho de espaço para ficarmos escondidos até que consigamos entender o que estamos fazendo aqui. Então, nos últimos vinte minutos, Cat está atrás de mim como um guarda-costas de mau-humor, e estamos trocando detalhes de família, tentando entender onde nós dois nos encaixamos na enorme árvore genealógica da família — e portanto, quem deve o que a quem, e qual seria o preço justo por sua ajuda. Porque nada é de graça em um lugar como Sempiternidade.

Nunca encontrei Dariel antes, mas consigo ver o típico nariz de Seel na cara dele. Ele pintou o cabelo, que vai até o ombro, de um preto escuro, que combina com as lentes de contato, e que no fim o faz parecer um cadáver humano. A pele branca, que pareceria perfeitamente normal junto com os cabelos brancos, agora só parece esquisita e pálida.

Não é só que ele se assemelhe a um cadáver. Ele parece com um garoto-marombado-valentão que é também um cadáver, vestindo calças pretas e uma camisa preta que está mais aberta do que deveria, por pelo menos dois botões.

Não vou mentir, é vergonhoso que Cat esteja vendo isso.

— Então o irmão da minha terceira mãe é Ferilien de Vinner de Seel — digo pacientemente.

— Mas você é um de Karran de Seel — diz ele, pela terceira vez.

Ele é um garoto-marombado-valentão que parece um cadáver e *estúpido*, ainda por cima.

Ugh.

— Minha terceira mãe se tornou uma de Karran — suspiro. — Originalmente, ela era uma de Vinner, e os de Vinners são seus...

— Ah, caralho — Cat xinga atrás de mim.

Viro minha cabeça, mas ela não perdeu finalmente o interesse em nosso jogo da memória. Ela está encarando uma tela holográfica gigantesca em um canto do corredor meio sujo onde os apartamentos de Dariel ficam. Sigo seu olhar, e então vejo o rosto da nossa clandestina de perto, com um aviso de PROCURADA bem embaixo dela. Em algum lugar, o Garoto de Ouro agora está tendo um dia ainda pior do que antes.

E isso me coloca em desvantagem para a negociação.

Dariel coloca as duas mãos no batente da porta, e se inclina para fora do corredor para dar uma olhada na tela.

— É amiga de vocês?

Quase me mata responder isso, mas eu forço minha cara a ficar o mais neutra possível.

— Se nos deixar entrar, eu fico te devendo um Indulto.

O sorriso dele se abre, e ele pressiona a palma da mão contra a minha, selando o negócio, e eu tento parecer que não estou surtando. Me colocar assim à disposição dele sem ter negociado o resto dos detalhes... bem, agora ele sabe como as coisas estão ruins. Sem dizer outra palavra, ele dá um passo para trás e deixa a porta aberta para passarmos.

— Bem-vindo, primo, bem-vindo.

Cat já está usando o univídro, checando o moicano no espelho quando ela entra.

— Ty, estou enviando nossa localização — diz ela, a voz ecoando pelo meu próprio comunicador.

— *Entendido* — vem a resposta.

— Tá tudo bem? — Cat pergunta. — Parece que você está sem fôlego.

— *Correndo* — Tyler arfa.

— ... do quê?

— *Briga no bar.*

— Ah, puta merda, você começou uma sem mim?

Ergo uma sobrancelha para Cat, falando no meu univídro.

— Precisa de apoio, Garoto de Ouro?

— *Negativo* — grunhe nosso nobre líder. — *Segurem suas posições.*

Dou de ombros e sigo Cat para dentro, e quando cruzo o batente dos aposentos de Dariel, um choque me atravessa o corpo inteiro. É como se estivesse saindo de um Portão da Dobra e voltando direto para o meu quarto em Trask. As paredes são ladeadas de pedras brancas, e trepadeiras verde-claras caem de nichos no teto por onde ele as plantou, as folhas brilhando gentilmente e ajudando a iluminar o quarto. Água escorre pelas paredes, e o teto é uma paisagem pontiaguda de estalactites.

É como estar de volta a um lugar que mal visitei desde que tinha seis anos, e estou completamente despreparado para a onda de... eu nem sei como denominar esse sentimento.

— Fiz a maior parte delas com sal. — A voz de Dariel tão próxima do meu ouvido me faz saltar, e viro para ver ele apontando para as estalactites. — Algumas eu comprei. São esculpidas em pedra, um cara lá em casa costuma fazer.

— É bem... autêntico — consigo falar.

Cat está olhando em volta da sala de estar abarrotada como se estivesse com medo de toda a superfície ser radioativa, e eu não a culpo — há caixas e caixas empilhadas até o teto, partes de computadores em todo canto, bilhetes, fotos e telas grudados em cada superfície disponível, e nada está limpo. Parece que meu primo está comandando um império de negócios aqui. Fico chocado que o cérebro dele consegue acompanhar tudo isso.

Passam-se uns quarenta minutos antes do resto do esquadrão aparecer, e Dariel e eu gastamos a maior parte do tempo falando de família. Em qualquer ocasião que se juntam dois Betraskanos, nós tentamos descobrir onde foi parar cada um dos nossos parentes distantes ultimamente. Cat está andando em círculos na hora que os outros chegam, fazendo um circuito pela sala que passa por caixas e engradados e pilhas de lixo.

Nossos colegas de esquadrão obviamente acharam um lugar para se trocar, e os resultados são impressionantes. Os dois gêmeos Jones estão *muito* gostosos, ele usando uma camiseta que parece delinear todos os músculos, ela em um traje completo que parece feito do mesmo... algum tipo de material... alguma coisa.

Olha, é difícil concentrar no tipo de tecido com esses níveis de gente gata na minha frente.

O Garoto-fada está usando um casaco com capuz que esconde a testa, e portanto, o símbolo dos Guerreiros — bom trabalho, Scarlett —, e Zila está em um macacão azul coberto de bolsos, os cachos pretos presos em uma trança.

Kal e Tyler forçam a entrada com uma enorme caixa de plástico entre eles. Os dois estão sem fôlego e parece que acabaram de sair de uma briga — o lábio do Garoto de Ouro está partido, e Kal está mancando. O cabelo deles também está molhado.

— Todo mundo bem? — Cat pergunta, olhando ansiosamente pelo corredor.

— Dentro do possível — Tyler diz, fechando a porta atrás dele.

Na luz fraca, ele olha rapidamente para a sala, observando as paredes de pedra e as plantas que brilham suavemente, e a água escorrendo. É realmente uma diferença considerável, vindo do corredor de metal lá fora para esse pedaço de Trask.

— Nunca achei que fosse dizer isso — fala Scarlett, afastando o cabelo ruivo molhado dos seus olhos —, mas tenho que agradecer às estrelas por nos fazerem correr tanto nas aulas de preparação.

Tyler sacode a cabeça.

— Não sei como você corre tão rápido usando esses saltos.

— É um dom, bebezinho. — Scarlett rodopia, mostrando as botas novas. — E elas não são *lindas*?

— O que fizeram com o ímã de apuros? — Cat pergunta.

Em resposta, Tyler dá um tapinha na caixa, e Kal ajoelha para abrir, revelando uma Aurora confusa e piscando com a luz. O seu cabelo preto e branco está desalinhado, suas bochechas estão rosadas, escondendo as sardas. Está usando um vestido-túnica com um capuz, e leggings pretas, que parecem um pouco desgastadas.

— Podem me contrabandear em alguma coisa mais macia, da próxima vez? — ela grunhe quando Garoto de Ouro a ajuda a levantar. — Com serviço de quarto?

Dariel está observando tudo isso sem disfarçar seu interesse, recostado numa parte seca da parede, os braços cruzados por cima da camisa aberta. Com um suspiro reprimido, começo com as formalidades.

— Todo mundo, esse é meu primo Dariel. Dariel, esse é todo mundo.

Tyler olha para o nosso novo anfitrião, oferecendo um aceno de cabeça educado.

— Estamos gratos por sua ajuda — diz ele.

— Estou certamente antecipando isso. — Dariel sorri, o que responde minha pergunta sobre como ele vai encarar minha dívida.

— Qualquer amigo de Finian... — diz Scarlett, desviando a atenção para o meu primo e soltando um dos seus sorrisos mais letais.

Dariel está claramente tão impressionado quanto eu com relação à Frente do nosso time, porque sem dizer uma palavra, ele mostra uma caixa verde, e só ver isso já deixa minha boca salivando. Quando tira a tampa, Scarlett se inclina para a frente e faz um barulho de que está devidamente impressionada.

— São bolos luka?

— Isso mesmo. — Ele acena com a cabeça, estendendo a caixa para que pegue um.

Ela faz isso e aumenta o sorriso.

— O selo da guilda comprova que vieram de Trask, se estou lembrando corretamente? Adorei o que fez com o lugar, aliás. As trepadeiras cinti realmente dão o toque final.

Não me leve a mal — se me dessem a oportunidade, eu alegremente toparia me juntar a qualquer um dos dois gêmeos Jones, mas em momentos como esse, é difícil tirar os olhos dela. O batom vermelho para combinar com o cabelo em chamas, a mesma cor flamejante ao redor dos enormes olhos azuis. O que Dariel está servindo é claramente uma tentativa de impressionar — guloseimas do nosso mundo são bem difíceis de encontrar — e reconhecer esse gesto é a melhor coisa que ela pode fazer nesse momento.

Pego um bolo também, só em caso de Dariel se esquecer de oferecer a caixa na minha direção. A maciez do bolo dissolve na minha língua, levemente doce, levemente azedo quando as nozes luka invadem a minha boca com seu sabor. Tem gosto de casa. Se eu não tomar cuidado, porém, eles ficarão com gosto de saudade. Ficarão com gosto de segurança, e de desejar sair logo dessa situação. Engulo tudo rápido.

Scarlett está demorando para comer, apreciando o sabor.

— Admiro um homem que sabe como conseguir o que quer. Deve conhecer esse lugar todo.

Dariel se apruma, previsivelmente.

— Eu dou umas voltas por aí.

— Aposto — ela pisca. — Pode me ensinar alguma coisa?

Ele chega mais perto dela, como uma fumaça oleosa.

— Tem muita coisa que eu posso te ensinar, garota Terráquea.

Scarlett só aumenta o sorriso.

— Estou falando da estação. Pelo menos por agora. Nada como um morador para dar o caminho das pedras.

— O que quer saber?

Ela dá de ombros, os olhos brilhando.

— O que você quiser contar.

Dariel olha para mim, depois se aproxima mais da senhorita Jones.

— Bem, primeiramente, não dá só para pensar nesse lugar como uma cidade gigante — diz ele, com o que ele claramente acredita ser um tipo de autoridade sedutora. — É como se fosse umas cem cidades diferentes que fazem fronteira umas com as outras. Há provavelmente um milhão de almas a bordo. Temos conselhos de governantes e áreas sem regras, lordes da guerra e a alta sociedade, e boatos sobre seções escondidas nas profundezas. Você consegue achar qualquer coisa pelo preço certo. Temos arte, temos armas, temos delícias que vão fazer esquecer todos os seus problemas. Se você está procurando por um lugar, digamos, onde possa dançar com essas *lindas* roupas novas...

Não consigo dizer se ele está sendo nojento de propósito ou se ele não tem nenhum trato social — e quando *eu* estou percebendo esse tipo de falta de educação, é melhor mesmo você parar para repensar nas suas atitudes. Scarlett só dá de ombros em um *talvez* bastante elegante.

— Foi um caminho bem longo até aqui, bonitão. — Ela se espreguiça, e ergue uma mão para esconder um bocejo. — O que eu quero mesmo é um bom lugar para dormirmos?

Dariel pisca.

— Você quer dizer... eu... eu e você, ou...

— Eu e eles — Scarlett sorri, gesticulando para o restante de nós.

— Espera um pouco, vocês todos são...?

— Pode parar de forçar seu cérebro com isso aí — solto um grunhido.

Meu primo demora alguns instantes para fazer com que seu único neurônio entenda o que está acontecendo, mas eventualmente ele só desiste e nos leva até um quarto nos fundos. Não está decorado — as paredes são normais, o teto simples. Há uma única trepadeira cinti no canto, mas as folhas sequer estão brilhando muito. O espaço é pequeno com três camas, e as duas mais de baixo estão cheias de latas de pintura branca luminescente e cápsulas de óleo sarbo congeladas. Não faço perguntas. Apenas presumo que conseguiu um bom negócio.

— Isso é perfeito — diz Scarlett. — Obrigada, bonitão.

— Sem problema — Dariel sorri. — Se quiser mais companhia, eu...

O resto da sua oferta é cortada quando Scarlett pisca e fecha a porta, finalmente nos dando um pouco de privacidade. Não sei o que acontece com essa garota, mas ela consegue tudo o que quer sem ofendê-lo — ela provavelmente poderia dar um tapa na sua cara e você agradeceria depois. Os outros começam a limpar as camas para conseguir dormir. Tyler está tirando as coisas das camas, e Kal está colocando as tralhas em uma pilha perfeita. Scarlett fica perto da porta comigo, fora do caminho.

— Precisa de ajuda? — ela pergunta baixinho.

Ela está falando baixo para que os outros não ouçam. Gesticulando para o meu traje. Achei que estava conseguindo manter meus movimentos bem fluidos desde que entramos a bordo, mas para ser sincero, meus músculos estão ardendo — não gostam de ser inflados com adrenalina de novo e de novo. E apesar de ser o primeiro a rosnar quando as pessoas apontam isso, ela consegue fazer com que eu não me importe. Não há nenhuma simpatia, nenhum sorriso falso. Só uma oferta de ajuda.

O fato é que eu mataria por apenas algumas horas em gravidade baixa — conseguiria tirar o meu traje, me ajeitar para dormir de verdade —, mas fazer isso acontecer significa deixar o esquadrão. E também adicionar mais um favor na lista de coisas que estou devendo para Dariel.

Era para eu ter acomodações em gravidade baixa na Longbow quando me deram meu esquadrão. Tinha meu próprio quarto na Academia para que conseguisse reduzir a gravidade toda noite para me mexer sem precisar do traje. Vou pagar um preço alto por dormir assim, mas vou me preocupar com isso amanhã. Eu realmente não vou pedir que alguém me ajude a me despir.

— Valeu, mas estou bem — digo. — É feito para ficar por vários dias, se eu precisar que fique.

Scarlett assente, satisfeita com a minha informação.

— Acha que podemos confiar no seu primo? — ela sussurra. — Meu instinto diz que sim.

Assinto com a cabeça.

— Sua família sela seu abrigo, é o que meu clã costuma dizer.

— Nunca ouvi falar disso antes — ela admite, continuando com a voz baixa. — O que quer dizer?

— Quer dizer que podemos confiar nele.

Minha resposta era pra ser só isso, mas ela continua me encarando, esperando. Dá pra confiar numa Frente para tentar aprender qualquer coisa nova sobre costumes quando deviam estar focando na hora da soneca.

Com um suspiro, tento meu melhor para explicar.

— Sabe como vivemos embaixo da terra em Trask por causa do vento, certo? Ele carrega pedaços microscópicos de pedras. Se tiver demais nos seus pulmões, acaba te matando.

— Então os selos ajudam as casas a ficarem protegidas disso? — ela supõe.

— Isso. Quando construímos uma casa nova, sua família aparece para terminar a selagem que vai ao redor das portas com lama peta. É toda uma cerimônia, e um gesto de confiança. Todo mundo coloca a mão na massa.

— Entendi — ela murmura. — Está mostrando para sua família que confia neles o suficiente para que façam os selos. Se não fizerem um bom trabalho...

— Você morre. Então, você constrói selos fortes, e então fecha a porta e você está no seu abrigo. Dariel não vai nos trair porque ele é família. — Dou um sorriso. — Isso, e minhas avós também são pessoas assustadoras.

Ela fica em silêncio por um momento, e seus cochichos são gentis.

— Deve ser difícil ficar tão longe da sua família.

Eu bugo.

— Para mim? Não de verdade. Fui mandado para longe muito cedo.

Ela não parece pronta para realmente acreditar nisso, mas não insiste no assunto.

— Descanse um pouco — ela oferece. — Vou ficar acordada e pegar o primeiro turno da vigília.

O esquadrão está ocupado escolhendo seus cantos — todos estão bem acabados depois da luta em Sagan, depois na *Belerofonte*, e da Dobra até aqui. Kal está na cama de cima, ocupando quase tudo, Auri e Zila estão encolhidas juntas na do meio. Ty está no chão — parece que nosso nobre líder está planejando dormir sentado contra a parede, e tenho certeza de que não vai se arrepender *nem um pouco* depois. Cat está do lado oposto, ainda emburrada porque perdeu a briga do bar.

Scarlett e eu sabemos que preciso da cama debaixo, então eu entrego para ela o travesseiro e o cobertor, e ela fica no chão ao lado do irmão. Fico no colchão, olhando para as botas de Aurora que estão do lado de fora do beliche acima de mim. Pelo brilho no teto, consigo ver que ela está mexendo no unividro de novo, consumindo o máximo de informações que consegue.

Ela é uma coisinha tão pequena. Não é maior do que Zila. Nada nela sequer dá uma pista de que ela pode causar tantos problemas assim. Exceto quando seus olhos começam a brilhar.

Sei que estamos em apuros por causa dela. Sei que a coisa certa a fazer seria só entregá-la para a AIG e rezar para que a Corte Marcial não nos mandasse direto para a prisão. Minha vida inteira, porém, passei olhando tudo como a pessoa que está de fora. Como um problema. Um fardo. Uma aberração. Exatamente como ela. E isso me ensinou uma coisa.

Nós, os desajustados, precisamos ficar juntos.

Deito no escuro. Noto Scarlett observar o resto de nós. Ela estica o braço, arruma o cobertor debaixo do queixo de Cat, coloca outro ao redor do irmão. Há alguma coisa nela — embaixo da fachada meio piranha, meio sexy. Alguma coisa quase maternal. Garoto de Ouro cuida de nós porque somos seu esquadrão. Somos sua responsabilidade.

Scarlett cuida de nós porque ela se *importa*.

Ela me pega a observando.

— Vai dormir, Finian — ela sussurra.

Fecho meus olhos e deixo que o respirar calmo do resto do meu esquadrão me embale.

Sonho com meu lar, com Trask, com seu sol vermelho e as cidades colmeia gigantescas embaixo do solo. Estou acima de tudo no meu sonho, e está nevando, e os flocos caindo do céu estão cobrindo a superfície dura de pedras brancas como um grosso cobertor sem-fim, até onde meus olhos alcançam.

É a coisa mais esquisita do mundo.

Pelo que eu me lembre, a neve não é para ser azul...

• • • • • • • • • • • • •

Acordo com o som de Tyler e Cat brigando em cochichos.

— Eu não ligo — ela sibila. — Isso é estranho pra cacete, Ty. E já estamos cheios de problemas. Ela é uma fugitiva procurada. Precisamos entregá-la.

— Nem sabemos o que isso é — ele aponta, no mesmo tom.

A voz de Zila vem em seguida.

— Parece ser a repetição de uma única imagem.

Rolo para o lado de onde estou pressionado contra a parede. Meus músculos e espinha dorsal são ativados imediatamente, mas meus dedos demoram mais um pouco para articular. Abrindo meus olhos, vejo o nosso quarto pequeno, e...

Membros do Criador.

Com a luz do univídro de Cat, consigo ver um desenho — o *mesmo* desenho — pintado de novo e de novo em tinta luminescente branca. Está por todas as paredes, todas as escotilhas, todas as caixas, e está escorrendo em direção ao chão, onde uma versão enorme do desenho toma todo o espaço que não estava tomado por membros do esquadrão sonolentos.

É uma figura. Humanoide. Só tem três dedos, porém, que parecem ficar mais compridos da esquerda para a direita. Seus olhos são díspares — o esquerdo vazio, o direito branco. E há uma forma desenhada no seu peito onde um coração deveria estar.

Um diamante.

Kal acorda, e Scarlett abre os olhos depois de uma cutucada do irmão. Ela se apoia em um cotovelo com um grunhido, se espreguiça, e então congela ao ver as centenas de figurinhas brilhantes que agora decoram nosso lar temporário. Os seis encaram as pinturas na parede.

— Zero está certa — digo baixinho, olhando ao redor. — Isso é uma porra estranha, Garoto de Ouro.

Com o som da minha voz, nossa clandestina se mexe na cama onde estava dormindo com Zila. Ela se senta e pendura as pernas para fora, bocejando, apertando os olhos contra a luz na mão de Cat. Esfregando os olhos para tentar acordar, ela pisca e olha ao redor do quarto, e finalmente percebe que estamos todos olhando para ela.

— Que foi? — ela pergunta. — Eu estava roncando?

Os dedos dela estão brancos luminescentes.

Há um pouco de tinta na sua bochecha.

Ela olha para os pictogramas na parede. Vê a tinta na ponta dos dedos. O olhar no seu rosto quando percebe que foi ela — ou que foi ela que fez isso, mesmo que não tenha sido *ela* exatamente — quase parte meu coração. Ao menos, percebo que é isso que contrai dentro do meu peito.

Não acontece com frequência.

— Eu não... — seu sussurro morre como começou.

Kal sai do seu beliche em silêncio para olhar para os desenhos. Seu olhar se volta para Aurora, o cenho franzido.

— Por que está com medo? — ele pergunta, a voz calma. — Isso é um sinal. Estamos no lugar que deveríamos estar. E agora sabemos o que procuramos.

É definitivamente a coisa mais prática que alguém disse até agora, mas o tom dele não ajuda a acalmar Aurora. Ela está com a mandíbula apertada, olhos arregalados, e luta contra a vontade de gritar. De chorar. Se desesperar. E é exatamente quando Dariel abre a porta. Sem bater.

Ele hesita ao entrar, piscando.

— Vejo que resolveram redecorar — diz ele, eventualmente. — Vou colocar a tinta na conta.

Ninguém diz uma palavra, por que, afinal, o que é que vamos dizer? Mas meu primo não parece compreender que entrou no meio de uma situação bem esquisita. Ele pisca novamente, estreita os olhos para o maior dos desenhos, pintado no chão ao lado dos pés de Scarlett.

— Vocês são, tipo, um pessoal de artes? — ele pergunta. — Por que estão pintando essa velharia chakk no meu chão?

O quarto repentinamente fica vivo.

— Você reconhece isso? — diz Tyler, imediatamente se pondo de pé.

— Que merda é essa? — Cat diz, bem menos delicada.

Scarlett fica em pé em um movimento fluido, deixando completamente de lado os grunhidos e a noite que passou dormindo no chão. Ela lança a Cat um olhar de "cale a boca", e vira o sorriso para o meu primo.

— Você *realmente* conhece esse lugar todo. Eu estou muito impressionada. — Ela sorri mais abertamente, se aproxima mais. — Esse... chakk... é algo que estamos procurando. Se puder nos ajudar...?

Muita gente assume que todos os Betraskanos são comerciantes — o que é hilário, quando paro para pensar no assunto. Uma sociedade só de comerciantes? Quem é que fabricaria as coisas? Quem faria o encanamento da casa, faria o design dos comunicadores novos? Betraskanos são muito diversos e tão variados quanto as outras espécies.

Porém, todos os Betraskanos gostam de uma pechincha, isso sem dúvida nenhuma. E sabemos como conseguir acordos. Acho que é daí que vem a reputação universal.

Sabemos como negociar, e o clã de Seel é famoso por isso.

— Talveeeez — diz Dariel lentamente, percebendo que ele é um homem que tem uma informação valiosa em mãos. — Eu *talvez* possa fazer isso.

— Por um Indulto, talvez? — pergunto.

Dariel sorri para mim.

— Você entende rápido, primo.

Olho rapidamente para Aurora. Para Garoto de Ouro. Esperando que Tyler saiba o que ele está fazendo e quão rápido estamos afundando, mas não é como se houvesse muitas escolhas.

Seguimos Dariel para a sala e nos agrupamos ao redor dele quando senta próximo do console. Scarlett está perto dele, uma das mãos no ombro, olhando para a tela quando ele acessa a rede de Sempiternidade. Acho um lugar que está seco e encosto contra a parede branca e fria, tirando o brilho das trepadeiras cintilantes do meu caminho.

— Era uma exposição — diz ele, uma mão abanando o ar para alterar o display holográfico. — Faz mais ou menos um ano. Consegui alguns créditos com pôsteres. Casseldon Bianchi, um crítico de arte e morador da Nave do Mundo, Sempiternidade, colocou isso no museu dele... aqui está.

O console de Dariel projeta uma propaganda que encontrou em um modelo tridimensional. Ele abana a tela de novo, gira o display, mostrando vasos e pinturas, colares e cerâmicas e esculturas e coisas que não sou civilizado o bastante para apreciar.

Ao meu lado, Auri abruptamente se aproxima para ver uma tigela de cerâmica antiga.

— Isso é chinês. Como é que chegou até aqui?

Dariel para de girar o dedo, olhando por cima do ombro com interesse imediato.

— Você é uma especialista em cerâmica ou algo assim? Porque eu tenho...

— Não — responde ela. — Meu pai é... quero dizer, meu pai era chinês.

O lembrete do verbo no passado claramente a afeta. O olhar dela baixa quando ela pressiona os lábios, engolindo. Dariel percebe a mudança rapidamente, mas Scarlett é rápida em distraí-lo.

— Então ele é um colecionador? — ela diz, se aproximando. — Esse Casseldon Bianchi?

— Ele é *o* colecionador — responde Dariel, virando de costas para ela. — O cara na Nave do Mundo. Se tem alguma coisa diferenciada e quer transportá-la, isso é com ele. Ele negocia com coisas exóticas. Artefatos. Tecnologia. Formas de vida, especialmente. Se é difícil de encontrar, ele é o cara que vai fazer isso. E se for caro, ele é provavelmente o dono.

— Eu poderia ter dito isso — diz um apitar alegre dentro do bolso de Auri.

— Magalhães, quietinho — ela sussurra, levantando uma mão para acalmá-lo. — Depois a gente conversa.

— É sério — diz o unividro. — Sou dezessete vezes mais inteligente que qualquer...

— Modo silencioso — Tyler o corta.

Olho para Aurora, as sobrancelhas levantadas.

— Deu um nome para o seu unividro?

Aurora olha rapidamente para mim.

— Dizia "dê um nome para o seu aparelho" quando eu o liguei.

— Claro, tipo, "unividro de Fin" ou algo do gênero.

— Eu sou original — ela responde.

— Essa é uma descrição que você pode usar — Cat bufa.

O display de Dariel para de se mexer novamente, e de repente, lá está disposto na tela — nosso objeto misterioso. É uma escultura feita de um metal estranho. O formato é exatamente como a figura de três dedos que nossa amiga pintou nas paredes do quarto. A estátua tem pedras preciosas nos olhos, o esquerdo, um ônix polido, o direito, uma pérola brilhante. Há um diamante preso no meio do peito, onde deveria estar o coração.

— O que é isso? — diz Tyler, demonstrando um pouco de impaciência na voz.

— Diz aqui que é um artefato religioso do... Império Eshvaren? — Scarlett se inclina para ler as legendas, e assobia baixo. — Tem um milhão de anos, supostamente.

— Grandes merdas — diz Cat.

Mas os olhos díspares de Auri ficaram arregalados, e ela encara a tela de Dariel como se tivesse levado um soco. A voz dela é um sussurro.

— Eshvaren?

— Isso é um golpe — eu reasseguro. — Não se preocupe com isso.

— O que quer dizer com isso? — Kal pergunta, fazendo uma carranca para mim.

— Quero dizer, os Eshvaren. Sabe, história de fantasma, Garoto-fada.

— Um monte de mentirada — Cat concorda, e faço uma nota para marcar no meu calendário, já que é a primeira vez que ela concorda comigo em...

— Quem — diz Auri, o seu tom aumentando e ficando mais estridente — ou o que são os Eshvaren?

— É uma história velha — Dariel diz.

— Histórias de fantasma — concordo. — Supostamente uma espécie que viveu há um milhão de anos. Só que não há nenhuma evidência de que eles existiram.

— A não ser as relíquias que deixaram para trás — Kal diz, apontando para a tela.

— Isso é um *golpe,* Kal — eu sorrio. — É um jeito dos negociantes de antiguidades enganarem pessoas ricas e idiotas a darem dinheiro para eles. Os pais falam sobre os Eshvaren quando querem que seus filhos sejam arqueólogos estelares, sabe.

Kal fumega com seus enormes e lindos olhos violeta e fica difícil me concentrar no que ele está dizendo.

— Os Syldrathi são a espécie mais antiga na galáxia. Mais antigos que Terráqueos. Mais antigos que Betraskanos. E nós somos os guardiões das lendas dos Eshvaren. Eles foram os primeiros seres a cruzarem as distâncias interestelares. Os primeiros a encontrarem a Dobra.

— E os Terráqueos contam histórias sobre a fada dos dentes e o Papai Noel. — Cat recosta na porta, cruzando os braços. — Não faz com que eles existam.

Aurora umedece os lábios, engole em seco.

— A palavra... "Ra'haam" significa alguma coisa para alguém?

Trocamos uma série de olhares indiferentes. Sacudimos a cabeça e damos de ombro.

— É só que eu já ouvi a palavra "Eshvaren" antes — murmura Auri. — "Ra'haam" também.

Ergo uma sobrancelha.

— Tipo, no seu univridro zoado, ou...

Ela sacode a cabeça.

— Nos meus sonhos.

Um silêncio desconfortável toma conta do cômodo. Cat olha para Tyler e sacode a cabeça. Tyler está olhando para Auri, as pontas dos dedos traçando a marca do Criador no colarinho. Auri está com os olhos fixos na tela de Dariel, na imagem da escultura rodando no display. Ela parece meio assustada, meio maravilhada.

— Então Casseldon Bianchi é dono dessa coisa? — Scarlett diz, quebrando o silêncio.

Dariel volta a si, assente.

— Isso e metade do setor.

Meu primo começa a digitar, e a imagem de um alien aparece no segundo monitor. É um Chelleriano — alto e bípede, com ombros largos. Sua pele é macia e azul-clara, sua mandíbula pesada, completamente careca. Tem quatro olhos perfeitamente redondos e vermelhos. Os músculos em cada um dos seus quatro braços parecem testar os tecidos do seu terno incrivelmente caro. O seu sorriso é branco e repleto de dentes pontiagudos.

— Ele é o Bianchi? — Scarlett pergunta.

— O único — meu primo confirma. — Graças ao Criador.

— Conte-me mais sobre ele.

Dariel encontra seu sorriso de novo e sacode a cabeça.

— Querida, deixando os contos de fada pra lá, nenhum de vocês vai conseguir negociar com ele. Ele é praticamente dono desse lugar. Vive dentro de um apartamento luxuoso, um daqueles cruzeiros antigos que a Tesellon Inc.

costumava usar para passear pela Nebula Thiidan. Ninguém consegue entrar sem ter um convite, e a maioria das pessoas que é convidada nunca mais sai. Ele é dono de toda a segurança na Nave do Mundo. Tem um calabouço dentro de sua "mansão" onde as pessoas desaparecem. Se o negócio de vocês levá-los até a órbita de Bianchi, então eu recomendo que vocês mudem a rota ou acertem tudo comigo antes de virarem cadáveres.

— Ele é assim tão perigoso?

— Ele é mais perigoso que Lysergia e praga Selmis juntos.

Olho ao meu redor para o rosto dos membros do meu esquadrão. Cat é a própria desconfiança, olhando para a nuca de Auri. Kal está com os lábios pressionados enquanto pensa, e até Zila parece um pouco abatida. Scarlett olha para o irmão, mas Tyler ainda está encarando a imagem do artefato na tela do monitor.

A mesma figura que Aurora pintou nas paredes.

— Você reparou nos olhos? — ele diz baixinho.

Olho para a tela. Mesmo que não exatamente acredite na origem do artefato, não consigo deixar de notar que as pedras preciosas que formam os olhos se parecem muito com os olhos de Auri.

Um escuro.

Um branco.

O mais jovem dos gêmeos Jones pega a cadeira de Dariel, virando-a para que ele o encare.

— Olha só — diz ele. — Você precisa contar tudo o que sabe.

O UNIVERSO
▶ HISTÓRIA
▼ MUITO TEMPO ATRÁS (MESMO)

Entender quando a história começou a ser registrada é um pesadelo para arqueólogos, historiadores e matemáticos.

Sabemos que o **universo** tem aproximadamente 13.8 bilhões de anos, mas os conceitos de tempo e registros variam muito entre as **475 civilizações conhecidas** dentro da **Via Láctea**. Os **Syldrathi** são considerados a civilização mais antiga da galáxia, mas seus historiadores — **babacas misteriosos** que são — ficam felizes em indicar a todos com expressões sabichonas e sorrisos condescendentes que até mesmo outros vieram antes deles.

É claro, podem estar inventando tudo isso. Idiotas arrogantes.

Para mais informações, considere pesquisar sobre os seguintes grupos, cuja existência nunca foi provada:

▶ *Os Eshvaren*

▶ *A Frota Octarina*

▶ *O Sagrado de Ista*

16

TYLER

— Uau — Scarlett fala.

Não é sempre que minha irmã é reduzida a falar em monossílabos. Nosso pai costumava dizer que quando éramos crianças, Scar já falava frases inteiras enquanto eu ainda tinha dificuldades em falar *papai*. Conforme passamos pelo holograma escrito MUSEU BIANCHI — VISITANTES SÃO BEM-VINDOS e ingressamos no grande hall de entrada da nave, não posso evitar concordar com a opinião dela. Meus olhos percorrem os arcos graciosos acima de nossas cabeças, as curvas sutis de arquitetura alienígena, a multidão de visitantes e as lindas exposições. Estamos aqui procurando informações do artefato misterioso de Aurora, e a tensão está alta dentro do esquadrão depois da sessão de pintura improvisada noite passada. Mesmo soterrados nessa aventura, esse lugar ainda é de tirar o fôlego.

— É realmente incrível — murmuro.

— Não achei que gostava de loiros, bebezinho — Scar responde.

Ergo uma sobrancelha, olhando de soslaio para minha irmã. É aí que eu vejo que ela não está admirando a arquitetura ou a multidão ou a exposição. Ela está conferindo os guardas de segurança perto da porta. Os dois são humanos, bonitos, bastante armados e cobertos em armadura azul-escura. Scarlett chama a atenção do loiro, dá uma piscadela. O guarda sorri, bastante entusiasmado.

— Vem, vamos dar uma olhada nas coisas — digo.

— Eu *estou* dando uma olhada nas coisas — minha gêmea protesta.

Pego a mão de Scarlett e a arrasto para dentro, determinado a cumprir a missão. Me perguntando pela centésima vez se deveria examinar o que tem de errado comigo, se não seria só mais inteligente entregar Aurora para as autoridades, se essa busca não é só uma perda de tempo que vai me levar a ser dispensado formalmente e passar o resto dos meus dias em uma prisão.

"Você tem que acreditar, Tyler."

Foi o que o Almirante Adams me disse. Nos cinco anos que servi Aurora, nosso comandante da Academia nunca me desapontou ou me mandou na direção errada. Foi ele que garantiu que eu tivesse tempo de sobra nos simuladores quando eu precisava praticar combate em gravidade zero. Foi ele que arranjou uma segunda chamada do meu exame de astronavegação quando eu só tinha acertado noventa e oito por cento e disse que eu poderia melhorar. Foi ele que se sentou comigo na capela, me contando histórias de meu pai — como chegaram juntos na FDT, os dois pilotos de caça. Rivais que se tornaram melhores amigos.

Adams fez a homenagem no velório do meu pai.

Adams sempre cuidou de mim.

Sempre.

Mas dessa vez...

Você tem que acreditar, Tyler.

Scar e eu andamos pelo saguão do Museu Bianchi, a simulação de um brilho solar iluminando o grande espaço aberto. Não consigo nem chutar quais são as origens dessa parte da estação, mas a estrutura é enorme — era um cargueiro ou um porta-naves?

Pilares de sustentação esticam do chão ao teto, e o lugar está lotado. Betraskanos e Rigellianos, Lieranos e Terráqueos. Dezenas mais de seguranças em armaduras completas estão colocados nas entradas e saídas, mas em nossas roupas de civis, ninguém nos acha suspeitos. Estamos cercados de esculturas, artes e telas de todo o canto da galáxia. De acordo com o primo de Finian, esse museu tem mais de dezessete andares. Então o que a gente precisa realmente achar é...

— Informação?

Scar e eu nos viramos ao som da voz. Uma jovem mulher Betraskana está atrás de nós, sorrindo calorosamente em minha direção. Está usando um uniforme azul apertado com o brasão em forma de estrela de Casseldon Bianchi na lapela. Acima do seu chapéu estão uma dúzia de logos holográficos, todos eles mostrando pontos de interrogação.

— Vocês precisam de informação? — ela pergunta. — O museu do sr. Bianchi pode ser intenso demais para os que estão visitando pela primeira vez. Estão interessados em algum artefato em específico?

— Ah, obrigada, isso é tão gentil! — Scar sorri. Ela coloca a mão no bolso do seu longo casaco vermelho e segura uma foto da escultura que Auri desenhou em todas as paredes noite passada. — Estamos procurando por isso aqui.

A mulher Betraskana olha para a foto, e um pequeno LED em um implante de memória na sua têmpora pisca. Inúmeras informações e dados passam por suas lentes de contato pretas por um instante, seus cílios batendo.

— Artefato religioso sem nome, do Império Eshvaren — ela finalmente diz. — Sinto muito, mas parece que esse artefato não está mais disponível para visitação faz algum tempo. Ele agora é parte do acervo pessoal do sr. Bianchi.

— Há alguma chance de a gente conseguir ver de perto? — Scarlett pergunta, aumentando ainda mais o sorriso. — Estou estudando história galáctica, e a minha tese é...

A mulher sacode a cabeça.

— Não seria um acervo particular se pudesse ser aberto ao público, não é mesmo? Apesar disso, temos alguns outros artefatos antigos no nível tr...

Ouvimos um enorme alarme, e a luz acima de nós fica vermelha. Um Terráqueo em um chapéu de jetbol e uma camiseta escrito EU ♥ TERRA parece alarmado quando oito seguranças de armadura o cercam e a caixa de vidro na qual ele estava apoiado. Uma voz eletrônica aguda sai do sistema de avisos em mais de uma dúzia de idiomas diferentes.

— Por favor, não toquem nos objetos expostos.

— Me desculpem — diz o cara. Ele pega seu hambúrguer estelar oleoso de cima da redoma de vidro com a relíquia inestimável. — Eu não queria...

Ele solta um grunhido quando um dos seguranças bate nele com uma varanojo, derrubando-o no chão em uma poça de vômito. Pegando o sujeito pelas axilas, eles colocam o homem grunhindo de pé e o arrastam através da multidão na direção da saída. Nosso guichê de informações ambulante observa o drama com uma carranca.

— A segurança de vocês é séria mesmo por aqui — murmuro.

— Não são *nossa* segurança — a Betraskana murmura, olhando para os guardas com reprovação. — O sr. Bianchi está contratando seguranças a mais por causa do baile de máscaras amanhã à noite.

— Baile de máscaras?

A mulher aponta para uma projeção em uma das paredes.

— É o quinquagésimo aniversário da Nave do Mundo. Haverá uma grande celebração. O sr. Bianchi vai dar uma de suas festas. É superexclusiva. Superempolgante.

— Ah, claaaaro — assinto. — O baile de máscaras.

Ela olha para mim da cabeça aos pés, piscando.

— Você não tem um convite, tem?

— Hum, não — respondo. — Eu acabei de chegar.

— Que pena — ela ronrona. — Eu fico muito bem em um vestido decotado.

Deixo minhas covinhas finalmente aparecerem, e com um sorriso atrevido, ela vira as costas, e vai ajudar outros visitantes perdidos na multidão. Fico observando enquanto ela vai embora, as palavras "vestido decotado" ecoando na minha cabeça. É só quando olho em volta que percebo que perdi Scarlett.

Minha gêmea tem um metro e oitenta de altura com olhos azuis e cabelo laranja flamejante — não é como se fosse fácil perdê-la de vista. Fico na ponta dos pés, olhando pela multidão, finalmente vendo um relâmpejo de cabelo ruivo perto da entrada. Scar está conversando com um dos dois seguranças, rindo e flertando, quando o louro se inclina, um cotovelo na parede ao lado da cabeça na posição clássica de Romeu Intergalático. Ela sorri de volta, brincando com o passe de segurança que está ao redor do pescoço dele.

Fico atrás da minha irmã e pigarreio.

— Ei, bebezinho — ela diz. — Esses são Declan e Lachlan.

— Oi — diz o louro, sem olhar para mim. O outro simplesmente acena com a cabeça.

— Eles acabaram de ser transferidos para cá — Scar explica. — É só o quarto dia deles na Nave do Mundo. Declan veio lá das colônias de Marte, não é *incrível*?

— Scar, nós temos que ir — digo. — Lembra, a gente tem aquela coisa.

O loirinho se inclina para cochichar na orelha de Scar e ela ri, dando um tapa no seu peitoral de armadura. Eu massageio minhas têmporas e suspiro.

— Scarlett? — digo, tentando não deixar passar tanta frustração na minha voz.

Ela me fuzila com o olhar, vira de volta para o loirinho, e encosta o univridro dela no dele, transferindo as informações de contato.

— Não se atrase.

— Nem o Grande Ultrassauro de Abraaxis IV poderia me impedir — ele sorri.

Espero ao lado pacientemente enquanto cochicham mais um pouco, e então Scar pega o meu braço, e com uma piscadela final para o loirinho, saímos do Museu Bianchi. Andamos um pouco na calçada, de volta na direção do apartamento de Dariel. As cores, vistas e sons da Nave do Mundo ao nosso redor são como um arco-íris, e espero até estarmos fora do alcance para falar.

— Um encontro bom hoje à noite? — pergunto.

— Às sete horas — ela responde. — Logo depois que o turno dele acaba.

— Isso que dizer que ainda vai estar usando o uniforme. E o cartão de identificação.

— Eu disse a ele que tinha atração por caras de uniforme.

— Garota esperta — digo.

— Eu *sou* uma Jones. — Ela sorri, apertando meu braço.

Aperto de volta, repentinamente grato por ela estar aqui comigo. Ela pode nunca perder uma oportunidade de me zoar, mas eu sei que minha irmã me seguiria aos confins da galáxia se eu pedisse. Se as relações de sangue falam mais alto, Scar e eu somos decibéis que nem os cães conseguem ouvir.

— Fico chocado que você não tem um ex-namorado trabalhando nesta estação — digo, passando por um elevador que vai nos levar aos níveis habitacionais. — Nós estamos sempre esbarrando com eles em qualquer lugar.

— Você está me julgando pelo meu número de relacionamentos, bebezinho?

— Criador me livre. — Eu sorrio.

— Não é minha culpa se eu fico entediada. Ou que os garotos ficam entediantes. — Scar faz um biquinho e bate nos lábios com um dedo. — Tem um *pequeno* probleminha, porém. Bom, mais do tipo, problema de dois metros, na verdade.

— O outro guarda?

— É. O amigo de Declan perguntou se eu tinha uma amiga.

— Espero que você tenha dito que não.

— Eu precisava fazer a coisa toda valer mais a pena. Disse que eu conhecia uma garota que era o tipo de Lachlan.

Cruzo os braços quando o elevador começa a descer.

— Scar, você não pode levar Zila num encontro duplo. Ela provavelmente vai atirar no cara com uma pistola disruptiva só pra ver o que acontece.

— Não estou falando de Zila, Ty.

— Bem, você não pode levar Aurora, estão pagando uma recompensa por ela!

Minha irmã revira os olhos.

— Também não estou falando de Aurora.

Pisco, fazendo as contas na minha cabeça.

— Ah, não, você não fez isso.

Scarlett morde o lábio e assente.

— Eu fiz exatamente isso.

• • • • • • • • • • • •

— De jeito nenhum — declara Cat.

— Olha, é muito simples — insiste Scar. — É só ficar sentada e sorrindo, e deixe a conversa comigo.

— Nem. A. Pau.

— Vamos lááááá, parceira — Scar implora. — Vai ser como nos velhos tempos. Eu e você? Duas rainhas do espaço ao ataque? Vai ser divertido!

— Não vai ser divertido, vai ser uma mer...

— Pare de ser tão pessimista!

— Não sou pessimista, eu sou realista.

— Bem, ótimo, porque na realidade eles são muito gatos.

— Eu sei o que você está tentando fazer.

— Gatos.

— *Não*.

— Gaaaaaa-tooooooos — Scar canta, mexendo os dedos.

— Sopro do Criador, eu te odeio tanto nesse momento, Jones...

Estamos de volta à sala úmida de Dariel, sentados nas pedras enquanto o sistema de ventilação e apoio chacoalha e faz barulho acima de nós. A luz aqui é fraca demais para um humano, principalmente emanando das trepadeiras que cascateiam do teto.

Aurora está sentada no sofá, o queixo apoiado nos joelhos, estudando a história da Nave do Mundo no univídro que dei a ela. Kal está sentando perto, ignorando cuidadosamente a garota ao seu lado e olhando para as estalactites importadas. Não sei exatamente o que está acontecendo entre esses dois, mas provavelmente preciso ficar de olho.

Zila está jogando algo no seu univídro como sempre, e Scar está encostada na porta do quarto. Dariel está lá fora fazendo suas coisas, então deixou Fin tomando conta e impedindo que nós botássemos fogo no apartamento enquanto ele não volta. Olhando para as bochechas vermelhas de Cat, não sei se ele vai conseguir impedir isso.

— Isso é uma missão de duas garotas, Cat — diz Scar. — Não é como se desse para eu levar Zila ou Aurora. Eu só preciso distrair esses caras tempo o suficiente para roubar as identidades deles, e então conseguir acessar a rede de segurança de Sempiternidade.

Finian assente.

— Estava dando uma olhada nos esquemas que Dariel conseguiu e vendo o sistema. Estão colocando a estação inteira em uma rede modificada Occulos 19, com criptografia mimética. Se eu conseguir entrar em um dos nódulos principais, provavelmente consigo acessar as câmeras. Conseguiríamos ver tudo na estação inteira, até dentro do cruzeiro luxuoso do Bianchi. O que significa que conseguiremos ver onde ele está guardando o... — Fin pisca, olhando para o display da escultura de Aurora em um dos monitores menores. — Do que estamos chamando essa coisa, de todo jeito?

— O trocinho? — Scar oferece.

— A bugiganga? — sugiro.

— O Gatilho — diz Zila baixinho, sem desviar o olhar do univridro.

— Bom, vocês todos podem enfiar o seu *gatilho* onde não é pra você enfiar nada — diz Cat, fazendo uma carranca para todos na sala. — Eu não treinei pra esse tipo de coisa.

— Vai ser só uma horinha, no máximo — Scar insiste. — Só relaxe. Faz bem pro cabelo.

Cat aponta para o moicano.

— Eu não preciso de nada.

Scar olha para mim, e eu me afasto da parede, me aproximando da minha Ás com cuidado considerável.

— Cat, eu sei que essa não é sua missão ideal, mas nós precisamos de mais informações.

Finian assente.

— O melhor jeito de conseguirmos entrar no cruzeiro de Bianchi é pelo sistema de câmeras.

— Ah, agora vamos confiar nos idiotas que incendiaram o laboratório de propulsores da Academia — Cat grunhe. — Que ótimo.

— Confia em mim, eu sei do que estou falando.

— Então vai *você* na merda do encontro, Finian — Cat rosna.

Fin coloca as mãos na bochecha, fingindo estar horrorizado.

— Mas... eu nem teria o que vestir!

Cat avança na direção do nosso Mecanismo, e eu a pego pelos ombros, forçando-a a ficar calma. Por um segundo estamos nos tocando, peito contra peito, e sou lembrado da última vez que ficamos tão perto assim. A última vez que eu tomei um drinque.

Dia da graduação em Cohen IV.

— Calma, Legionária Brannock — eu dou um aviso.

Ela fuzila Finian com o olhar, mas para de tentar me ultrapassar. Arruma suas roupas e depois o moicano. Está usando uma camiseta de manga curta e consigo ver a insígnia dos Áses no seu braço direito em meio às outras tatuagens. Lembro-me de me sentar com ela na cabine enquanto nós dois éramos tatuados, o álcool que usamos para amenizar a dor depois no bar. Olhando um para o outro de lados opostos da mesa conforme os copos vazios se empilhavam e sabendo onde aquele erro ia dar.

Porque foi isso que eu disse a ela depois.

Que era isso.

Um erro.

Cat se vira para encarar Aurora, e a acusação em seu olhar é clara como a luz das estrelas. *Isso é sua culpa. Se não fosse por você, Tyler teria o melhor esquadrão, eu seria parte dele e nada disso estaria acontecendo.*

E é verdade. Cada palavra. E não é a primeira vez que eu gostaria de saber o que a Líder de Batalha de Stoy estava fazendo quando disse para Auri entrar clandestinamente na nossa nave. Espero que Adams saiba do que estava falando quando me pediu para acreditar, porque está ficando mais difícil a cada segundo.

— Por favor, Cat — digo, suavemente. — A gente precisa da sua ajuda nisso.

Minha Ás se vira para encontrar meus olhos, e então mais uma vez para Auri. A garota encara de volta, levantando o queixo, um pequeno desafio em seu olhar. Cat cerra a mandíbula, mas eu sei o que ela vai falar antes que pronuncie as palavras. A mesma coisa que ela disse na manhã seguinte, deitados nos lençóis amarrotados, quando disse a ela que um comandante não podia namorar um subordinado, que um Alfa não podia namorar sua Ás, que melhores amigos que se conheciam desde o jardim de infância não deveriam pôr em risco aquela amizade e tentar outra coisa além disso.

— Sim, senhor — diz Cat.

• • • • • • • • • • • • •

— Esse banheiro não é grande o suficiente para cinco de nós — diz Kal.

— Não é minha culpa se você tem dezessete metros de altura, Garoto-fada — reclama Finian.

— E é tudo que conseguimos — lembro. — Então parem de reclamar, eles logo estarão aqui.

Kal, Fin, Zila, Auri e eu estamos apertados em um banheiro pequeno e nojento de um motel no lado baixo do distrito de boates da Nave do Mundo. Estamos apertados como pacotes de ração, o cotovelo de Fin nas minhas costelas, e a bota esquerda de Kal no vaso sanitário. O quarto do qual esse banheiro faz parte acabou de ser reservado no nome de minha irmã, e é só a uma pequena distância do bar onde ela e Cat estão, assim espero, fazendo mágica. A qualquer instante, vamos ouvi-las atravessar a porta, e então é a hora.

Enquanto isso...

— Esse lugar fede como se fosse a gaveta de calcinhas da minha quarta avó — diz Fin.

— Você sabe o cheiro da gaveta de calcinhas da sua avó? — pergunto.

— Minha família é muito cosmopolita.

— Eu não acho que essa palavra significa o que você acha que ela significa — murmura Zila.

— Hum — Auri sussurra —, desculpa, mas alguém está com a mão na minha bunda?

— Você gostaria que alguém estivesse com a mão na sua bunda? — Fin pergunta.

Kal pigarreia.

— Se quiser, eu...

— Calem a boca! — sibilo.

Escuto o apitar de uma fechadura eletrônica na porta, uma risada abafada. Meu esquadrão fica em silêncio quando ouvimos passos pesados, uma gargalhada meio bêbada. A porta se fecha, alguém tropeça, um copo quebra.

— Ai, nãooooo — diz uma voz masculina, abafada atrás da porta fechada do banheiro. — Declan, você derrubou a bebida.

— Eu derrubei? — vem a segunda voz.

— Você — soluço — derrubou.

— Ai, nãoooooo.

— Declan, vem aqui — alguém ronrona.

Scarlett.

— Lachlan, pode ficar beeeem aí — alguém rosna.

Cat.

— Por que é que tem — soluço — três de você? — pergunta Declan.

— Só sou uma — Scar ri. — Você está meio bêbado, vem sentar aqui.

— Eu gosto da ideia — soluço — de ter três de você.

— Acredite, bonitão, uma só de mim é *muito* mais do que você consegue aguentar.

— Eu acho que... acho que vou vomitar — declara Lachlan.

— Entendo bem o sentimento — suspira Cat.

— Não, é sério. — Ele arrota. — Onde é o... banheiro?

Dentro do banheiro, nós cinco trocamos olhares breves e horrorizados.

— Não consigo sentir meus pés — murmura Declan.

— Ainda mais um motivo para você parar de se apoiar neles — ronrona Scarlett. — Vem aqui, senta na cama comigo.

— De verdaaaade, não consigo sentir nada. — Ele começa a rir. — O que é que tinha nessa bebida?

— Aproximadamente vinte mililitros de benzotelemene — ouço Zila sussurrar atrás de mim. — Se Scarlett seguiu minhas instruções corretamente.

Ouço um baque pesado, seguido logo por outro.

— Parece que seguiu sim — sorrio, abrindo finalmente a porta do banheiro.

Como previsto, os dois seguranças que vimos no museu mais cedo estão completamente desmaiados — um no chão, outro ao pé da cama. Sentada na cama ao lado do loirinho está minha irmã, parecendo vagamente desapontada. Cat está sentada na outra cama parecendo vagamente com raiva, as botas em cima do segurança a seus pés.

— Bem, vamos lá — digo.

Fin se inclina para inspecionar o troféu de Cat.

— Se você tivesse me dito que ele era gato *assim*, eu teria com certeza te substituído nesse encontro.

— Cale a boca, Finian — ela responde.

Nós tiramos as roupas dos guardas enquanto dormem e os jogamos na cama. Kal e eu então colocamos as armaduras e os passes de segurança ao redor do pescoço. Finian primeiro olha a foto no crachá, e então olha para minha cara.

— Eu preciso admitir, a coincidência é realmente estranha — diz ele.

Olho para o guarda inconsciente na cama.

— Nós não parecemos *nada* um com o outro.

Meu Maquinismo dá de ombros, entrega um pequeno aparelho.

— Todos vocês filhotes de barro parecem iguais pra mim, Garoto de Ouro. Agora tudo que precisam fazer é colocar esses nódulos de rede no lugar certo. Centra...

— Eu te ouvi das primeiras sete vezes, obrigado.

Kal termina de colocar a armadura, alisa suas tranças, faz um aceno com a cabeça. Ele parece uma figura impressionante. É bom que Lachlan seja tão alto.

— A dosagem vai deixá-los dormindo por pelo menos seis horas — Zila diz, olhando para os dorminhocos da segurança. — Eles não vão se lembrar de quase nada.

— Só tragam as armaduras de volta antes do amanhecer — diz Scar. E, sem nenhuma cerimônia, coloca a boca no pescoço do loirinho que está dormindo e começa a chupar.

— Gente do céu — Auri sussurra, olhando com os olhos arregalados. — Por favor, não me digam que, além de tudo isso, vampiros também são reais?

— São as provas. — Scarlett interrompe para respirar com um sorriso, e consigo ver o chupão vermelho-escuro que deixou no pescoço do capanga. Ela desabotoa o sutiã e o tira pela manga da camiseta, então coloca ao lado do abajur e escreve "obrigada, xxx" na parede com um batom vermelho-escuro.

— Não dá pra cometer um crime sem deixar algumas pistas.

Cat faz uma careta.

— Se acha que vou deixar meu sutiã nesse lixão, você está muito enganada.

— Só o meu já é o bastante para todos.

— Touché. — Cat assente, triste.

— Está preparado para isso, Kal? — pergunto.

Meu Tanque ajusta o crachá ao redor do seu pescoço e faz uma pequena reverência.

— Estou sempre pronto — responde ele.

Viramos na direção da porta, mas a voz de Aurora nos para.

— Ei... esperem...

Ela olha para mim e Kal, e volto para encará-la. Ela passa uma das mãos pela mecha branca como ossos do cabelo, mordisca o lábio, procurando pelas palavras certas.

— Obrigada — diz ela, olhando ao redor. — Eu sei como isso é estranho. Sei que nenhum de vocês entende o que está acontecendo. E não gosto de ficar de fora quando vocês todos estão se arriscando por mim. Então eu quero que saibam que... eu sou muito grata.

Olho em volta da sala. Seus agradecimentos são respondidos com um aceno de Zila, um sorriso pequeno de Fin, mas consigo ver que Scar ainda não tem certeza sobre essa garota. Cat sequer olha para ela. E Kal só está encarando.

Consigo ver os ombros de Aurora abaixarem. Seus lábios se apertam, e ela olha para baixo. Ela provavelmente não esperava que estivéssemos dando cambalhotas, mas ainda assim...

— De nada — digo.

Com isso, ela olha para mim. Dou um tapinha no seu ombro, um gesto que fica estranho com a armadura. Os olhos de Cat se estreitam, mas Aurora consegue me dar um sorriso fraco.

Não parece ser fácil para ela. Está duzentos anos fora do tempo. Todos que ela conhecia, todos que ela tinha, já se foram. Não sei quantas pessoas aguentariam ficar de pé depois disso, mas não só ela está de pé, como está se mexendo, está lutando. Brigando com unhas e dentes para encontrar respostas do único jeito que sabe. Ela tem um bom coração, essa garota. Mesmo sem a mensagem que de Stoy nos deu sobre nossa carga preciosa, isso conta muitos pontos pra mim.

— Ficaremos bem, Auri — falo, tentando acalmá-la. — Isso é o que fazemos. Fique com a Scar, e nós vamos encontrar vocês no apartamento de Dariel, certo?

— ... Certo.

— Estamos perdendo tempo, senhor — murmura Kal atrás de mim, sua voz fria.

— Sim, tudo bem — suspiro.

Preciso falar com ele sobre essa garota.

Aceno para Scar. Ela me dá um aceno de volta.

— Tomem cuidado.

E sem mais nenhuma palavra, nós partimos.

SOCIEDADE SYLDRATHI

▶ CONDUTA SOCIAL
  ▼ COMO NÃO LEVAR SOCOS

A primeira coisa que deve aprender sobre **costumes Syldrathi** é que você irá falhar. Eles são impossivelmente sutis, e a maioria das espécies os considera formais demais. Syldrathi fazem reverências em vez de assentir. Fecham os olhos em vez de fazer reverências. Dito isso, coisas maiores a se evitar:

Não respeitar a pessoa mais velha na sala. Syldrathi acreditam que a sabedoria vem com a idade. Isso é muito conveniente, já que sua expectativa de vida é de centenas de anos e qualquer Syldrathi com quem esteja falando é provavelmente mais velho do que você.

Fazer contato físico sem permissão. Especialmente da **natureza mais íntima**. Para um Syldrathi, isso inclui qualquer toque em seu rosto, pescoço, orelhas ou mãos. Abraços também estão permanentemente excluídos.

Xingar a mãe. Não faça isso.

17

KAL

Meu queixo ainda dói da cotovelada que levei no bar ontem.

Minhas costelas estão machucadas onde um dos adeptos Imaculados me chutou, e sinto o inchaço dos nós dos dedos na minha mão esquerda de um soco mal dado.

Isso foi descuidado da sua parte, sussurra o Inimigo Oculto.
Fraco.

Estamos no elevador turbo usando as armaduras roubadas, nos preparando para infiltrar a central de segurança da Nave do Mundo. Não será fácil, e eu deveria focar na missão. Em vez disso, estou pensando na briga com os Imaculados ontem. O desdém em seus olhos. O sangue na minha mão.

Eu *não* estou pensando em Aurora.

Foco na dor como meu pai me ensinou. As lições sem-fim em Aen Suun — a Via das Ondas — que me foram impostas desde o dia que nasci. Lembro-me de nós dois em pé, embaixo das árvores lias em Syldra antes que fosse destruída. A sua mão no meu braço, guiando meus golpes. Sua voz em meu ouvido. Ele era um Guerreiro, como eu. Orgulhoso. Destemido. Sem igual. E ainda assim, todo o treinamento e toda a habilidade não valeram de nada no fim.

E então eu me permito sentir dor.

Os lugares que eu permiti que os inimigos encostassem.

Jurando que jamais os deixaria me tocarem de novo.

— Você está bem?

Olho para o outro lado do elevador turbo para meu Alfa quando ele se pronuncia. Tyler Jones está me observando com seus olhos azuis calmos, e consigo sentir sua mente trabalhando atrás deles. Está se perguntando como foi parar tão perto do limite. Está se perguntando se há uma saída para essa situação. E apesar de que, se perguntassem, ele negaria até o último suspiro de sua alma, está se perguntando se pode confiar em mim.

Não posso culpá-lo. Ele foi rápido em me ajudar no bar ontem, mas aquilo era apenas um reflexo — um Alfa se adiantando para defender um membro do seu esquadrão.

Pergunto-me o que ele realmente pensa nas horas mais sombrias e silenciosas.

Vi a dor em seus olhos ontem quando falou sobre seu pai. Até mesmo os Syldrathi conhecem o grande Jericho Jones. Um comandante da Força de Defesa Terráquea que dizimou dezenas do meu povo na guerra, e repentinamente se tornou um pacifista. Tornou-se a maior voz dentro do Senado Terráqueo, argumentando a favor de um acordo de paz entre nossos povos. Foi Jericho Jones que arquitetou as primeiras conversas do acordo de paz entre a Terra e Syldra. Foram as negociações *dele* que levaram ao cessar-fogo em 2370.

E quando o Destruidor de Estrelas e os Imaculados aproveitaram que as hostilidades haviam se acalmado nos cais de Orion, Jericho Jones estava entre aqueles que responderam o chamado de reservistas. Ele não havia pilotado um caça em treze anos. Tinha dois filhos esperando por ele na Terra, aguardando seu retorno.

E ele não voltou.

Pergunto-me quanto Tyler Jones me culpa por isso. Pergunto-me se ele olha para o glifo em minha testa e vê o que todos os outros veem.

Guerreiro.

Traidor.

Assassino.

I'na Sai'nuit.

— Estou bem, senhor — respondo. — Obrigado por perguntar.

Tyler umedece os lábios, passando a língua pelo lábio partido que ganhou ontem na briga.

— Olha, eu não sei nem como começar esse assunto — diz ele —, e talvez não seja da minha conta. Mas você é meu Tanque, e sou responsável por você.

— Você é meu Alfa. Pergunte o que deseja.

— Auri — diz ele. — Aurora.

O som do nome é como música. Eu sinto meu estômago estremecer, minha pele pinicar debaixo da armadura que estou vestindo. Vejo os olhos dela, as pupilas de preto sem-fim, uma rodeada por dezessete tons diferentes de castanho, a outra envolta em um branco pálido como a luz das estrelas. Penso nos lábios dela, e eu...

— Qual é o lance entre vocês? — Tyler pergunta.

Uma onda de inimizade repentina rompe dentro de mim. Territorialidade. Agressão. Reconheço que esse instinto não tem lugar aqui e me rebelo contra ele, como tenho me rebelado desde o momento que a vi no compartimento de carga e ela disse as palavras que nunca esquecerei.

Eu já vi você antes.

Pisco com força, focando minha mente como minha mãe não ensinou.

— Não há nada entre mim e Aurora — digo.

— Você a chamou de "be'shmai" — Tyler responde. — No bar, antes da briga.

Sinto a raiva ressurgir. A guerra que está no meu sangue, intrínseca com o desejo arrebatador do Chamado. O Inimigo Oculto, sussurrando no meu ouvido. Enganchando suas garras nas minhas vértebras. Eu o massacro, empurro, limpo meus pensamentos.

Essa conversa não vai acabar bem.

Pigarreio, tentando manter minha voz calma.

— Senhor, com todo o respeito, eu acredito que você estava correto antes. Não é da sua conta.

— Eu não falo Syldrathi tão bem quanto Scar, mas eu sei o que "be'shmai" significa.

Curvo meus lábios em um sorriso amargo.

— Não, senhor. Você não sabe.

— Nunca ouvi falar do Chamado acontecer entre um Syldrathi e um humano. É isso que está acontecendo aqui? Você falou alguma coisa para Aurora?

— Não — digo, horrorizado com a possibilidade. — É claro que não.

— Olha, eu quero que você saiba que eu te respeito. Eu respeito de onde você vem. Mas se você estiver prestes a perder a cabeça em um momento crítico por causa de um instinto acasalador, então eu...

— O Chamado não é um mero instinto acasalador — digo, aço voltando para a minha voz. — E explicar isso a um humano seria como descrever as cores do arco-íris a um homem cego. Você não pode... você não é *capaz* de compreender.

Engulo o aço. Sinto o gosto da raiva na minha boca.

— Senhor — acrescento.

— O Chamado é normalmente recíproco, certo? — ele pergunta, a cabeça inclinada. — O que acontece quando...

— Não precisa se preocupar com isso. — Faço uma carranca, desconfortável em discutir esse assunto com um Terráqueo. — Garanto que tudo está sob controle.

— Você realmente perdeu o controle rápido com aqueles Imaculados ontem.

— Eu não *perdi* nada. Eu sabia exatamente o que estava fazendo. A violência era necessária.

— Porque eles ameaçaram Auri?

— Porque você disse o meu nome.

Ele pisca ao ouvir a resposta.

— O que tem seu nome a ver com isso?

Eu cruzo os braços e não digo nada, sinalizando que quero encerrar a conversa, mas Tyler Jones continua me encarando, como um keddai aproveitando de um cadáver.

— Olha, eu sei que pode não ser fácil, Kal. E eu sei que eu também não consigo entender. Mas você precisa entender que estamos trabalhando com as coisas no limite por aqui. Não podemos nos permitir esse tipo de laço no momento. Preciso que você tome conta disso.

— Posso dizer o mesmo sobre você. Senhor.

Tyler pisca.

— O que você quer dizer com isso?

— Eu vejo a maneira como Legionária Brannock olha para você.

Ele vacila diante da acusação e endireita as costas, ficando mais alto. Ele ainda fica só da altura do meu queixo.

— Isso não é da sua conta, legionário.

— Eu concordo, senhor. Não é mesmo da minha conta.

Ficamos os dois parados em silêncio, a eletricidade crepitando entre nós. Estou perfeitamente ciente de como seria fácil esticar a mão e quebrar esse garoto humano. Sei disso desde que nasci, mas o homem que estou tentando me tornar mantém os braços cruzados. A expressão dele é insondável. O pulso dele está calmo. O elevador para, e a porta se abre com um pequeno apito. O tempo para, e nós também paramos, até que a porta começa a se fechar.

Estico minha mão, segurando a porta.

— Depois de você, senhor.

Tyler sai do elevador depois de mais alguns momentos em que nos encaramos, dando um tapinha no unividro conforme anda.

— Finian, aqui é Tyler, você está na escuta?

— *Em alto e bom som, Garoto de Ouro.*

— Estamos no andar setenta e um. Aponte qual é o caminho certo para a central de segurança.

— *Já vai. A mudança de turno é daqui a cinco minutos de acordo com Darial, então vocês devem se apressar se querem se perder no meio da confusão.*

Nos apressamos pelos corredores seguindo as instruções de Finian, e chegamos a um amplo espaço aberto. Dezenas de outros seguranças vestindo armaduras como as nossas estão convergindo perto da câmara de vácuo do que parece ser um velho cruzeiro Neltaariano, mostrando os crachás para os guardas que estão em serviço antes de serem mandados para dentro. Já é tarde — quase meia-noite, na hora da nave — e os guardas de plantão parecem entediados e cansados.

Uma excelente combinação.

Um Terráqueo de ombros largos na minha frente coloca seu crachá no scanner e é respondido com um alerta vermelho piscando e um zumbido irritado. O guarda de plantão suspira e diz para o Terráqueo passar de novo, e ele faz isso, e há outro zumbido irritado.

— Isso é um monte de lixo — o guarda diz, chutando o scanner.

— Estou com pressa, chefe — diz Tyler tranquilo, passando o crachá com o dedão escondendo a fotografia. — Vou encontrar algumas garotas, e elas não gostam de ficar esperando.

— É, tudo bem, podem passar — o guarda diz, batendo no scanner novamente.

Enquanto o Terráqueo grandalhão reclama atrás de nós, andamos pela central de segurança. Passando pelo corredor central, Tyler conversa com o comunicador em seu ouvido.

— Bom trabalho, Finian — ele murmura.

— *Mais fácil que roubar doce de criança. Chegue com o unividro perto de qualquer sistema sem fio e posso operar milagres. Vocês devem procurar por um indicador do servidor central.*

Conforme passamos pela câmara de vácuo, outro scanner passa uma série de lasers vermelhos nos crachás e na armadura, e uma voz eletrônica nos manda prosseguir. Os corredores estão cheios, os times de segurança saindo ou chegando. Vejo uma placa apontando para o servidor central, e mostro para Tyler enquanto mantenho meus passos tranquilos, meu sorriso educado. Ignoro a tensão nos meus músculos, a sensação de estar cercado de inimigos por todos os lados, a violência borbulhando dentro de mim. Dou passos suaves. Escutando a voz de meu pai na cabeça.

Chegamos a um par de portas duplas, seladas com um teclado eletrônico marcado como SERVIDOR CENTRAL. Fingimos conversar enquanto um homem usando um uniforme do setor administrativo passa por nós, e quando o corredor está vazio, Tyler segura o unividro perto da fechadura.

Esperamos, tentando não parecer suspeitos, o que, dadas as circunstâncias de que estamos invadindo este espaço no meio de uma infraestrutura armada, parece um pouco difícil.

— Tome o tempo que precisar, Finian — murmura Tyler no comunicador.

— *Olha, se você conhece outra pessoa que consegue fazer um hack em um aparelho sem-fio em um sistema criptografado com dezoito números, pode ligar para ele* — é a resposta.

— Achei que você operava milagres.

A fechadura acende. As portas se abrem.

— *Ei, olha só, quem diria!*

Entramos sorrateiramente, fechando as portas atrás de nós. O ar é frio, preenchido por um zumbido subsônico, e iluminado por uma série de luzes fluorescentes em LED que marcam as fileiras de servidores e cabos. A voz de Finian crepita no nosso ouvido.

— *Uau, isso foi incrível, Finian. Você realmente* opera milagres. *Eu acho que darei o nome do meu primogênito de Finian, porque...*

— Pare com isso — interrompe Tyler. — Onde colocamos essa sanguessuga?

— *O servidor terciário deve servir. Escutem com atenção, vou usar palavras bem simples.*

Fico de guarda na porta, olhando pela fresta enquanto Tyler segue as instruções de Finian. Guardas marcham atrás da porta, alguns retardatários seguindo para seus turnos. Um drone de refrescos passa usando rodinhas rápidas, carregando uma bandeja de café, estimulantes e suplementos de celedina. Cinco minutos se passam, cada um tão longo quanto uma era, até que finalmente me viro para sussurrar para meu líder de esquadrão.

— Alguém está vindo.

Tyler olha do servidor para mim, coberto de cabos até os cotovelos.

— Você tem certeza?

Olho de novo pela fresta para o corredor com o Terráqueo que se aproxima. Está carregando uma braçada de equipamentos para computadores, e um cinto que está cheio de equipamento eletrônico. Está há três dias sem se barbear, e olha para a equipe de segurança ao seu redor com um ar de desprezo sem disfarces. Parece que não dorme há cerca de sete anos.

— Ele certamente se parece com alguém que trabalha com computadores.

— Finian, já deu certo? — Tyler pergunta.

— *Afirmativo. Já estou captando o sinal da nossa sanguessuga. Estamos dentro.*

— Entendido — diz Tyler, fechando a porta do gabinete do servidor.

Um guarda que está passando esbarra no técnico de computadores. O técnico xinga, se abaixa para pegar um dos equipamentos que derrubou, mas agora está a menos de quatro metros da porta. Certamente irá notar se sairmos agora, bem na frente dele.

Tyler se junta a mim perto da porta, olhando pela fresta.

— Isso não é bom.

— Concordo.

Meu Alfa olha ao redor e rapidamente tira a mesma conclusão que eu. Não há nenhum lugar para se esconder aqui, particularmente quando estamos usando essa armadura pesada. O Inimigo Oculto sussurra que poderia lidar facilmente com o técnico em silêncio — esmagar sua garganta assim que ele entrar na sala, quebrar seu pescoço, enforcá-lo até a morte. Uma dezena de finais e possibilidades diferentes dançam à minha frente, mas a parte mais silenciosa de mim sabe que deixar um cadáver no servidor central irá acabar em uma investigação, e isso faria com que nossa sanguessuga fosse descoberta mais rápido.

Minha mente está acelerada, mas não fui eu quem tirou uma nota 100 perfeita na prova final de táticas militares no último ano. No caso, quem fez isso é o legionário ao meu lado.

— Sugestões, senhor?

Tyler faz uma careta. Permutações e possibilidades passam por seus olhos. O técnico está se aproximando da porta agora, carregado com os aparelhos, murmurando. Tyler olha para mim. Respira fundo.

— Vou pedir desculpas antecipadas por isso. Mas o que quer que você faça, não me dê um soco, tudo bem?

— O que...

Tyler pega pela frente da armadura e me puxa para perto. A porta se abre e o técnico entra precisamente na mesma hora em que os lábios de Tyler encostam nos meus. Arregalo meus olhos, e o queixo do técnico cai.

Fico chocado e não consigo me mexer. Sei que Terráqueos se tocam casualmente, dando tapas nas costas, apertos de mão. Isso é muito mais do que um aperto de mão. É Tyler pressionado contra mim, virando-se lentamente na direção do técnico, nossas bocas ainda coladas uma contra a outra...

O técnico para na porta, olhando rapidamente entre nós dois. É Tyler que se afasta do beijo, parecendo apropriadamente envergonhado. Da minha parte, estou simplesmente aturdido. Tentando equilibrar os equipamentos, o técnico sai pé ante pé da sala.

— Aaaaaacho que eu vou dar um espacinho para vocês — diz ele.

O técnico fecha a porta atrás dele com um sorriso de desculpas. Tyler se desvencilha completamente.

— Você está bem? Não vai me dar um soco nem nada, certo?

— O que... — balbucio. — Você...

Tyler espera até eu me recompor, então indica o corredor.

— Espere um instante — ele diz. — Então saia daqui como se estivesse morrendo de vergonha.

— Isso *não* vai ser difícil — respondo.

Tyler dá uma risada e abre a porta.

— Depois de você, querido.

Respirando fundo, saio do servidor central, andando na direção da saída. O técnico está a certa distância da porta, fingindo com veemência que não está me vendo sair, mas quando passo por ele, ele me dá uma piscadinha.

Minhas orelhas estão queimando. Subo as escadas enquanto atravesso a central de segurança e passo o crachá no scanner da entrada principal. O guarda acena quando saio, sem sequer desviar a atenção do univridro.

— Até mais.

Alguns minutos depois, Tyler se junta a mim no saguão principal, e saímos juntos. Dentro do elevador, ele fica ao meu lado, as mãos atrás das costas, assobiando alegremente. Sou forçado a admitir que o seu pensamento rápido acabou de evitar um desastre, e que o técnico acreditou que estávamos no servidor para... se não por razões inocentes, então ao menos não ilegais. Nossa sanguessuga agora está guardada em segurança dentro da rede central de segurança, e temos acesso a todas as câmeras.

Um toque desses é sinal de intimidade entre Syldrathi.

Deveria ser tratado com importância, e não usado como um truque barato. Só que *funcionou*.

— Olha, me desculpe de novo — diz Tyler finalmente. — Precisava pensar rápido. Estamos bem?

— Eles ensinaram essa técnica em táticas de batalha na Academia? — pergunto.

Meu Alfa sorri, sacode a cabeça.

— Os melhores estrategistas sabem quando é preciso improvisar. E isso significa trabalhar com o que tem em mãos.

— Ou em lábios?

Tyler solta uma risada.

— Acho que sim. Que bom que eu escovei meus dentes de manhã.

Ficamos em silêncio por uns instantes, vendo os números no display do elevador aumentarem.

— Não sabia que Syldrathi coravam com as orelhas — diz Tyler.

— Eu não estou corando.

— Quero dizer, parece um pouco que você está corando.

— Eu *não* estou corando.

— Tá boooom — Tyler assente. — Eu tenho esse efeito nas pessoas, está tudo bem.

— Seu pedido para não te dar um soco ainda está valendo, senhor?

Meu Alfa sorri em resposta. E apesar de ainda estar atordoado, não consigo deixar de sentir certo respeito. Ele pensa rápido, esse Tyler Jones. Ele não se deixa abalar, e nunca hesita. Quando tudo está em jogo, ele ainda consegue ver claramente, e faz o que é preciso para vencer. Ele é um líder nato.

O elevador para e abre as portas, e eu saio primeiro no corredor, enquanto ouço Tyler rir sozinho atrás de mim.

— O que foi? — pergunto.

— Só estava pensando — ele sorri. — A Scarlett realmente *disse* que era pra gente se beijar e resolver logo esse assunto.

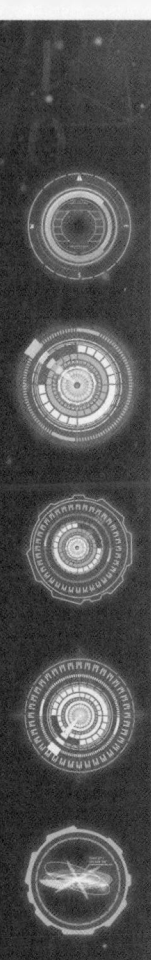

ESQUADRÕES DA LEGIÃO AURORA

▶ MEMBROS DO ESQUADRÃO
  ▼ ÁSES

Treinados para pilotar qualquer coisa, desde **embarcações** pequenas até **cruzeiros**, **cargueiros** e **exterminadores**, Áses são os pilotos dos **esquadrões da Legião Aurora**. Você traz um buraco de agulha, e o Ás consegue passar por ele com qualquer nave a sua escolha.

Áses têm uma reputação de serem audaciosos, confiantes (e até imprudentes), e se dão muito bem no quesito estilo. É só perguntar para qualquer um deles, eles mesmos dirão isso.

Ser um Ás requer reflexos mais rápidos do que a luz, pensamento ágil, e **órgãos reprodutores feitos de titânio**. Vamos aos fatos: o trabalho deles é tão legal quanto eles.

INSÍGNIA DOS ÁSES

18

CAT

— Tenho boas notícias — Finian declara. — E depois notícias excelentes. E aí, notícias absolutamente devastadoras.

Ty se afunda no sofá ao meu lado, Scarlett sentada do outro. Ele e Kal acabaram de sair da central de segurança, a armadura descartada no motel com os caras do encontro. Nosso respeitável líder se inclina para limpar as botas, o cabelo loiro caindo nos olhos. Observo os músculos no seu braço de soslaio. Finjo que não estou vendo. Finjo que não me importo.

— As notícias boas primeiro — diz Tyler.

Finian gira na cadeira para nos encarar. Seu univridro está conectado ao braço da armadura, a tela holográfica projetando de uma lente no seu pulso. A luz forte contra a penumbra do quarto de Dariel deixa a imagem clara. Me pergunto quantos processadores operam esse traje dele. Me pergunto que tipo de mente poderia sequer *fazer* um traje como esse. Finian é um merdinha irritante, mas ao menos o cérebro dele funciona.

— A boa notícia é que a sanguessuga está funcionando perfeitamente — ele declara. — Estou conectado na rede, me movendo lentamente para não chamar a atenção de ninguém. Mas agora eu tenho acesso ao iate de luxo de Casseldon Bianchi, e todas as câmeras de segurança dentro dele.

Ele pausa, olhando ao redor do quarto.

— Não aplaudam todos ao mesmo tempo.

— Quais são as notícias excelentes? — pergunta Scarlett.

Finian dá um tapinha em um teclado do outro lado do seu exotraje. A tela muda de uma coisa pequena para uma tela enorme, projetada na parede branca de pedras. Ele afasta o ar, e o holograma passa por uma dúzia de telas antes de achar a que ele quer.

— A notícia excelente é que acho que encontrei nosso Gatilho.

Da sua cadeira no canto, Aurora se levanta. Seus olhos díspares estão arregalados, fixados na projeção de Fin. Ali, flutuando dentro de uma esfera de luz azul, está a escultura que ela pintou por todo o quarto — com três dedos, feita de um metal retorcido. Não parece muito maior do que a minha mão. O diamante no peito e a pérola no olho direito são joias de verdade. Está flutuando dentro de uma caixa transparente, que pode ser vidro, girando lentamente.

— É isso aí? — Tyler pergunta.

Aurora encara. Seu sussurro é tão baixo que é quase inaudível.

— Sim.

Ela para de olhar para a tela, e vira para encarar Tyler.

— Eu não sei nem como, mas eu *sei*. É por isso que estamos aqui...

— Tudo bem — Tyler assente, encarando a escultura. — Nos dê as más notícias, Finian.

— Eu nunca disse que eram más notícias — nosso Mecanismo responde, mexendo no teclado. — Eu disse notícias absolutamente devastadoras.

— Sopro do Criador — suspiro. — Só fala logo, vai.

Finian me sopra um beijo pelo ar e acena com os dedos, colocando a câmera em um ângulo maior. Consigo ver um cômodo circular, cheio de móveis chiques. Enormes janelas de vidro dão para o que parece ser um tipo de floresta. Dezenas de caixas de vidro e gavetas estão organizadas ao redor deste espaço, e algumas luzes destacam objetos específicos estranhos. Alguns são elegantes, outros retorcidos e cintilantes. Todos eles lindos.

— Esse é o escritório de Casseldon Bianchi — Finian explica. — É o coração dos seus aposentos. É protegido por um tipo de segurança que deixaria um ladrão profissional com anos de carreira arrancando os cabelos. Os scanners respondem à temperatura, sensores genéticos, chão que consegue ler qualquer alteração na densidade do ar. E mesmo presumindo que conseguisse enganar tudo isso, só tem uma porta para entrar e sair. E só tem uma chave. Que, até onde sei, fica o tempo todo no pescoço de Bianchi.

Finian mostra uma foto de Bianchi vestido com um terno elegante, revelando alguma nova escultura exótica no seu museu. Seu sorriso é uma fileira de caninos brancos estonteantes. Ao redor do pescoço, fica uma chave digital, pendurada numa corrente platinada.

— É uma criptografia de sessenta e quatro dígitos, codificada com genes polimorfos — diz Finian.

— Parece complicado — fala Tyler.

— Complicado não começa nem a descrever essa situação. Vai ser mais difícil entrar no escritório dele do que conseguir abaixar as calças de quem eu levei para o baile anual da Genesis ano passado.

— Tem jeito de entrar? — Tyler pergunta.

— Eu nem sei mais. — Finian suspira. — Tentei poesia, tentei flores, tentei...

— Estou falando do *escritório*, Fin. E os tubos de ventilação?

Nosso Maquinismo balança a cabeça, mais uma vez pegando a foto do escritório.

— Tem no máximo uns três centímetros de abertura. E são revestidos por íons. Então a não ser que esteja querendo perder *muito* peso...

— E essas janelas gigantes? — pergunto, apontando.

— Não são janelas, são paredes — Finian responde, dando um giro completo novamente em sua cadeira. — O escritório inteiro é revestido em silicone transparente polarizado.

— Por quê?

— Bianchi compra um monte de tranqueiras e artefatos por toda a galáxia, mas seu interesse real são formas de vida exóticas. Ele tem mais de dez mil espécies em seu zoológico, de acordo com uma entrevista que li na edição da *Cavalheiros Intergalácticos* do mês passado.

— As pessoas ainda assinam a *Cavalheiros Intergalácticos*? — Scarlett pergunta, sobrancelhas levantadas.

— Bem, eu ouvi uns boatos... — murmuro.

— Eu compro por causa das matérias. De toda forma — Finian acena com o dedo, e a projeção na parede vira um esquema arquitetônico —, o escritório fica bem no meio do zoológico. E ao redor do seu escritório fica a jaula da sua posse mais preciosa.

— Por favor, me diga que é um cachorrinho terrier chamado Sua Au-teza Real — suspira Tyler.

— Quase isso, Garoto de Ouro — diz Finian, mudando novamente a tela.

— Quase isso.

Projetado na parede, está a... coisa... mais tenebrosa... que já vi na minha vida. Tipo o encontro acidental que tive de manhã no banheiro e quase me fez arrancar os olhos, quando vi Dariel de Vinner de Seel de cueca.

Essa fera é só dentes afiados, olhos verdes fanáticos e músculos. Suas garras são como espadas e seu couro é cheio de chifres, como se estivesse usando uma armadura, e está fazendo um barulho horrível, metálico, que lembra gritos — como se duas serras elétricas estivessem tentando transar.

— Colegas legionários, se eu puder apresentar, o grande orgulho do zoológico de Casseldon Bianchi — diz Finian. — O grande Ultrassauro de Abraaxis IV.

— Amna diir — Kal sussurra, seu rosto impassível finalmente deixando transparecer um pouco de emoção.

— É isso aí, Garoto-fada — Finian concorda. — Quer dizer, não faço ideia do que acabou de dizer, mas é isso aí. Boatos de que Bianchi pagou o quarto testículo para conseguir essa coisa.

— Por que é que chamam de *grande* ultrassauro? — Aurora pergunta. — Ele tem uma caligrafia excelente, ou algo assim?

— É o último de sua espécie — Fin diz.

— O que aconteceu com o resto?

— Esse aqui matou todos os outros — o Betraskano responde, simplesmente. — É o último da espécie porque literalmente *comeu* todos os outros.

A garota pisca.

— Carácoles, ele fez o *quê*?

— Os ultrassauros são conhecidos por sua hostilidade, a espécie mais desagradável da Via — diz Finian, passando a mão pelo cabelo branco, deixando mais espetado do que antes. — Eles mataram qualquer outra coisa viva em Abraaxis IV. E quando não tinham mais nada para matar, mataram uns aos outros.

— Falando da perspectiva da evolução, isso não tem nenhum sentido — aponta Zila.

— É claro que tem sentido — Finian dá de ombros. — As pessoas fazem isso o tempo todo.

— Por que é que está fazendo esse barulho? — Scarlett estremece.

— Chamado de acasalamento, eu acho? Se você devora todas as namoradas em potencial, acho que fica solitário.

— Está bem, está bem — diz Tyler. — Acho que conseguimos concluir que atravessar o zoológico não é uma opção. Então vamos pela porta da frente. Precisamos daquela chave.

— Isso não vai resolver nada, Garoto de Ouro — diz Finian. — É criptografia de sessenta e quatro dígitos, codificada com genes polimorfos. Isso significa que a combinação muda toda vez que Bianchi entra em contato com a chave. E se qualquer outra pessoa sequer espirrar em cima da chave, ela vai registrar que tem um DNA estranho e trancar toda a mansão.

Sinto quase um alívio ao ouvir isso. A missão está ficando cada vez mais impossível. O mais cedo que Tyler perceber que estamos perdendo tempo com essa baboseira, mais cedo podemos desistir dessa maluquice total.

Eu traço as linhas e curvas das minhas tatuagens no braço direito com a ponta dos dedos. Faço isso sempre que estou nervosa. Minhas tatuagens são de vários artistas diferentes, com todas as cores do arco-íris, uma combinação de estilos, mas todas têm algo em comum. A única coisa que amei desde criança.

Asas.

Dragões. Pássaros. Borboletas e mariposas. Tenho um falcão tatuado em cima das clavículas, assim como minha mãe. Ela era pilota na FDT antes de ficar doente. Ainda me lembro do seu sorriso quando eu disse que ia me juntar à Legião. Ela me disse que estava orgulhosa. Disse a mesma coisa da última vez que falei com ela. Se esforçando, com o pouco de ar que a peste deixava para ela.

Estou orgulhosa de você, filhinha.

Me pergunto se ela estaria orgulhosa se me visse agora. Uma fugitiva. Com problemas até o pescoço. Com meu nome em uma Corte Marcial provavelmente já esperando na escrivaninha de alguém. Eu sei que Tyler vai tentar nos acobertar se formos pegos. Eu sei que ele vai dizer que deu *ordens* para que o ajudássemos, mas uma parte de mim ainda está tentando entender o porquê.

Ele viu alguma coisa no exterminador da FDT.

Alguma coisa que O'Malley fez, e que ele ainda não me contou.

Costumávamos conversar o tempo todo.

— E não tem jeito de passar por essa fechadura sem a chave? — pergunta Kal.

— Acho que intervenção divina pode funcionar — diz Finian. — Mas o problema nem começa por aí. Nós nem conseguimos chegar *perto* do escritório do Bianchi. A mansão dele é a coisa mais bem-protegida da Nave do Mundo. Segurança de outro mundo, literalmente. Hackear as câmeras é uma coisa, mas nunca sairemos de lá sem sermos pegos.

Silêncio toma conta da sala. E no silêncio, Aurora finalmente se pronuncia.

— Eu não queria falar nada, mas...

Todos olhamos para ela, esperançosos. É óbvio que ela ainda está hesitando, olhando para o olhar gélido do Garoto-fada, minha cara fechada. Ela mordisca o lábio, e finalmente fala.

— Mas eu vi algo enquanto tomava banho, de manhã.

— Aquele chuveiro está realmente nojento — Scarlett concorda. — Tem mofo crescendo dentro do mofo.

— Não, eu... — a Pequena Clandestina encontra meu olhar. — Eu vi Cat.

— Ora, ora! — Finian sorri. — Não sabia que sua mãe tinha passado açúcar em você, Zero.

— Cale a boca, Finian — grunho.

— Ei, não estou julgando, garota...

— Não, quer dizer... — Aurora sacode a cabeça. — Tive outra... visão. Estava me sentindo meio tonta, talvez tenha sido o vapor, eu sei lá. Eu me sentei no azulejo, encostei a cabeça na parede e então... vi Cat usando uma máscara e um macacão bem chique. Scarlett e Tyler também. — Ela olha pra nós. — Parecia que vocês estavam indo para uma... festa, eu acho?

— Uma festa, *naquele* banheiro? — Scarlett questiona.

— Eu sei o que parece — diz Aurora —, mas juro que não foi um sonho.

Tyler se inclina para a frente, os dedos no queixo quando seus olhos acendem.

— Tem um festa amanhã à noite — ele diz, olhando ao redor. — O quinquagésimo aniversário da Nave do Mundo. Bianchi vai fazer um baile de máscaras. — Ele olha para Aurora, e dá o seu sorriso cheio de covinhas. — Se conseguirmos uns convites, a gente pode simplesmente *entrar* no território dele.

— Tudo bem? — diz Scarlett. — E como é que fazemos isso?

Tyler esfrega o queixo, encarando a planta do escritório quando se recosta de novo na cadeira.

— Estou pensando nisso. Acho que temos algumas vantagens.

A gêmea de Ty ergue a sobrancelha.

— Tipo?

— Bom, pra começo de conversa, um gangster assassino do nível de Bianchi não estará esperando que alguém vá tentar roubá-lo. Ninguém é idiota o bastante para cruzar o caminho dele.

— Exceto a gente, aparentemente — eu digo, com um grunhido.

Ty me dá uma piscadela.

— Nunca subestime o elemento-surpresa.

— Ótimo — diz Finian. — Então entramos na mansão. Tudo o que precisamos fazer é roubar a chave do pescoço do criminoso mais perigoso do setor, enquanto estamos sendo vigiados por todos os convidados da festa *e* os seguranças, e sem acionar nenhum dos alarmes ligados a códigos genéticos. O que vai acontecer assim que um de nós pegar a chave.

Estou observando os olhos de Ty. Os seus lábios. As trepadeiras cintilantes fazem seu rosto brilhar na penumbra, e consigo ver suas covinhas esperando o momento para aparecerem. Ele é o Garoto de Ouro na Aurora por uma razão. Claro, ele conseguiu a nota máxima em todas as provas, mas sua matéria favorita sempre foi estratégia. Quando saíamos para apostar, beber ou só tirar férias, Ty estava no quarto, estudando generais mortos há muitos anos. Sun Tzu. Aníbal. Napoleão. Eisenhower. Tankian. Giáp. Osweyo.

A maioria dos garotos cresce querendo ser jogador de jetbol ou bombeiro. Ty queria ser Marco Agripa.

— E então tem os sistemas de segurança do próprio escritório — diz Scarlett. — A não ser que a gente só chegue lá e pegue o Gatilho, o que no caso fará com que a estação inteira corra atrás da gente.

E finalmente vejo as covinhas de Ty aparecerem.

— Me parece um desafio — diz ele.

Sinto a resposta vindo de dentro do meu peito, e tento abafá-la. Tento segurar tudo aqui dentro. Ty é o líder do meu esquadrão. Vou aonde ele mandar, faço o que ele manda. É isso que ensinam na Academia. Sempre fique com seu Alfa.

Sempre.

— Não — eu me ouço dizer. — De jeito nenhum.

Meu esquadrão olha para mim quando fico em pé, as mãos fechadas em punhos.

— É sério, chega dessa merda.

— Você tem algo a dizer, Legionária Brannock? — Ty pergunta.

— É claro que tenho, caralho — deixo a raiva invadir minha voz. Eu estou tão furiosa com ele que mal consigo me impedir de gritar. — Já passamos dos limites da idiotice, e agora estamos entrando no acéfalo. Já era ruim estarmos fugindo do nosso próprio povo, atacando Terráqueos, arriscando nossas vidas. Agora você quer que a gente roube o criminoso mais letal nesse setor em troca de uma bugiganga que essa doida varrida viu em um *sonho*?

Eu gesticulo na direção de O'Malley, ainda fuzilando Tyler com o olhar.

— De verdade, Tyler, você ficou completamente louco?

— Tem mais coisas acontecendo do que só sonhos, Cat — diz Tyler. — E você sabe disso. Você viu o que Auri fez com a Longbow. Quando eu encontrei ela na Dobra, eu estava quase me afogando dentro do meu traje, e ela nos *moveu. Ela* nos trouxe a salvo. E você ouviu o que de Stoy e Adams disseram quando saímos na missão.

— Isso não é a porra de uma missão! — grito. — É um crime! E pra quê? Para satisfazer os delírios dessa desvairada? Sou a única que não está vendo que nosso bom senso está indo pro espaço?

— Não me chame de desvairada — diz O'Malley.

— Ah, agora ela fala! — digo, fazendo uma reverência. — Nós não somos *dignos* dessa atenção. E que conselho tem para nós, ó, grande profeta?

Kal ergue uma sobrancelha para mim.

— Você está passando vergonha, Zero.

— Foda-se, Garoto-fada.

— Olha, não sou eu que vou fingir que entendo o que está acontecendo — diz O'Malley —, mas alguma coisa *está* acontecendo. Estou vendo as coisas antes que elas aconteçam. Estou vendo...

— Está vendo uma maneira de como conseguimos fazer isso sem que acabemos todos mortos, Pequena Miss Visão? — demando. — Você vê *qualquer* jeito de entrar e sair do escritório particular de Casseldon Bianchi sem sermos pegos?

Ela cerra a mandíbula, olhando para a planta na parede.

— Não — ela responde baixinho.

— Bem, era de se esperar.

— Cat — diz Tyler. — Controle-se.

— Talvez ela esteja certa, Tyler.

Todos os olhos se viram para Scarlett. Ela está olhando para o irmão, a voz suave, seu tom gentil e suave, e que certamente só traz más notícias.

Tyler respira fundo, olha para a gêmea.

— Scar?

— Tudo que estou dizendo é que não sabemos com o que estamos lidando. Antes de prosseguir, talvez devêssemos parar e nos perguntar aonde essa estrada está nos levando.

— Pra fora da Legião, isso é certeza — digo. — Dispensa desonrosa. Provavelmente à prisão. Você trabalhou duro pra isso desde que tinha treze anos, Tyler. Você ainda está com tanta raiva de ter perdido o Alistamento que está disposto a jogar toda sua carreira no lixo?

— Isso não é sobre o Alistamento — Tyler rosna. — Você ouviu o que Adams nos disse. "Você deve resistir. Você deve *acreditar*."

— Mas por quê? — pergunto. — O que é que ela *tem* que faz você querer acreditar?

— Não sei — Tyler dá de ombros, olhando para O'Malley. — Mas eu acredito. É isso que significa ter fé.

Cerro meus dentes, resisto à tentação de dar um tapa na cara dele, rugir na sua frente. Olho para Scarlett e ela faz que não com a cabeça. O rosto de

Finian é como uma máscara, mas fica claro que ele é imprudente o bastante para ir junto nessa missão. Zila está me olhando como se eu fosse algum inseto que ela está tentando classificar. Kal está quieto, os olhos violeta frios ligeiramente estreitos. Estou sem apoio. Fiquei sem nada.

— Foda-se isso — eu cuspo, pegando minha jaqueta e marchando na direção da porta.

— Aonde você vai? — Scar pergunta.

— Preciso de uma bebida.

— Eu não dispensei você, Legionária Brannock — avisa Tyler.

— Então me manda para a Corte Marcial! — rosno.

Eu sei que bater a porta é coisa de criança. Eu sei que vai parecer que sou uma criancinha tendo um chilique, brava porque não fizeram algo do jeito que ela queria. Eu sei muito bem disso. Sei até a ponta de todas as minhas asas.

Mas bato a porta forte o suficiente para que as dobradiças saiam do lugar, de qualquer forma.

• • • • • • • • • • • •

— Me dá outro.

O alienígena bartender ergue três de suas sobrancelhas, probóscide tremendo.

— Tem certeza? — pergunta. — Já consumiu o total de seis.

— Sabe, essa imitação da minha mãe está realmente ficando boa — rosno, batendo na beirada do copo com meu dedo.

O alienígena dá de ombros, enche meu copo, e se vira de novo para atender os outros clientes.

Esse lugar é um buraco, cheio de luzes neon e fumaça, enfiado na seção mais pé-sujo da Nave do Mundo. A banda toca muito alto de um jeito irritante, o chão está grudento. É o tipo de lugar no qual você acaba às três da manhã quando você quer brigar ou transar. Não sei qual dos dois eu prefiro — ainda.

Tyler.

Bebo o etanol barato de uma vez só, faço uma careta com a queimadura química no fundo da garganta. Tento entender por que estou tão brava. É realmente porque ele está levando a sério esse golpe? Ou é por quem ele está fazendo isso?

Você tem que acreditar, Tyler.

Tyler é ótimo em acreditar, o Almirante Adams sabia disso. Eles iam para a capela juntos todo domingo. Era possível que religião não sobrevivesse na era das viagens interestelares. A noção de fé estava praticamente morta quando a humanidade resolveu se estender às estrelas, mas depois de descobrir uma, e depois dez, e depois centenas de espécies, ninguém deixou de notar que todas elas eram bípedes. À base de carbono. Respirando oxigênio. As coincidências eram grandes demais para serem desconsideradas. Coisas assim não acontecem na sorte.

Então *voilà*, fundamos a Fé Unida.

Toco na marca do Criador no meu colarinho. O círculo perfeito, gravado em prata. Desejando acreditar do mesmo jeito que Tyler acredita, porque eu não consigo. Porque eu me recuso. Porque apesar de sermos amigos desde que joguei a cadeira nele no jardim de infância, apesar de tê-lo seguido até o fim da Via Láctea, ele não acreditou em mim — não acreditou em *nós* — do jeito que ele acredita *nela*.

— Maldita O'Malley — rosno, tentando chamar a atenção do bartender novamente. Está prestes a me dar mais bebida quando uma mão enluvada cobre a boca do meu copo.

— Por favor, nos permita.

Eu me viro, me perguntando se essa será minha conquista de hoje à noite. Meus músculos ficam tensos quando percebo que é exatamente o oposto.

Está usando uma armadura cinza-escura da cabeça aos pés, e até as pontas dos dedos. O rosto está escondido atrás de uma máscara espelhada sem nada, alongada e de forma oval. Consigo ver meu reflexo apagado na superfície, e meus olhos arregalam em surpresa.

Puta merda, é a AIG.

Levanto da cadeira e uma segunda luva aperta meu ombro. Há outro agente atrás de mim. Sentada de costas para a porta nesse lugar barulhento, com álcool na mão, nem percebi que alguém estava atrás de mim.

Descuidada.

Não tenho nenhuma chance, mas minha mão aperta o copo caso precise usá-lo como arma. Se vou cair, é melhor cair lutando.

— Por favor, evite a violência desnecessária, Legionária Brannock — o primeiro agente diz, sua voz sem gênero e vazia. — Só queremos conversar um pouco.

— Está tudo bem aqui? — pergunta o barman, as mesmas três sobrancelhas levantadas.

Olho para os homens da agência. As pistolas embaixo das jaquetas, a distância até a porta. Calculo as chances com a música nos meus ouvidos, o álcool acelerando em meu sangue. E lentamente, volto a sentar na minha cadeira.

— Está tudo bem — digo.

— Outra bebida? — pergunta o agente.

— Se você pagar.

— O semptar Larassiano — o agente da AIG diz. — Três, faça-me o favor.

O barman concorda, colocando três balas em três copos limpos. O primeiro agente fica ao meu lado direito, e o outro fica diretamente atrás de mim, me encarando pelo espelho atrás do bar.

Assim que Três Olhos vira para servir outros clientes, o primeiro agente procura algo no bolso da armadura. Se mexendo lenta e deliberadamente, coloca um unividro no balcão na minha frente. Acima do aparelho, consigo ver uma pequena projeção holográfica de um terceiro agente — o filho da puta esquisito todo de branco que apagou todo mundo na Estação Sagan. Pelo cenário, vejo que está mandando a mensagem a bordo de um destruidor Terráqueo.

— Boa noite, legionária Brannock — diz a figura, sua voz monótona. — Nós não fomos apresentados. Você pode se referir a mim como Princeps.

— Encantado, tenho certeza.

Levo o copo a meus lábios e viro lentamente. Sinto o gosto de fumaça e um pouco de açúcar, e toques de adrenalina sangrenta no fundo da garganta.

Os outros dois copos ficam na frente dos operadores.

Intocados.

— Você está bastante longe de casa, Legionária Brannock — diz o holograma.

— Não há lar como a escuridão — respondo, usando o velho ditado Ás.

— O interior de uma cela na Colônia Lunar não é escuro — Princeps responde. — É meramente cinzento. Não há céu. Não há estrelas. Só o cinza. Para sempre.

— Está tentando me assustar, agente? — Ergo o copo de novo para o barman, completamente estável. — Porque eu estou tremendo.

— Sei que parece difícil de entender — diz Princeps quando o barman coloca mais bebida. — Mas há uma saída. Para você e seu esquadrão.

— Nós não queremos vocês — diz o agente que está atrás de mim, voz eletrônica crepitando na minha pele. — Só queremos Aurora O'Malley.

— O restante do esquadrão 312 ficará livre para ir e vir assim que ela estiver em nossas mãos — garante Princeps. — Retornem para a academia, suas carreiras, seus amigos. Suas vidas. Não precisa jogar todo o seu trabalho duro fora, Legionária Brannock.

Pisco forte. Sacudo a cabeça.

— Sinto muito, Princeps, mas dá para repetir isso? Não consigo ouvir muito bem com todo esse barulho de foda-se ao redor.

Abaixo meu copo, me ergo lentamente.

— Valeu pela bebida.

O agente atrás de mim pega meu braço com uma mão enluvada. A pegada é perfeita, apertada o suficiente para doer. Leve o suficiente para saber que pode doer bem mais.

— A garota que estão escondendo é uma inimiga do povo Terráqueo. Toda a Força de Defesa Terráquea agora foi alertada e está dedicada a capturá-la. E ela será nossa. — A voz do agente fica mais baixa, mais perigosa. — Com ou sem sua ajuda.

— É, acho que é por isso que estão espreitando umas espeluncas a essa hora absurda da manhã, não é? — Sorrio com desdém, gesticulando para o univridro no balcão. — Esse cara não está nem no mesmo *setor* que a gente.

— A Belerofonte já está a caminho da sua localização conforme falamos, Legionária Brannock — diz Princeps. — Você não pode escapar. Mas uma invasão da FDT à Nave do Mundo irá causar uma enorme perda de recursos e vida. Nós esperamos resolver esse problema sem precisar de violência. Aurora O'Malley já matou um número grande demais de nossos agentes.

Estreito meus olhos.

— Você não sabia? — o Princeps pergunta. — Ela assassinou dois agentes na Belerofonte. Ela os esmagou como copos de plástico sem pensar duas vezes.

Princeps desaparece da tela, e é substituído por uma gravação de uma imagem de uma sala de interrogatório. Duas armaduras cinza. Sangue e entranhas espalhados pelo chão e a três metros acima na parede.

Meu estômago se aperta. Eu engulo em seco.

— Criador... — falo baixinho.

— Essa é a garota que está escondendo. Ela não é quem aparenta ser, Legionária Brannock. Ela é perigosa. Para você. Para aqueles que ama.

Eu faço que não com a cabeça.

— Não é a minha decisão. Uma Ás sempre apoia seu Alfa. Sempre.

Eu olho para o agente atrás de mim, encarando meu reflexo naquela máscara sem rosto.

— *Sempre*.

— Sua lealdade a Tyler Jones é admirável — diz o Princeps —, mas certamente você questionou algumas de suas decisões recentes. Ele realmente parece a mesma pessoa?

— Aurora O'Malley pode esmagar pessoas só com o poder da mente — o segundo agente diz. — Você não questiona o que ela pode fazer com a mente dos outros?

— Você está dizendo que... ela pode nos controlar? — questiono. — Controlar *Tyler*?

— Estamos dizendo que sua mãe era leal à FDT até o dia em que ela se foi — diz o Princeps. — E esperamos que a filha dela compartilhe dessa lealdade.

O agente da AIG libera meu braço.

Olho para a porta. Olho para o reflexo na máscara.

Cansada. Alerta. Completamente assustada. Olho para a gravação na tela do univídro do agente, e penso na maneira como a Longbow chacoalhava quando tentávamos mudar o nosso curso. Scarlett sendo jogada contra a parede só com um aceno rápido de O'Malley. Tyler nos levando cada vez mais para o abismo.

Deitada ao lado dele nos lençóis amassados na manhã seguinte, estremecendo enquanto ele passava a ponta dos dedos em cada uma de minhas tatuagens.

E ainda assim, não foi o suficiente.

— Nós podemos oferecer garantias. Por escrito. Para você e seu esquadrão.

Mordo meu lábio. Pressiono a mordida. Sentando de volta na cadeira, olho para o rosto sem distinções do agente e levanto meu copo para o bartender.

— Me vê outra.

19

ZILA

Não há como entrar e sair do escritório de Casseldon Bianchi sem sermos pegos.

20

AURI

— Não acredito que achou que isso ia caber em mim — Cat reclama atrás de mim, puxando novamente o macacão. — Meus peitos vão pular desse negócio a qualquer instante, Scar.

— Eu ofereci um dos meus sutiãs — responde Scar.

— Achei que estava sendo sarcástica.

Scarlett olha para Cat com um sorriso solidário.

— Só um pouquinho.

Estamos esperando na enorme fila para o baile de gala de Casseldon Bianchi. Eu e Ty, com Scarlett e Cat atrás de nós, usando as roupas mais chiques que as habilidades de pechincha de Scar e os contatos de Dariel poderiam oferecer. Scarlett e Tyler estão lindos como sempre, mas Cat não poderia parecer mais desconfortável usando roupas formais nem se a roupa toda fosse feita de urticária. Estamos andando lentamente na direção dos porteiros que irão verificar nossos convites.

E todo mundo está nervoso.

— Seus peitos vão ficar bem — Scarlett promete para Cat, ajustando a máscara. — É pra ficar exatamente assim. Você está linda. E uau, eu também. Eu *amo* esse vestido.

Ouço a voz de Fin, límpida, no comunicador pequeno, mas soando um pouco trêmula.

— *Membros do Criador, Scarlett... Não que você já não tenha um público para te apreciar na base, mas se você vai nos dar uma visão dessa, um aviso seria útil. Dariel acabou de derrubar café quente em mim, e acho que alguma coisa no meu traje entrou em curto-circuito.*

— Só estou tentando levantar os ânimos — ronrona Scarlett, o mais convencida possível.

— *Normalmente eu não iria reclamar* — acrescenta Fin.

— Eu vou te dar algo para reclamar logo, logo — murmura Cat.

Estamos quase no começo da fila, e agora consigo ter uma visão melhor do par de alienígenas perfeitamente iguais que está verificando os convites. Têm uma pele parecida com couro marrom, e cabeças pequenas que lembram binóculos, os olhos enormes dominando seus rostos. Os pescoços parecem finos demais para dar algum suporte, e os braços são longos e delgados. Enquanto eu observo, um deles se inclina para a direita por cima de um pódio prateado e estende lentamente um dedo, que parece um galho, para devolver um convite a uma mulher particularmente alta e de pele rosa que havia sido oferecido para inspeção.

— Estão olhando para os convites bem cuidadosamente — murmuro, e do meu lado, Ty inclina a cabeça para ver mais de perto.

— Fique confiante — ele sussurra de volta. — Respire fundo. Finja que pertence a esse lugar.

Meu estômago se contorce. Eu *não* pertenço a esse lugar. Não só aqui, mas a nenhum outro lugar da galáxia. Era para eu ter vivido há dois séculos. O cansaço e o medo que sinto esticam cada vez mais longe os laços que me mantinham próximos da minha família, prontos para se partirem e me deixarem sozinha.

Não sei o que vai ser de mim quando isso acontecer.

Dariel jurou que os convites são tão bons quanto os reais — o que não é a mesma coisa que os convites reais, mas Fin parece confiar nele. Nosso membro do esquadrão Betraskano parecia enjoado de ter que pedir mais um favor, e eu conseguia ver que em algum lugar da complexa rede familiar de obrigações, ele tinha acumulado mais uma. Estava falando ainda mais alto e irritando todo mundo desde que isso aconteceu. Compensando os nervos, eu acho.

Estou aos poucos aprendendo mais sobre eles, esses seis jovens soldados que têm minha vida em suas mãos. Mesmo se eu só tivesse os conhecido há cinco minutos, não conseguiria ignorar a frustração de Cat. Estou de braços dados com Ty, e ela está atrás de nós, com Scarlett, e consigo sentir que seu olhar está abrindo dois buracos enormes nas minhas costas. Minha pele coça desconfortavelmente.

A roupa que a está incomodando tanto é o macacão mais bonito que já vi na vida. É o mesmo que tinha visto na minha visão — azul-cobalto, tomara que caia, e apesar de todos os protestos, bem-estruturado para manter tudo no lugar. Ela o combinou — bem, Scarlett combinou — com botas prateadas que dão a impressão de que alguém quebrou um espelho em um milhão de pedacinhos, e então os colou de volta no sapato em um mosaico perfeito, e a máscara que cobre seus olhos é feita do mesmo material.

Ela também usa um cinto grosso dourado e brilhante e nenhuma joia — suas tatuagens estão lindas, e complementam muito bem o resto do look, que tem o decote baixo o bastante para mostrar o gavião espetacular tatuado nas costas, combinando com a fênix na garganta. Pele branca, olhos escuros, e cabelo ainda mais escuro, ela é uma figura intimidante. O tipo de pessoa que quero como aliada, se pudesse ter certeza de que ela seria.

Ela continua me olhando de um jeito que ainda me faz questionar.

O vestido de Scarlett é um complemento perfeito para a roupa da Ás, um azul-turquesa que vai até o chão — e novamente, do mesmo jeito que vi no meu sonho acordada, apesar de que esse ela trouxe sem eu sequer ter dado a descrição. Um arrepio percorreu minha espinha quando o vi.

Como ela sabia qual deles deveria comprar?

O vestido sem alças de Scarlett (do qual Fin e Dariel jamais parariam de falar, tenho certeza) aproveita o mesmo tema do espelho quebrado das botas de Cat, com milhares de contas prateadas espalhadas pela saia mais escura, como se fossem as estrelas no céu. Cerca de trezentos botões vão das costas até o chão. Demorou meia hora para que Zila e eu — as pessoas com os dedos menores — conseguíssemos fechar todos eles. A máscara dela faz os seus grandes olhos azuis brilharem ainda mais com tons de prata.

As duas parecem tão lindas, tão ferozes, agora que não estão mais usando os macacões da Academia Aurora. Eu sei que deveria estar nervosa, mas fico um pouco mais corajosa ao lado delas.

Meu próprio vestido é a coisa mais bonita que já vesti. Era o que eu teria escolhido para a festa de formatura, se tivesse tido alguma.

O que será que Callie usou na formatura dela?

O corpete de seda é ajustado, vermelho e dourado com bordados que formam padronagens complexas. Tem mangas que cobrem só um pouco dos ombros, e um colarinho alto e justo no pescoço. A parte de cima é como o qipao que usava em casa, mas a saia na altura dos joelhos tem dezenas de camadas em tule vermelho. Eu queria rodopiar igual a uma bailarina quando vesti, mas Scarlett estava me examinando cuidadosamente.

— Não tinha tanta certeza sobre a seda — disse ela.

Olhei para baixo, alisando tudo com a mão.

— É perfeita.

O olhar dela se demorou, e foram alguns segundos antes de ela falar de novo, hesitando, o que não era do seu feitio.

— Você disse que seu pai... quer dizer, eu sei que não é chinês *de verdade*, sabe, mas...

Foi então que percebi que ela queria encontrar para mim algo que me lembrasse de casa. E eu parei de respirar, assim como perdi completamente minhas palavras.

— É... — Olhei para o vestido de novo. — É realmente perfeito, Scarlett, obrigada. Acho que ele teria adorado. Manter a nossa cultura viva era muito importante para ele.

Parecia que outra pessoa estava falando, conversando sobre meu pai com os verbos no passado, e eu conseguia ouvir como minha voz estava cuidadosa, um pouco animada demais, levemente exagerada para lhe mostrar que eu estava tentando, e muito.

Manter a nossa cultura viva na nossa família *era* importante para ele. Quando eu ainda era criança, a melhor maneira de adiar a hora de dormir era pedir uma história tradicional de um dos livros velhos na estante. Depois que deixou minha mãe para trás, fiquei tão brava com ele que falei que isso de história para dormir era só mais um exemplo de como alguma outra coisa importava para ele mais do que a família. Ele não gastaria mais tempo conosco por *mim*, mas faria isso pelas tradições que eram tão importantes.

Só que talvez ele apenas quisesse uma desculpa para passar mais tempo juntos.

Scarlett se ocupou arrumando meu cabelo, passando tinta pela mecha branca, e colocando uma microcâmera disfarçada como pinta na minha bochecha. Foi um momento íntimo, mas o toque não pareceu como uma imposição. Pareceu reconfortante.

— Eu e Ty entendemos — disse ela baixinho. — Sabemos como é perder um pai. Cat e Zila também. Se precisar conversar sobre isso, estou aqui.

Talvez ela só estivesse cumprindo seu trabalho de Frente, a diplomata do esquadrão, deixando todos confortáveis, mas acho que não — ou preferi acreditar que não era isso que estava fazendo. Preferi acreditar que aquele momento era real.

Fin nos deu uma pequena rodada de aplausos quando saímos do quarto nas nossas roupas, e Zila olhou para mim, acenou a cabeça e disse:

— Adequado.

Kal nem sequer olhou para mim.

Diferente dos outros, eu sou de fato uma fugitiva procurada, então um baile de máscaras é provavelmente o único lugar em que posso ser vista em público. Minha máscara cobre a parte de cima do rosto, deixando apenas os lábios e o queixo expostos. Suas lentes escurecidas disfarçam meus olhos díspares, e é feita de um veludo vermelho misterioso. Parece alguma coisa de um filme de espião.

Honestamente, faz com que eu me sinta meio ameaçadora.

O último membro do nosso quarteto é Ty, que reclamou da sua roupa tanto quanto Cat. Estava curiosa para ver se um terno ainda era um terno depois de uns duzentos anos de mudanças, e a resposta era *meio que sim*. O terno tinha um tipo de corte que parecia que ia se desfazer a qualquer momento, e ainda assim parecia ter custado uma fortuna. Pelo menos depois de Scarlett ter feito algumas alterações.

Ele também está usando botas pesadas, uma calça preta justa (foi essa parte que o fez se juntar a Cat no coro de reclamações de "Você só pode estar brincando!) com fitas pretas amarradas ao redor da perna esquerda, como se estivesse com um coldre, e enormes zíperes prateados cruzando o quadril. A camisa e o paletó são igualmente ajustados, e a máscara é feita de um material preto que cobre seus olhos. O gêmeo Jones número 2 está tão bonito quanto a irmã.

— *Ei, clandestina* — diz Fin no nosso canal de comunicação quando andamos mais para a frente na fila dos porteiros. — *Estou lendo aqui sobre o significado da cor vermelha na cultura chinesa, e...*

— Pera, você sabe *ler*? — pergunto.

— *Ah, agora resolveu me provocar para esconder seus sentimentos por mim, também? Todas as garotas desse time estão planejando se apaixonar perdidamente por mim?*

— Fique quieto — murmura Ty. — Estamos quase entrando.

Conforme o casal na nossa frente passa pelas enormes portas duplas e entra no festival de cores que fica além delas, respiro fundo, aliviada. Tenho quase certeza de que Fin ia comentar sobre como o vermelho é a cor tradicional dos vestidos de casamento. Com Cat logo atrás de mim, e eu de braços dados com Ty. Mesmo sem estar armada, ela provavelmente conseguiria arrancar minha cabeça com as mãos e usar como bola de basquete. Não faço ideia se Ty sabe sobre os sentimentos dela, mas se eu notei com só alguns dias de convivência...

O alienígena estica o braço para pegar o convite de Ty com seus dedos finos. A superfície de plástico flexível fica azul debaixo do seu toque, e depois volta para a cor creme. Eu me forço a respirar devagar, e então percebo que estou me apoiando tão firme no braço de Ty que ele está inclinado de lado para compensar a nossa diferença de altura. Solto ele, corando, e isso é distração o suficiente para que os próximos segundos passem.

O alienígena nos manda seguir em frente, se virando para inspecionar o convite de Scarlett e Cat.

Ty e eu passamos pelo arco, onde há outro alienígena — dessa vez, um Betraskano corpulento com uma máscara de cerâmica branca e lentes de contato pretas — que nos aponta diretamente para a próxima parte da segurança. Ficamos mais uma vez na fila e erguemos nossas mãos. Uma série de luzes vermelhas começam a passar pela nossa cabeça e continuam descendo pelo corpo, talvez registrando nossos rostos, ou procurando por armas, não tenho certeza.

Fin está falando nos nossos ouvidos de novo conforme esperamos as garotas chegarem para a próxima etapa.

— *Por favor, lembrem-se de que eu vou precisar do máximo de tempo que puderem me dar para captar o sinal. De preferência, conversem com o sr. Bianchi.*

— E tentem não ser devorados — Ty diz baixinho, virando a cabeça como se estivesse murmurando no meu ouvido.

— *Quanto mais cedo ele tocar a chave* — Fin acrescenta —, *mais cedo posso começar. Eu preciso que um de vocês chegue a um metro dele quando o código mudar.*

Seu tom está calmo, mas vi seu rosto mais cedo enquanto acertávamos o resto do plano na sala de Dariel.

Nem ele tem certeza de que consegue fazer isso.

Eu deveria estar apavorada, mas assim que Cat e Scarlett passam pela segurança, descubro que, de algum modo, não estou. Estou sentindo uma paz estranha, como a tranquilidade que sentia antes das competições de orientação, ou encontros do grupo de corrida. Estou nervosa, mas estou indo na direção do meu objetivo.

Não sou a garota que começou a jornada para Octavia, que se preocupava com coisas irrelevantes, como se teria alguém da minha idade para eu namorar, ou se estaria em forma o bastante para completar meu estágio de Exploração e Cartografia com Patrice.

Não sou a garota que estava triste por perder sua vida social quando entrou na cápsula de criogenia, ou que enfiou um esquilo de pelúcia dentro da pequena mala de pertences pessoais.

Sou outra coisa agora. Mesmo se eu não souber o quê, não faz com que seja menos verdade. Consigo sentir mais a cada momento, a cada dia.

Quem eu era, no entanto, também tem um trabalho a fazer aqui. Eu treinei para explorar porque queria ver tudo, e agora estou conseguindo fazer isso. Quando meus pais estavam se preparando para a missão de Octavia, eu mudei de escola duas, três vezes ao ano. Sei como me movimentar em um lugar cheio de estranhos. E vou fazer isso agora como se pertencesse a esse lugar.

Scarlett e Cat ficam ao nosso lado, Scarlett está serena, Cat, de cara feia, e nós quatro olhamos para a pista do baile pela primeira vez.

E não se parece com nada que eu já tenha visto antes, ou que sequer tenha imaginado.

Porque é embaixo d'água.

Estamos em um enorme salão cavernoso redondo, e automaticamente saímos pelo lado direito, seguindo a curva da parede para tentarmos nos recuperar.

As paredes são feitas de vidro, e vendo meu reflexo, percebo que estou olhando para um aquário que se expande até onde não consigo mais ver. É de um tom de água-marinha na base, cintilante e claro, e que escurece para um azul aveludado e então violeta quando continuo acompanhando a altura.

Não consigo ver onde encontra o telhado, uma abóboda gigantesca e infinita coberta de luzes delicadas que...

Ai, carácoles, a abóboda acima de nós é uma *galáxia*. Aglomerados de estrelas e nébulas dançam lentamente ao redor dos abismos, percorrendo graciosamente em seus caminhos predeterminados, deslizando ao redor umas das outras como dançarinos dos velhos tempos. Milhões de anos se aceleram diante dos meus olhos em um balé cósmico.

As botas espelhadas de Cat e as contas prateadas do vestido de Scarlett cintilam em uma luz azul infinita, e os dentes de Ty brilham quando ele sorri. Há mais de mil pessoas aqui, e não vejo mais do que algumas dezenas de humanos.

Estou debaixo d'água. Em uma estação espacial.

O salão é um caleidoscópio brilhante de cores cintilando entre as luzes. Todas as silhuetas possíveis estão representadas na criatura viva e pulsante que a multidão se tornou. O lugar inteiro parece se mexer com música, um baixo grave que percorre diretamente minha coluna provocando um arrepio fascinante. Consigo ouvir a conversa e as risadas, vindo até nós por ondas, conforme as mãos da multidão se levantam em uníssono para marcar a mudança da batida.

É como uma boate underground, como uma versão adulta de um conto de fadas intergaláctico com um toque de perigo, cada rosto e segredo escondido atrás de uma máscara. E quando sorrio, quase estou arreganhando os dentes, e o resto da minha incerteza se esvai. O que eu quero está aqui. E em algum lugar da escuridão, consigo ouvir o seu chamado.

Sr. Bianchi...
Pode sair, onde quer que você esteja...

COMO SE DIVERTIR
▶ FESTAS
▼ FESTAS FAMOSAS DA HISTÓRIA

A terceira maior festa da história ocorreu ao redor do **Sistema Wroten** por ocasião do casamento de **Grande Julesli**. As festas contaram com mais de 437 mil convidados de mais de vinte e sete planetas, e uma das únicas três performances conhecidas da **Dança Proibida de Bas**. Ao fim da festa, o Grande Julesli foi casado com seus setenta e três cônjuges – e provavelmente estava bastante cansado.

A segunda maior festa da história foi dada na **Terra**, em 1694, pelo **Almirante Naval Edward Russell**. Esse campeão entre os humanos misturou 950 litros de conhaque, 470 litros de vinho, 635 quilos de açúcar, 75 litros de suco de limão e 3 quilos de noz-moscada em uma enorme fonte de coquetéis. Literalmente uma *fonte*. Os bartenders comandavam *canoas* em turnos de apenas quinze minutos, já que o aroma era forte demais, e precisou de cinco mil convidados e oito dias para beberem tudo. Almirante Russel, eu sou apenas um humilde univigdro, mas eu lhe saúdo.

Sem dúvida nenhuma, por fim, a maior festa na história foi organizada pelo povo **Keet** de **Leibowitz VII**. Uma má-interpretação infeliz de uma profecia antiga fez com que os Keet acreditassem que o apocalipse estava próximo, e eles decidiram festejar como se o mundo fosse acabar. Os anais de Piecemeal sugerem que uma decisão lamentável envolvendo uma **competição de dança** e o maior reator de antimatéria no planeta acabou resultando na concretização prematura da profecia.

21

FINIAN

Acontece que Dariel realmente curte peixes. Por essa eu não esperava.

— Olha só pra aquele ali!

É como uma criança que foi pela primeira vez ao Bazar Muthru, a atenção correndo de um lado pro outro. Estou tentando guiar o meu time usando as câmeras de segurança no teto e o arranjo de microcâmeras que está acoplado aos seus lindíssimos seres, e ele está ocupado demais para ajudar olhando para o aquário no salão de baile.

— Isso não é um peixe — falo para ele. — É uma pedra. Tem certeza de que somos parentes?

— Peixe! — ele diz triunfante quando a pedra arroxeada coberta de musgo leva um susto com um cardume de lulas microscópicas amarelas e rosa. Os olhos abrem repentinamente, e a criatura se movimenta com o que achei que eram conchas, mas na verdade são barbatanas, e se vai rapidamente deixando uma nuvem de areia em seu lugar.

— Tudo bem, era um peixe — concordo. — Já foi. Me ajuda aqui.

— *Finian?* — é a voz do nosso líder destemido, parecendo um pouco confuso com o rumo da conversa.

Droga, me esqueci de deixar meu uni no mudo.

— Não é nada, Garoto de Ouro — digo, alegremente. — Estou checando como vão Zila e Kal, e Dariel está olhando as câmeras procurando por nosso anfitrião. Vocês já acharam...

Olho para a tela do meu primo e vejo que está preenchida por outra droga de peixe. É uma coisa enorme e oval, parece um pouco com uma bola de kebar com seis olhos grudados na frente. São olhos esquisitos, porém — todos fixados à frente. O domo da cabeça é completamente transparente, a água azul visível atrás dos olhos.

— Isso é o cérebro dele — Dariel sussurra, fascinado, apontando para uma massa amorfa branca dentro da cabeça transparente.

— Está com inveja que ele tem um? — disparo. — Faça-me o favor, preste atenção.

Ele bufa quando mudo minha tela para a câmara de Zila, tentando não pensar muito no quanto estou soando como a minha mãe menos favorita.

Estou com Kal e Zila em canais de comunicação separados. Garoto de Ouro está escutando para ter certeza de que está jogando nos dois times.

Eu consigo pensar numa piada meio suja com essa colocação.

Os dois fizeram bastante progresso, e estão quase no ponto de entrada, marchando por um corredor público lotado e parecendo só um pouco suspeitos em seus uniformes de cores vibrantes que definitivamente parecem roubados. Kal está carregando caixas marcadas com TIO ENZO'S — A GENTE SE VIRA NOS 30. Zila está com brincos que imitam pedaços de pizza. E em um armário no décimo sétimo andar, tem dois entregadores de fast-food praticamente nus que vão acordar com uma ressaca daquelas amanhã.

Zila realmente ama sua pistola disruptiva.

— Beleza, Zila, Garoto-fada — falo, só para vê-lo franzir o cenho. — As câmeras nessa área estão agora em um loop. Estou transmitindo gravações dos corredores vazios para os capangas na Central Bianchi, mas vocês ainda podem encontrar patrulhas de segurança nos corredores. Vou guiar vocês por eles. Então vocês se mexem só quando eu disser que *podem*. Está claro?

— Está claro, Legionário de Seel — Zila responde simplesmente.

— Aproximem o unividro da fechadura, vou abrir pra vocês.

Os dois alcançam uma porta pesada marcada com SOMENTE PESSOAS AUTORIZADAS. Kal faz uma encenação exagerada de derrubar as caixas de entrega e xingar alto enquanto Zila chega perto do painel de controle. A criptografia não é moleza, mas um unividro padrão da Academia também não é um brinquedo, e apesar de eu ser bom em consertar as coisas, sou melhor ainda em quebrá-las. Demora trinta e sete segundos para acabar com os controladores de invasão na fechadura.

Estou ficando mais lento na terceira idade.

— Está bem, o corredor ali na frente vai ficar limpo em doze segundos — digo. — Aliás, esse uniforme fica ótimo em você, Kal. Você está gato.

Garoto-fada ajusta o chapéu ridículo na sua cabeça.

— Eu estou parecendo um tolo. É apertado demais. Como vou lutar usando isso?

— Sei lá. De um jeito sexy?

— *Você não é bem um guerreiro, não é, Finian?*

— Bem, e você não é... — seguro minha resposta quando a patrulha de segurança vira e sai pelo outro corredor. — A barra está limpa, vão, vão.

Zila abre a porta e entra, Kal logo atrás. O Garoto-fada passa as caixas de entrega para ela e pega sua pistola disruptiva de dentro delas. Não é como se fosse conseguir atirar aqui sem colocar tudo a perder, mas ele é do tipo que se sente mais confortável com uma arma na mão.

Ao meu sinal, eles correm para o próximo corredor, entrando no armário de manutenção por alguns segundos antes de outra patrulha virar a esquina. Estou acompanhando dezessete câmeras diferentes de uma vez, determinando o caminho das patrulhas em um esquema complicado, tentando adivinhar para que lado vão e também tentar fazer minhas crianças chegarem...

— Grande Criador — Dariel murmura ao meu lado.

Meu coração acelera para ver o que o está preocupando, só para dar de cara com uma... coisa prateada gigantesca no monitor. Exibe uma fileira de caninos perfeitamente brancos que deixariam qualquer assassino em série orgulhoso. E ainda outra fileira além dessa. Scarlett também deve estar fascinada, porque sua microcâmera segue a criatura nadando perto do vidro. A pele ondula em uma demonstração de ameaça, prateada, azul e vermelha.

— Achei que você era ateu — rosno, dando uma cotovelada nele e voltando a prestar atenção em Zila, Kal e nesse roubo que estamos tentando arquitetar.

É tão difícil encontrar ajudantes bons hoje em dia...

Mas mesmo reclamando — Dariel é tão útil quanto uma toalha à prova d'água —, não posso negar que estou me divertindo. Trocando fofocas de família com meu primo enquanto falamos de peixes, respirando o ar das pedras molhadas, na luz fraca das trepadeiras, e observando as telas, guiando os membros do meu esquadrão por aventuras assustadoras — é como voltar a ser criança.

Continuo guiando meus dois ajudantes por mais seis corredores e dois encontros de quase morte antes do momento inevitável.

— Certo, fim da linha. O gerador de gravidade está logo em frente. Hora da segunda fase, criançada.

Kal se desvencilha de Zila como um fantasma. Ela fica completamente imóvel, esperando que ele entre em posição, os olhos escuros fixados no teto, a pele retinta quase reluzindo com as luzes acima. Ela é boa nisso — se não precisa fazer alguma coisa, ela só não faz. Talvez para que consiga canalizar para um plano sombrio de dominação da galáxia qualquer poder extra que tenha naquele cérebro gigante dela...

— Podem ir — sussurro, e ela vira o corredor ainda no uniforme de entregadora, parecendo completamente perdida.

Os quatro guardas nas portas pesadas no fim do corredor congelam. Eles olham para o uniforme de Zila e as caixas, fazem algumas contas de cabeça, e então erguem suas armas.

— *Pare!* — um deles grita, e Zila obedece, até deixa as caixas caírem e ergue as mãos no ar por precaução.

— *Essa área é restrita!*

— *O que está fazendo aqui?* — questiona outro, decidindo não se aproximar mais antes de determinar se ela é perigosa ou não. Consigo até ver as engrenagens rodando. Ela é tão pequena. Ela está a dez metros. Como é que pode ser perigosa?

— *Eu tenho uma pergunta* — ela diz, naquele tom solene de sempre.

Os quatro olham para ela sem entender.

— *Nos programas de entretenimento* — continua —, *geralmente observo cenas em que grupos de guardas são intimidados por uma pessoa infiltrada que quase sempre parece ser inofensiva enquanto um intruso maior e mais perigoso usa essa distração para incapacitá-los. Estava me perguntando se vocês acreditam que isso é um comportamento realista para grupos treinados de segurança.*

Os quatro piscam confusos, do mesmo jeito que quase todo mundo fica quando está conversando com Zila Madran.

— Você está de...

O guarda não consegue falar mais nada antes de Kal descer dos tubos de ventilação e o acertar bem na nuca. Em alguns segundos, ele acabou com os outros três sem sequer se ouvir um grito. Sem precisar da pistola disruptiva.

— *Eu realmente acreditei que você levaria um tiro* — Zila se aventura a dizer.

Kal se vira na direção dela, as sobrancelhas erguidas.

— *Você disse que eu tinha chance de oitenta e sete ponto três por cento de sucesso.*

Ela inclina a cabeça.

— *Não queria que você ficasse nervoso.*

— Está bem, vocês dois — digo. — Vou olhar como está o Time A. Os geradores de gravidade estão depois das portas. Kal, esconda os corpos. Zila, você tem minhas instruções.

— Ela está solteira? — Dariel sussurra, os olhos fixos em Zila.

— Eu vou cortar os seus dedos fora — digo. — Um por um, e então você vai poder observar enquanto eu os dou de comida para os peixes, se você não parar de me interromper.

Ele ergue as mãos em um gesto de "Calma aí! Qual o seu problema?" e eu cerro meus dentes, olhando de volta para as câmeras.

Estou percorrendo cada parte do salão lotado com o olhar, procurando por Bianchi, mas ele se destaca como um Betraskano em uma tempestade de neve — o que quer dizer, nadinha de nada. Ele é azul, e graças à luz do aquário e do céu estrelado, tudo no cômodo também está dessa cor. Não ajuda todo mundo nessa festa estar usando uma droga de máscara cobrindo o rosto.

Mantenho minha busca metódica, percorrendo cada um dos quadrados na imagem, até que eu finalmente o encontro. Ele está com os quatro braços no ar, balançando no ritmo da música de sacudir o esqueleto, os dentes afiados em um sorriso maníaco. Está rodeado pelo que posso descrever apenas como um harém, uma dúzia de belos jovens de diferentes espécies e gêneros, todos ao seu redor. Estão dançando com ele, virados na sua direção como flores maza se viram para o sol.

Além deles está um círculo de seguranças que eu poderia facilmente descrever como "aterrorizantes". São Chellerianos como Bianchi — grandes e azuis, com mais dentes do que cabeça. Os músculos quase não cabem nos ternos que estão vestindo, o que, levando em conta a qualidade dos alfaiates de Bianchi, provavelmente foi uma escolha. Ficam na multidão ao redor do seu chefe, os quatro olhos observando a multidão, volumes suspeitos dentro dos paletós.

— Vamos lá, criançada — digo para o meu time. — Bianchi está no canto noroeste. Ele está com um monte de seguranças ao redor, e só tem um jeito de vocês chegarem perto.

— *E o jeito é?* — Garoto de Ouro pergunta.

— É melhor remexer essas bundas.

— *Certo* — diz Ty sem hesitar, pegando a mão de Aurora e a puxando pela multidão. Consigo distinguir vagamente seu gritinho de surpresa por cima do baixo revigorante da música.

Scarlett e Cat ficam um pouco mais ao lado do aquário. Scarlett está observando as outras pessoas perto da parede, mas, da microcâmera, consigo ver um dos peixes mais próximos na visão periférica, e agora Dariel me convenceu a prestar atenção nessas porcarias.

Casseldon Bianchi realmente tem uma coisa de cada espécie da galáxia, pelo que consigo perceber. Esse peixe é sinuoso, de dois metros, um laranja flamejante como o cabelo de Scarlett. O truque principal, porém, são os sacos de veneno enormes ao lado do rosto, cada um maior do que a própria cabeça, dando a impressão de bochechas infladas. Seus olhos brancos ficam arregalados, como se estivesse tão surpreso quanto eu em relação a sua aparência.

Cat, por outro lado, está olhando fixamente para nosso Alfa e nossa clandestina, do mesmo jeito que tem feito a noite toda.

Eu não gosto de onde esse tipo de fixação pode levar. Já presenciamos uma explosão, e mesmo que depois tenha se esgueirado de volta para a casa de Dariel, com cheiro de semptar Larassiano, ainda há algo inquietante sobre ela.

— Uh, Zero — digo. — Pode dar uma voltinha para eu ver o resto do salão?

Ela concorda, e se vira lentamente em um arco duzentos e setenta graus, me deixando olhar para a multidão. Não tem nada que ainda não tenha sido visto nas câmeras superiores, mas como sempre, nossa Frente infalível não deixa de notar o pedido em minha voz. Ela chama a atenção da Ás ao seu lado.

— *Por que só eles estão se divertindo?* — Scarlett pergunta, e pega a mão de Cat, puxando-a para o centro da multidão.

Cat está engasgando, e Scarlett está dando risada, e mesmo com toda a tensão que me percorre, sorrio também. Scarlett tem uma *ótima* risada. E agora está pegando nossa pilota nos seus braços e a jogando de costas enquanto a segura em um passo de dança extravagante.

Há tantas espécies diferentes aqui que cada um está dançando do seu próprio jeito. Sozinhos, em pares, em dúzias, as mãos dadas, os corpos interligados ou sem sequer se tocar. Depois de cinco anos na Academia Aurora, os corredores preenchidos apenas por Terráqueos e Betraskanos, e mais recentemente, um ou outro Syldrathi, não estou tão acostumado a essa mistura. Cresci com meus avós em uma estação como essa, e eu amava.

Estava com saudades.

Scarlett e Cat agora estão dançando do jeito mais ridículo, as mãos dadas e empurrando para a frente de um jeito dramático.

— O que estão fazendo? — pergunto do outro lado da linha.

— *Tango. Uma dança tradicional Terráquea. É muito romântico* — Scarlett diz, apesar da risada de Cat me fazer duvidar que estejam próximas de acertar qualquer passo.

Garoto de Ouro e Aurora realmente não sabem dançar juntos, mas os dois estão aprendendo rápido ao colar alguns passos da multidão ao redor, e é satisfatório ver que tem ao menos *uma* coisa na qual ele não é imediatamente o melhor. Ainda mais importante do que isso, estão cada vez mais perto de Casseldon Bianchi.

— Certo, vocês precisam ficar perto o bastante para eu conseguir captar o sinal — aviso a eles enquanto dou uma olhada nas câmeras, procurando qualquer sinal de problema. — Não perto o suficiente para que os capangas resolvam arrancar suas cabeças. Lembrem-se...

— *Um metro* — Ty e Auri respondem em um coro.

— Eles de fato *podem* ser adestrados!

Zila fala nos comunicadores.

— *Finian, estou na posição adequada?*

Olho para minha outra tela. Os dois já estão perto dos geradores gravitacionais. Preciso continuar o meu malabarismo, deixando minhas bolas no ar.

Rá. Bolas no ar.

— Parece bom — respondo. — Os explosivos ficam no segundo polidor.

— *Estou ciente disso* — Zila concorda.

— Tem uma segunda patrulha indo na direção de vocês — digo. — Talvez tenham que planejar o que fazer com eles caso percebam que os guardas não estão aí ou resolvam enfiar a cabeça na sala do gerador. Vejam se arrumam uma distração.

— *Kal, escovou os dentes hoje de manhã?* — Tyler pergunta nos comunicadores.

— *Talvez não precisemos ir tão longe* — Kal responde.

Tyler solta uma risada e ouço Auri perguntar o que é tão engraçado. Vou tentar me lembrar de perguntar depois. Depois. Agora, estou ocupado demais.

— Coloquem os detonadores remotos e corram de volta pra cá — digo para Zila e Kal.

Olho para minha outra tela para checar o progresso de Aurora e Garoto de Ouro. Estão mais perto agora — consigo ver Bianchi em uma das microcâmeras. Tem só duas fileiras de dançarinos mascarados entre eles e o prêmio.

Estão perto da segurança, perdidos na multidão de luz e cor, muito próximos do metro mágico. Os guardas parecem preocupados, mas não dão a impressão de que vão arrancar a cabeça de ninguém. Chuto que Ty e Auri parecem o equilíbrio certo entre bonitos e entediantes, sorrindo um para o outro feito bobos.

Acho que vão conseguir.

Meus dedos estão prontos para fazer a conexão, prontos para agir ao menor sinal de que a mão de Bianchi vá encostar na chave. Não sei nem se vou conseguir fazer isso, já tem muita coisa saindo daquele cômodo. Conseguir me conectar a um único sinal será como tentar pegar uma faca enquanto mil outras são atiradas na minha direção, e eu realmente nunca fui pegador na escola.

É bom mesmo não estarmos mais na escola.

— Certo, só um pouquinho...

A porta do apartamento se abre, estourando nas dobradiças, derrubando uma dúzia de caixas dos lixos de Dariel e espalhando tudo em todas as direções. As folhas das trepadeiras cinti se acendem rapidamente com o impacto ao redor, e uma estalactite quebra do teto, passando rente por mim antes de estilhaçar no chão.

A adrenalina vem com tudo, e eu saio sem pensar nos cabos que me conectam ao meu escritório improvisado, arrancando tudo rapidamente. Minhas telas ficam todas cinza, estáticas, e perco a visão do meu time.

Um esquadrão de capangas entra pela porta, as armas em punho. Estão de armadura sem nenhuma marcação, mas não dá para não perceber que todos são Terráqueos. Cortes de cabelo militares. Os músculos de humanos que passam o dia levantando objetos pesados e os depositando no chão novamente.

Dariel abre a boca como se fosse um dos seus peixes.

— Não era para vocês chegarem agora! — ele grita.

Meu estômago estremece quando duas figuras entram atrás dos capangas. Armaduras cinza sem rosto, com capacetes idênticos, nenhum sinal de identificação.

Droga, droga, drogaaaaa.

É a AIG.

Aperto o botão de mudo do meu unividro, coloco ele debaixo de um pacote vazio de "É Vipo Miojo de Verdade!™", e então uma das figuras se pronuncia, a voz um monótono eletrônico.

— Olá, legionário de Seel.

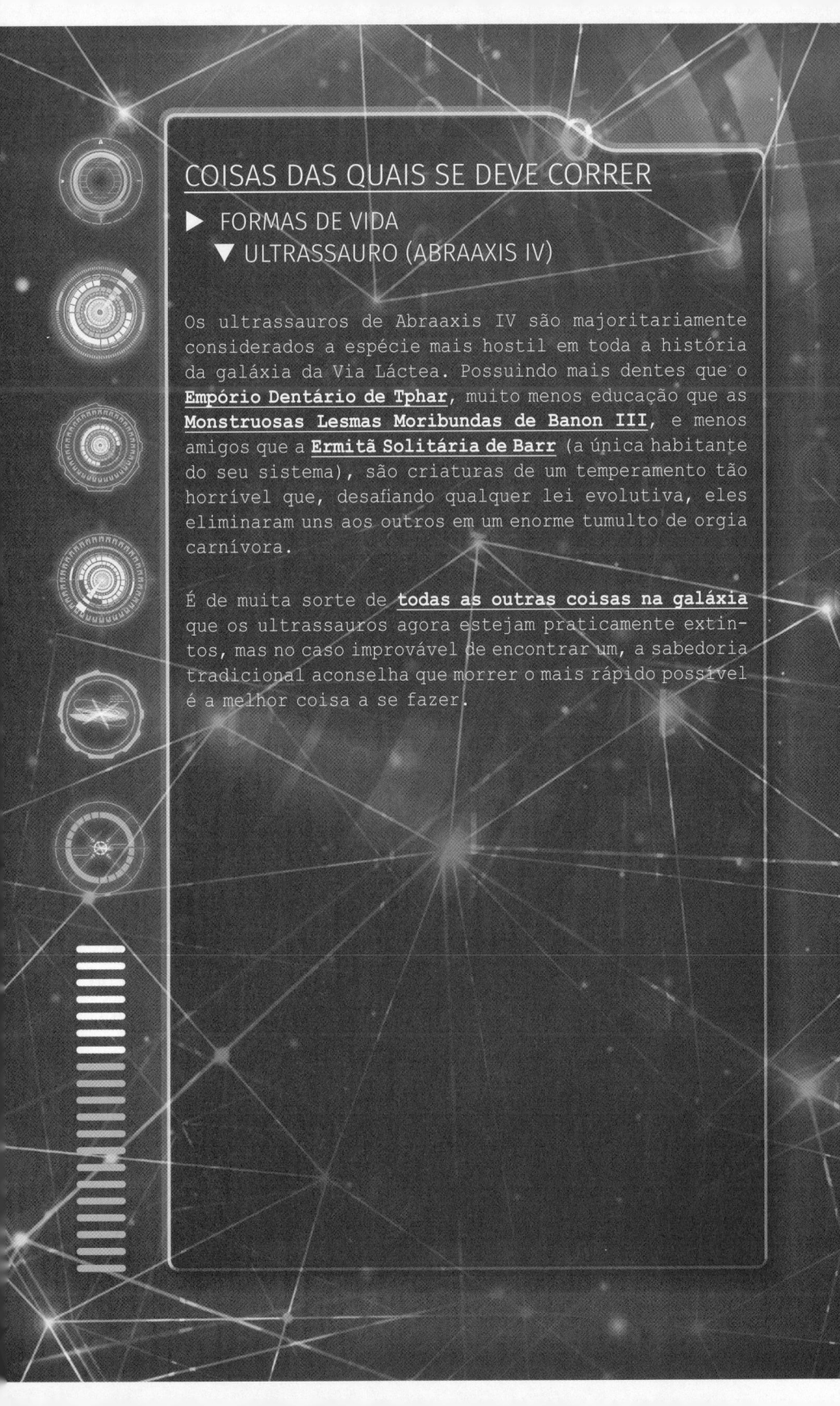

COISAS DAS QUAIS SE DEVE CORRER
▶ FORMAS DE VIDA
▼ ULTRASSAURO (ABRAAXIS IV)

Os ultrassauros de Abraaxis IV são majoritariamente considerados a espécie mais hostil em toda a história da galáxia da Via Láctea. Possuindo mais dentes que o **Empório Dentário de Tphar**, muito menos educação que as **Monstruosas Lesmas Moribundas de Banon III**, e menos amigos que a **Ermitã Solitária de Barr** (a única habitante do seu sistema), são criaturas de um temperamento tão horrível que, desafiando qualquer lei evolutiva, eles eliminaram uns aos outros em um enorme tumulto de orgia carnívora.

É de muita sorte de <u>todas as outras coisas na galáxia</u> que os ultrassauros agora estejam praticamente extintos, mas no caso improvável de encontrar um, a sabedoria tradicional aconselha que morrer o mais rápido possível é a melhor coisa a se fazer.

22

CAT

— *Finian, já estamos posicionados.*

O relatório de Tyler crepita nos comunicadores do esquadrão, quase se perdendo no meio da música. Estou observando tudo através da multidão dançante, as luzes piscando, o azul estonteante. A batida está irradiando nos meus ouvidos e meu coração está pulsando nas minhas têmporas enquanto vejo Tyler e O'Malley dançarem. Estão mais próximos agora, próximos o bastante de Bianchi para Finian fazer sua mágica. Tyler se inclina, fingindo sussurrar algo no ouvido de O'Malley. Ela sorri como se fosse algo engraçado. Minha mandíbula se aperta.

— *Finian?* — Tyler pergunta. — *Você está me ouvindo?*

Não há nenhuma resposta.

Sinto meu estômago se apertar. Ele está ficando mais barulhento depois do bar de ontem à noite, depois que os agentes se despediram e trocaram o contato com o meu unividro para me enviar a papelada — os documentos oficiais, todos carimbados com o selo da AIG, e assinados com a digital do meu dedão. Palavras como *imunidade* e *cooperação* e *captura* estão escritas em negrito. Palavras nas quais eu não quero pensar.

— *Alguém consegue ouvir Finian nos comunicadores?* — Tyler pergunta.

— Fin, está me ouvindo? — Scarlett pergunta ao meu lado.

Nada.

Não era para acontecer assim.

Tyler se aproxima do ouvido de O'Malley de novo, tentando disfarçar o mexer dos seus lábios.

— *Zila, Kal, qual é o status?*

— Os detonadores estão prontos — Garoto-fada responde. — Acabamos de sair do Controle de Gravidade.

— Acho que estamos com um problema. Finian não está respondendo. Se ele não conseguir pegar o sinal, não conseguiremos abrir a porta do escritório de Bianchi.

— Por que ele não está respondendo?

— É isso que eu quero que vocês descubram. Voltem para o apartamento de Dariel, mas esperem ter problemas. Scar, quero que vá com eles como time de apoio.

— E o que vamos fazer? — Scarlett pergunta.

Olho através da multidão para encontrar o rosto mascarado de Tyler na luz pulsante. O amontoado de corpos se mexendo e virando ao redor dele. Bianchi e os concubinos, pessoas de todos os tamanhos e formatos ainda se mexendo de acordo com a batida. Tyler está perfeitamente imóvel. Tez franzida. Olhos estreitos. A mente acelerada.

— Cat, nos encontre perto do banheiro.

Scarlett olha para mim, e vejo sua incerteza. Uma vez que Tyler deu uma ordem, porém, ela não vai recusar em público. Ela é tão leal a ele quanto eu.

Tão leal quanto eu...

— Tome cuidado, parceira — eu a aviso.

— Você também — ela assente.

Nós nos separamos, Scar voltando para a saída, eu tentando me desvencilhar da multidão. Tyler e O'Malley estão tentando sair da turba de corpos perto de Bianchi lentamente, tentando não chamar a atenção. Fico com a mão no aquário enquanto ando, observo enquanto uma dúzia de minhocas luminescentes seguem o caminho que meus dedos traçam pelo vidro. Meu coração bate forte. A música está alta demais.

— Você está bem? — Tyler pergunta quando me vê.

— Estou ótima, senhor — respondo por instinto.

Tento não notar a maneira que O'Malley se apoia no braço dele. Digo a mim mesma que ela está sobrecarregada ao ver tudo isso, muito mais do que eu. Ela não sabe de nada. Não pode saber.

— Quais são as ordens, senhor?

— Os explosivos de Zila e Kal já estão no lugar. — Ele dá uma batida no seu univídro. — Mesmo sem Fin, consigo detoná-los a distância. Quando explodirem, a segurança de Bianchi ficará em um caos completo. Ainda temos uma janela de tempo, exatamente como planejamos.

— Mas sem Fin, não conseguiremos a senha — O'Malley protesta. — Mesmo se chegarmos no escritório de Bianchi, não conseguiremos passar da porta.

Tyler olha para a planta da apresentação de Finian e aponta o que está vendo.

— A porta não é o único jeito de entrar.

— Você não está falando sério — eu digo.

Tyler pisca, e meu coração despenca até minhas botas.

— Estou improvisando — ele sorri.

Alguns minutos depois, estamos espreitando perto de uma porta de plastil em um canto esquecido do salão de baile. É um pouco mais quieto desse lado, e alguns casais e um trisal estão se conhecendo melhor na escuridão. Letras enormes em vermelho estão marcadas na porta em uma língua que não sei ler. Se eu fosse botar minhas fichas em alguma coisa, apostaria as chaves da Longbow que está escrito ZOOLÓGICO: SOMENTE PESSOAS AUTORIZADAS.

A porta é guardada por quatro capangas Chellerianos, a pele azul brilhando na luz fraca, as máscaras pretas cobrindo seus quatro olhos vermelhos como sangue. Cada um deles está de pé com os quatro braços cruzados em cima do peito, mas não estão exatamente em estado de alerta — há câmeras por todos os lados, afinal de contas, e quase cem guardas em todo o salão. E como disse Ty, ninguém em toda a Via é idiota o suficiente para mexer com Casseldon Bianchi.

Bem, quase ninguém.

Tyler olha para mim, o branco dos olhos brilhando na luz negra.

— Pronta?

— Isso é uma pegadinha?

Nós nos inclinamos para baixo, ativamos o interruptor nas nossas botas. Os ímãs elétricos que Finian instalou nos nossos saltos começam a ronronar suavemente, nos fixando no chão de metal. Tyler olha para O'Malley e aperta a mão dela.

— Só finja que está bêbada e bem idiota — ele diz.

— A segunda parte deve ser beeeem fácil — murmuro.

Começamos a avançar na direção dos guardas, os saltos batendo no salão. É um pouco estranho se mexer com botas magnéticas, mas Tyler vai na frente, trocando as pernas. Ele estremece, quase cai. Eu o carrego, tentando não parecer envergonhada, mas também igualmente bêbada ao mesmo tempo. O'Malley está em algum lugar atrás de nós. Os capangas nos olham de cima abaixo quando chegamos perto.

Tyler ergue o univídro, a fala arrastada.

— *Algum de vocês sabe que horas tem na estação?*

— *Mexa-se, rú-maaano* — um deles rosna.

E assim que chega mais perto, Tyler dá o comando de detonar.

Há um atraso de apenas um segundo. As luzes piscam acima quando os explosivos de Zila e Kal explodem dentro das vísceras da estação. E com ímpeto de vertigem, com a sensação estranha de as minhas entranhas estarem flutuando dentro do meu corpo, sinto a gravidade na Nave do Mundo morrer.

Os Chellerianos estremecem, se erguendo gentilmente do chão. Estendem seus braços para se equilibrarem, mas seus movimentos são aguçados demais, e estão se corrigindo com antecedência. Ouço os sons de alegria da multidão, seguidos por gritos incertos conforme o oceano de pessoas começa a flutuar do salão na direção do céu de galáxias.

Tyler anda rápido, e eu me mexo mais rápido ainda, alcançando os paletós do Chelleriano para pegar sua pistola disruptiva. Dou um tiro, dois, e Tyler se prende no corpo do terceiro. O quarto consegue agarrar o pulso de Ty e girar com força antes de eu atirar na cara dele. Os olhos vermelhos reviram para dentro do crânio e então os guardas flutuam, inconscientes. Os casais e o trisal estão gritando atrás de nós, mas seus gritos estão perdidos em meio ao salão. Todo mundo está flutuando agora, um mar de corpos erguendo-se aos céus, a música tocando, as luzes estroboscópicas pulsando.

— Vai! — Tyler ordena.

Pego a chave de segurança do cinto de um capanga e passo pelo scanner. A porta para o zoológico se abre, e em um instante, Tyler, O'Malley e eu entramos, fechando a porta atrás de nós.

Tyler toma a dianteira, as botas magnéticas batendo conforme segue a planta de Fin. Os olhos de O'Malley estão arregalados. Me pergunto se eram os agentes da AIG que chegaram ao apartamento de Dariel antes da hora combinada. Se algum outro drama tirou Fin da jogada. Em como eu consigo manter essa coisa toda sem que ela fuja do meu controle. Como sairemos dessa vivos.

Viramos a esquina, encontrando mais dois guardas flutuando no ar, gritando com seus comunicadores e tentando se segurar no teto. Um tiro da pistola disruptiva os silencia, e então passamos pela porta pesada, fechando-a atrás de nós.

O cômodo logo em frente cheira a esgoto. Estremeço com o fedor, olhando para as feras de olhos grandes e pretos que nos rodeiam. São parecidas com vacas, quadrúpedes gentis e macios com seus olhos enormes de herbívoros. Eles choramingam quando nos veem, as orelhas recuando em pavor.

— O que é esse lugar? — O'Malley sussurra.

— Um abatedouro — Ty diz. Ele está com o univridro erguido no modo traduzir, escaneando as letras Chellerianas nos controles e procurando pelo interruptor certo.

— Bianchi come essas coisas? — ela pergunta, horrorizada.

— Ele não — suspiro. — São para o filhinho dele.

Ty aperta um botão e uma seção do chão estremece e se abre, revelando uma rampa íngreme que vai para baixo em uma curva e some de vista. Sinto o cheiro de terra molhada, de flores doces.

O'Malley está olhando para baixo, e por um momento, acho que ela está com medo — mas então ela levanta o queixo, e sua boca é uma linha fina e determinada.

— Isso vai para onde eu acho que vai?

— Para o escritório de Bianchi? — Tyler assente. — Vai, sim.

Sacudo a cabeça.

— Isso é loucura, Tyler. É como se você unisse todos os tipos de idiotice juntos.

— Ao menos estamos sendo consistentes — ele diz, arrancando a máscara e a jaqueta.

— Esse garotão matou cada ser vivo no seu planeta. Você realmente quer cutucar a casa dele?

— A gravidade ainda está anulada. O ultrassauro não vai conseguir se mexer. Nós vamos ser rápidos e silenciosos, e vamos ficar bem. Já chegamos até aqui. Não adianta mais voltar.

— E presumindo que vamos escapar daquela coisa lá embaixo, como é que vamos sair do escritório de Bianchi depois?

Tyler sorri.

— Confie em mim.

Um apito soa dentro do cinto de O'Malley.

— SABE QUE ESTÃO PRESTES A MORRER, NÃO SABE?

— Magalhães, quietinho — ela sussurra, colocando o volume no mudo.

Mesmo que a coisinha de merda seja irritante, não consigo discordar dele. Quero protestar mais, mas Ty desativou suas botas magnéticas e está já descendo pela rampa. Apesar do seu medo óbvio, O'Malley joga sua máscara fora e o segue — Tyler Jones tem esse efeito nas pessoas, eu acho. Porque mesmo que isso seja completamente idiota, eu me vejo desligando as minhas botas e flutuando atrás dele.

A rampa se abre em um pedaço de selva amplo — uma grande e úmida floresta bem aqui no meio de uma estação espacial. Eu não sei por que isso me surpreende depois de ver o aquário, mas é ainda mais incrível.

Não consigo imaginar o tanto de créditos que Bianchi deve ter gastado construindo esse lugar, e quanto ele vai ficar puto se alguma coisa acontecer com seu precioso bichinho de estimação. A folhagem é espessa, em tons de vermelho, laranja e amarelo, como se fosse um outono permanente. O ar tem um cheiro doce, a jaula é guardada por trepadeiras e flores alienígenas vibrantes. Ficamos perto das beiradas, usando as árvores magenta retorcidas para guiar nossos movimentos. O espaço é enorme, imóvel, e os sons que fazemos conforme passamos pelos galhos parecem ensurdecedores, apesar de não serem mais audíveis que um sussurro.

E ao longe, em meio ao silêncio, ouço um rugido estremecedor.

— Filho de uma égua — sussurra O'Malley.

— Por que não xinga como uma pessoa normal? — pergunto.

Ela sorri então, como se eu tivesse dito algo engraçado. Olhando para mim com os olhos díspares.

— Desculpa, mas eu pareço normal pra você?

É, tudo bem, é justo.

Outro rugido se espalha pela jaula. A vibração sacode a minha barriga, deixa meus dentes rangendo. Tyler pega seu univídro, digita uma série de comandos, e joga ele para longe, na direção da rampa de onde viemos.

— Que merda você tá fazendo? — sibilo. — Aquilo é um univídro da Legião! É mais valioso do que a Longbow!

— Só continue a se mexer — ele sussurra.

Ele está na frente, se movendo com segurança e constância — ele gabaritou o seu teste de orientação em gravidade zero, afinal de contas. O'Malley segue, cuidadosa e rápida. Estou chutando que ela praticou esse tipo de coisa no seu treino de colonizadora, porque pela primeira vez na vida, ela parece ter certeza do que está fazendo.

Ouço o som da terra estremecendo, da madeira se quebrando, outro rugido ensurdecedor. Tyler ergue o punho, fazendo que todos nós paremos. E olhando por cima do ombro dele, minha barriga fria como gelo, eu consigo ver a coisa.

É a coisa mais assustadora que eu já vi na vida, e repito, já vi Dariel de cueca. A coisa faz parecer que o Criador pegou todos os monstros debaixo da cama de cada criança que já nasceu e os juntou em um monstro-mor, e então fez uma criatura que comeria essa outra no café da manhã enquanto toma suco de laranja e lê o jornal.

É grande como uma casa, cheio de dentes e garras, as pernas fortes se debatendo enquanto ele luta para pegar impulso na gravidade zero. Está com as patas agarradas fortemente na terra escura e, aparentemente, não é idiota, porque está usando suas garras frontais para avançar. Ele cheira o ar com um focinho bruto, cheio de catarro, e ruge novamente, cuspe saindo de sua boca, as pupilas pretas dilatadas dentro de cinco olhos verde-esmeralda. A parte primordial do meu cérebro está só gritando, *Corra! Vai! Fuja!*, porque existem os grandes predadores e também Os Grandes Predadores. E então, o Grande Ultrassauro de Abraaxis IV.

— Ele pode sentir nosso cheiro — sussurro.

— Aquilo é o escritório de Bianchi. — Tyler aponta, ainda calmo, a voz fria como o gelo.

Vejo o brilho de silicone polarizado através da mata, apenas um vislumbre das luzes e dos móveis do escritório. A parede é perfeitamente transparente, mas não há nenhuma emenda. Nenhum trinco. Nenhuma dobradiça. Nada.

— Como é que vamos entrar aí? — sussurro.

— Com fé — ele murmura com um sorriso.

Eu fecho a cara para o ultrassauro.

— Vai ser fé que vai nos fazer passar por cima dessa coisa?

— Não, não fé. — Tyler ergue as sobrancelhas significativamente. — Vão ser hormônios.

Ouço um barulho distante. É fraco, pequeno — da mesma qualidade que é de se esperar do som que sai dos alto-falantes do univídro. Parece com duas motosserras tentando transar.

O ultrassauro fica imóvel, levanta a cabeça, olhos arregalados. O som se repete — é uma gravação da apresentação de Finian, colocada para repetir, de novo e de novo. Olho para Tyler e ele sorri, e mesmo que eu queira dar um soco nele, não consigo evitar sorrir de volta.

É uma porra de um chamado de acasalamento.

— Seu convencido filho da pu...

O ultrassauro ruge, se desdobrando, cuspindo, berrando enquanto ele atravessa o enclausuramento. Deixa enormes sulcos na terra, arranca árvores em seu caminho ao tentar se aproximar do univídro abandonado de Tyler. Seus dentes estão arreganhados, os olhos brilhando, enormes massas de folhas arrancadas conforme ele desaparece pela mata espessa.

— Ele parece mais irritado do que excitado — O'Malley diz.

— Você também ficaria irritada se soubesse que havia outro macho em sua casa, procurando por fêmeassauros. — Tyler indica o escritório com a cabeça. — Vamos.

Ty usa os braços para empurrar com força as árvores mais próximas, se movendo mais rápido agora. Vou atrás dele. O'Malley fica atrás, com as ondas daquele tule ridículo flutuando ao redor dela na gravidade zero. Ty desacelera com a ajuda de algumas trepadeiras mais grossas, me pegando pelos braços quando chego até onde ele está. O'Malley aterrissa ao lado, seus olhos díspares brilhantes, parecendo energizados ao se aproximarem tanto do seu objetivo. Há um pouco de metal embaixo da terra aqui — chuto que são suportes para a parede. Ty ativa as botas magnéticas, os calcanhares pressionando a terra.

— Como vamos passar por isso? — sibilo, batendo meu punho contra o vidro.

— Quando todo o resto falha, só o que resta é explodir alguma coisa — ele dá de ombros.

Ele tira a pistola disruptiva que pegou de um guarda de Bianchi, seleciona o gatilho para Matar, e assente na minha direção. Faço o mesmo, deixando a energia da pistola no máximo, e descarregamos tudo no vidro. Há um clarão, um barulho ensurdecedor. Os tiros derretem a superfície da parede, deixando marcas escuras e queimadas que afundam alguns centímetros.

O problema é que essa merda tem ao menos meio metro de profundidade.

— Hum — diz Tyler. — Está bem.

— Hum, está bem? — indago, incrédula.

— Tem um eco por aqui? — Ty pergunta.

Ouço um apito eletrônico vindo do cinto de O'Malley.

— Se eu puder dar uma opinião...

— Não, não pode, caralho! — eu o corto. — Modo silencioso!

Ouvimos um rugido distante, o som das árvores sendo arrancadas da terra por garras tão compridas quanto espadas. Olho por cima do ombro, depois volto para Tyler.

— Por favor, me diga que "quando todos os seus planos falharem, só resta explodir alguma coisa" não era realmente seu único plano.

Tyler dá outro tiro na parede, derretendo mais alguns centímetros. Ele franze o cenho, tira o cabelo loiro da sua testa.

— Eu realmente achei que isso ia funcionar...

— Grande Criador — grito. — Esse é o plano do Senhor Gabaritei A Prova de Táticas Militares?

Ty ergue sua sobrancelha com a cicatriz.

— Cat, odeio acabar com a opinião que você tem de mim, mas acho que essa é uma ótima hora para confessar que eu estou só improvisando tudo desde que a gente entrou na *Belerofonte*.

Outro rugido sacode a folhagem.

— Mãe dos céus — sussurra O'Malley.

Nós nos viramos e vemos a coisa.

Vemos a *coisa* vendo a *gente*.

A boca está aberta, mostrando fileiras e fileiras de caninos afiados como navalha. O bafo é como de uma fornalha, as garras enterradas na terra rasgada e as plantas destroçadas flutuando na gravidade zero. Seus cinco olhos estão brilhando com ódio, uma língua bifurcada chicoteando pelo ar conforme serpenteia na nossa direção. Olho para cima e vejo vidro. Vidro atrás de mim. Monstro na minha frente.

Estamos fodidos.

— Cat, vai pela esquerda, leve Auri — sussurra Ty, desligando as botas e gentilmente flutuando. — Vamos voltar para...

Qualquer que fosse a ordem de Ty, ele nunca teria uma chance de terminar o que estava falando. O ultrassauro flexiona os músculos e ataca, a gravidade zero impulsionando-o na nossa direção como um torpedo.

Pego a mão de O'Malley e ouço o som de um corpo gigantesco se chocando contra o silicone polarizado atrás de mim.

O ultrassauro ruge, as garras arranhando o vidro, e olho por cima do ombro. Tyler não está mais no chão, está perto do telhado acima de nós. Ele bate com tudo contra o telhado, o ombro colidindo contra o vidro, mas logo se mexe novamente, voltando para o chão assim que o ultrassauro bate com tudo no lugar em que ele estava apenas segundos atrás.

— Tyler! — grita O'Malley.

Sei que não vai fazer nenhuma diferença, mas atiro com a disruptiva do mesmo jeito, e sou recompensada com um barulho satisfatório de carne sendo queimada quando abro um buraco no dorso do ultrassauro. O tiro não o machuca de verdade, mas dá alguns segundos para Tyler se recompor e saltar mais uma vez, dessa vez voltando para o abatedouro.

O problema é que agora eu estou na mira do Monstrengo.

Ele ruge e pula na nossa direção, e quase não sou rápida o bastante para pular para longe, arrastando O'Malley comigo conforme alcanço um galho de árvore e mudo nossa direção de movimento. Consigo sentir as garras rasgarem o ar atrás de mim, dançando no fio da navalha. Chuto uma árvore, passo por um emaranhado de galhos, tento atirar mais uma vez por cima do ombro. Ouço Monstrengo rosnar, a pele fritando, sinto O'Malley ao meu lado. Coração batendo forte, a boca seca.

Estou de volta ao simulador de voo, no dia da nossa graduação. Os cadetes todos ao meu redor. Instrutores observando perplexos conforme eu rodopiava. Os gritos alegres ficando mais altos enquanto as notificações de ALVO ACERTADO continuavam aparecendo, e eu continuava atirando, as armas, extensões de meus punhos, a nave, uma extensão de meu corpo, e finalmente, a contagem que brilhava na tela conforme gritavam meu novo nome.

ZERO.

ZERO.

ZERO.

Algo grande bate por trás de nós, e vamos as duas rodopiando contra a parede do escritório. Vejo que é uma árvore, que é esperta o bastante para atirar na nossa direção. Acho que não dá pra ser o último membro sobrevivente da sua espécie sendo um completo acéfalo. Eu bato com força, e O'Malley colide contra mim, bate a cabeça no vidro, deixando uma névoa de vermelho. Mordo minha língua, a respiração escapando com um jato de cuspe e sangue quando solto a pistola disruptiva.

Quicamos contra a parede e voltamos para a jaula. Estamos girando sem nenhum controle, sem nada para segurar. Conforme me agarro nela, vejo que O'Malley desmaiou, os olhos revirados para dentro do crânio, pequenas gotas de sangue flutuando da sua sobrancelha machucada. Consigo ver o monstro por cima do ombro, se preparando para outro ataque. Ouço o tiro de uma disruptiva, o grito de Tyler.

Os olhos da fera ainda estão fixos em mim. Eu o irritei. Também não dá para ser o último membro sobrevivente da sua espécie sem saber guardar muito rancor.

Olho para O'Malley de novo. Seus olhos estão fechados, a mandíbula solta, sobrancelha sangrando. Faço as contas. Penso que é mais fácil se uma de nós duas não precisar morrer. Eu a solto, e empurro para longe.

Ela flutua para longe de mim.

O ultrassauro vem na minha direção, rugindo conforme progride.

Tyler atira de novo, e vejo um clarão agudo.

O mundo está virando em câmera lenta. Estou flutuando, sem peso, conforme a máquina de dentes e garras se joga contra mim, mas, ainda assim, estou sorrindo, porque estou voando.

No fim, ao menos estou voando.

Então bato contra algo duro.

Não há nada ali, mas mesmo assim, vou de encontro com a barreira — uma força invisível que para o meu voo. Me prende no lugar.

O ultrassauro também está congelado, parado no meio do ar e desafiando cada uma das leis de movimento e gravidade que eu conheço.

Ele ruge, enfurecido.

O ar vibra ao meu redor, e o mundo fica desfocado. Sinto o gosto de sal na boca. Vejo O'Malley do canto do olho, e ela está flutuando no ar também, o cabelo curto ondulando como se houvesse uma brisa. Seu olho direito está brilhando, queimando, os braços estão esticados, um cantarolar subsônico crescendo como eletricidade no ar ao redor.

— G-g-gaaaat-tiiiilhoooo — diz ela.

Uma onda de choque se expande de dentro dela, estremecendo, transparente, esférica. Conforme cresce, amassa os arbustos, esmaga as árvores, expandindo em um enorme círculo até atingir o Monstrengo.

E então o Monstrengo só... explode. Como um inseto sendo esmagado por um sapato enorme e invisível. Sua pele encouraçada se quebra, suas entranhas viram do avesso, e viro meu pescoço e fecho os olhos para não ver o resto.

A jaula inteira estremece como se fosse o meio de um terremoto. Há algo macio e esponjoso embaixo dos meus pés. Abrindo meus olhos, vejo que minhas botas agora tocam o chão.

Sopro do Criador, ela me tirou do caminho...

O'Malley desce para a terra, os braços ainda esticados, o sangue escorrendo do nariz e flutuando no ar. O olho dela ainda está aceso com aquele brilho branco fantasmagórico, cegante, mas ainda vejo que ela está olhando para mim. Sinto que ela está me *vendo*.

— *Acredite* — diz ela.

Ela convulsiona uma vez, então seus olhos se fecham e ela desmaia, entrando em posição fetal e flutuando como se fosse um bebê no útero da mãe.

— Cat!

Eu me viro e vejo Tyler atrás de mim, o cabelo loiro desgrenhado flutuando acima dele na gravidade zero. Está agarrado a uma árvore achatada, manchada com o sangue do ultrassauro. O rosto dele está pálido, os olhos azuis, arregalados. Só que ele está olhando para algo além de mim.

— Olha — diz ele.

Eu me viro, olho para além das pinturas de sangue e entranhas para a parede do escritório, e eu vejo que a força de O'Malley... bem, o que quer que ela tenha feito... não só achatou as árvores, arrancou os arbustos e apertou o Grande Ultrassauro de Abraaxis IV como se fosse um sonho recheado, grande e furioso. Também rachou uma das paredes do escritório, deixando uma abertura.

Ela conseguiu.

Nós estamos dentro.

— Eu te disse — fala Tyler. Olho para ele sem expressão, e ele só sorri.

— Só precisa ter fé.

PODERES DA MENTE
▶ HIPOTÉTICOS
▼ TELECINESE

Telecinese é a capacidade hipotética de ser capaz de manipular matéria sem aplicar força diretamente — isto é, mover coisas usando apenas o poder da mente.

Enquanto outros poderes psíquicos, como **telepatia**, **empatia** e **premonições** leves foram bem documentados em várias espécies diferentes — principalmente nos Syldrathi, Ilesares e Kelinrori —, não houve nenhuma comprovação científica das ocorrências de telecinese. Não importa o que o S'ren do departamento de finanças te disse sobre o seu tio-avô Waybo e as **colheres**.

23

SCARLETT

— Estamos cientes de que os residentes da Nave do Mundo podem estar enfrentando algumas dificuldades com [gravidade] no presente momento. Por favor, permaneçam calmos.

O anúncio pré-gravado que soa do sistema de comunicação pública é recebido com centenas de gritos indignados das pessoas que já sabem bem qual é o problema. Eu me lanço para fora do elevador, voando por cima do mercadão e uma cena de caos absoluto.

Pessoas e mercadorias e tudo o mais flutua no ar, uma mistura de cores e formatos, como confete em um casamento turbulento. Conforme me puxo para me segurar em uma escada de acesso, meu vestido se abre em volta da minha cintura em ondas de azul brilhante e cristal cintilante. Fico feliz de pelo menos uma vez na vida ter decidido usar uma calcinha decente.

— Nossos técnicos irão reparar o serviço de [gravidade] em breve — a voz do anúncio reassegura a todos em uma voz feminina alegre. — Nós agradecemos a compreensão.

O anúncio toca em uma dúzia de línguas diferentes, e só falo quatro delas. A reação de todos os residentes é de uma raiva unânime. As pessoas mais espertas no bazar estão usando botas magnéticas como as minhas — mas isso não ajuda muito com a mercadoria, o gado ou seus pertences.

Mantenho-me à margem do bazar, me empurrando ao longo da parede, só acionando as botas magnéticas quando é necessário. É mais rápido voar, e o tempo, aparentemente, vai ser mais curto do que o planejado.

— Kal, Zila, vocês conseguem me ouvir?

— *Afirmativo, Legionária Jones* — Zila responde.

— Qual sua posição?
— *Quase no apartamento de Dariel. Estimo quarenta e dois segundos.*

Chego ao fim do bazar e consulto a planta da nave em meu univídro, sacudindo a cabeça.

— Droga, ainda faltam cinco minutos pra mim.
— *Não podemos esperar por você* — ouço Kal declarar.
— Três armas são melhor do que duas, Briguento.
— *Os técnicos da Nave do Mundo irão acionar os geradores de gravidade secundários a qualquer instante. Se Finian e Dariel estiverem em risco, sua presença em uma batalha corpo a corpo não irá compensar o custo do atraso.*

Chuto uma porta, passo por outro elevador turbo.

— Está falando que não sou boa de briga?
— *Estou dizendo que não é a hora para diplomacia* — Kal responde.
— Escuta aqui, seu bonitão de orelhas pontudas desgra...
— *Chegamos. Estou entrando.*

Xingo em voz alta, aperto o botão do elevador, aciono as botas magnéticas quando o impulso me joga para baixo. Escuto um barulho de algo quebrando através dos comunicadores, o som de tiros. Meu coração está disparado, meu estômago, cheio de nós, e saio do elevador com pressa, entrando no setor habitacional. Escuto um grito através do comunicador, um tiro de disruptivo.

— Kal? — grito. — Zila, qual é a situação?

Mais gritos, ruídos abafados, outro grito. Escuto Kal xingar em Syldrathi, e apesar do seu tom ser frio como gelo, percebo que ele é muito mais criativo em xingamentos do que eu pensava.

— *Tiir'na si maat tellanai!*

(Pai de muitas crianças feias e estúpidas.)

— *Kii'ne dō all'iavesh ishi!*

(Manchas nas cuecas do universo.)

— *Aam'na delnii!*

(Amigo de corno manso.)

E com um relâmpejo de um tiro de disruptiva, o meu canal de comunicação morre.

— Kal?

Abro caminho, passo flutuando por dois garotos assustados que estão saindo de um esconderijo no armário, só de cueca. Um dos dois está usando um boné do Tio Enzo's.

— Zila, consegue me ouvir?

Passo por uma escadaria, acionando minhas botas magnéticas quando começo a subir. Meu pulso está martelando, há suor nos meus olhos enquanto tento me desvencilhar desse vestido ridículo, tentando sair dele e tentar outro canal no meu univrido.

— Ty, acho que Kal e Zila estão com problemas, eu...

Fico em silêncio no momento em que chego no andar de Dariel. Ali, esperando por mim nos corredores, está uma silhueta vestindo uma amadura cinza. Capacete cinza sem nenhuma marca. Olhando por cima do ombro dele e para dentro do apartamento, vejo Finian debruçado sobre sua cadeira, sangue rosa-claro escorrendo de um corte na sobrancelha. Vejo corpos flutuando em gravidade zero, as paredes manchadas com os tiros.

O agente da AIG guarda a pistola disruptiva dentro da jaqueta.

— LEGIONÁRIA JONES — a coisa diz. — QUE BOM VOCÊ TER DECIDIDO SE JUNTAR A NÓS.

COISAS PARA FAZER VOCÊ CORAR

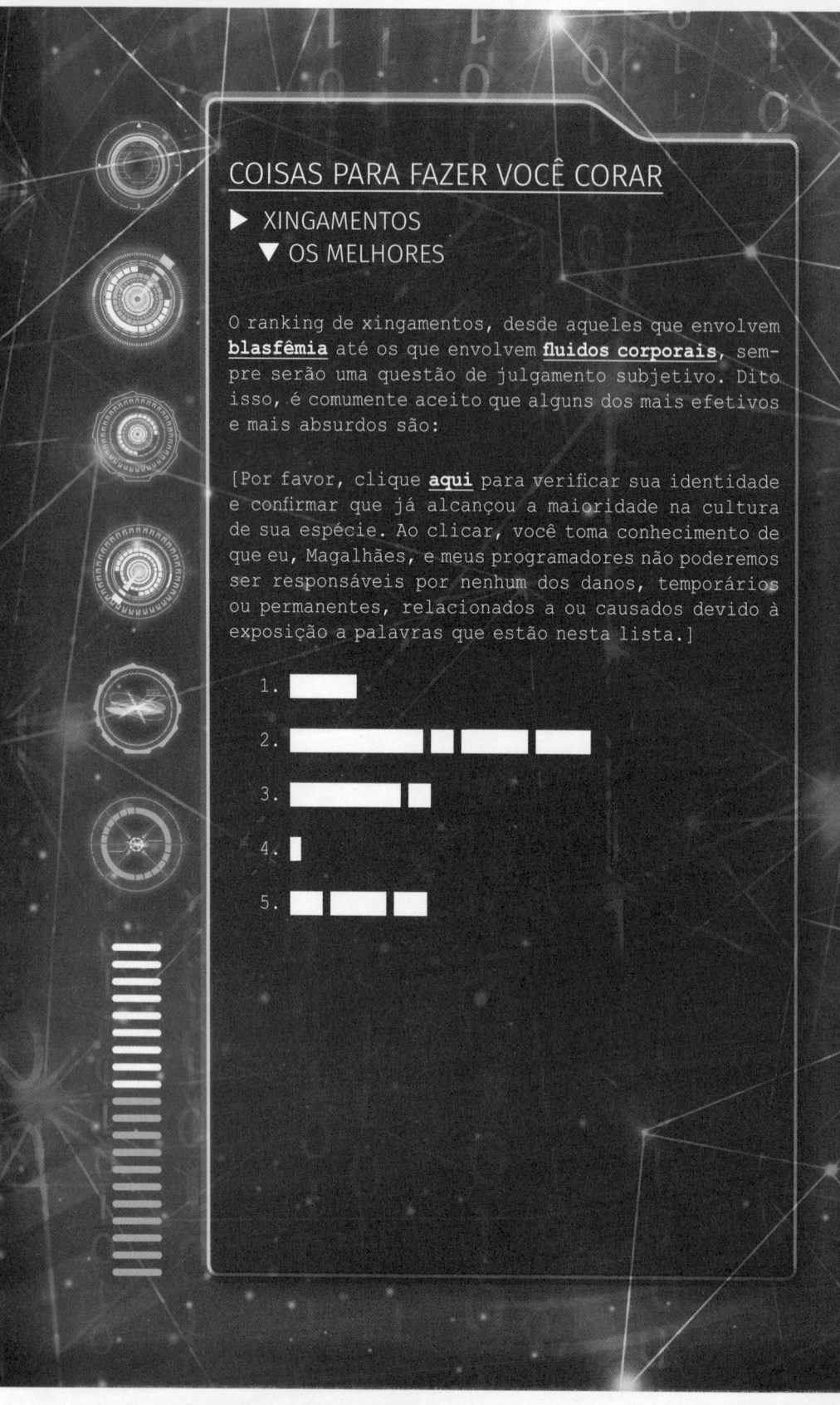

▶ XINGAMENTOS
　▼ OS MELHORES

O ranking de xingamentos, desde aqueles que envolvem **blasfêmia** até os que envolvem **fluidos corporais**, sempre serão uma questão de julgamento subjetivo. Dito isso, é comumente aceito que alguns dos mais efetivos e mais absurdos são:

[Por favor, clique **aqui** para verificar sua identidade e confirmar que já alcançou a maioridade na cultura de sua espécie. Ao clicar, você toma conhecimento de que eu, Magalhães, e meus programadores não poderemos ser responsáveis por nenhum dos danos, temporários ou permanentes, relacionados a ou causados devido à exposição a palavras que estão nesta lista.]

1. ▬
2. ▬▬▬▬ ▬▬ ▬▬▬
3. ▬▬▬ ▬
4. ▬
5. ▬▬ ▬▬

24

TYLER

Estou me sentindo nu sem o meu univídro, mas presumo que ele esteja em algum lugar dentro do estômago do ultrassauro, e não estou prestes a me aventurar naquela bagunça para recuperá-lo.

Passando em meio à folhagem estraçalhada, flutuo através da jaula e gentilmente pego o corpo inerte de Aurora. Ela se mexe, franzindo o cenho com a mudança no movimento enquanto fico parado no limiar da parede do escritório de Bianchi. O silicone polarizado rachou ao meio. Fragmentos de vidro flutuam no ar acima do chão sensibilizado à pressão — por sorte, seja lá o que Aurora tenha feito, ela parece ter desarmado a energia dentro do escritório de Bianchi, e também desligado os alarmes.

Seja lá o que ela tenha feito?

Chame pelo nome correto, Tyler.

Telecinese.

Encosto na bochecha dela, falando suavemente.

— Auri, você consegue me ouvir?

Cat para ao meu lado, coberta de sangue e sujeira, parecendo tão assustada quanto estou me sentindo. Por mais que estejamos ambos abismados com o que acabou de acontecer, a voz dela não estremece.

— Ela está bem?

— Eu não sei — respondo, olhando através da parede de vidro quebrado —, mas temos que nos mexer, a segurança *tem* que estar a caminho nessa altura do campeonato. Cuida dela por mim.

Deixo Cat segurando Aurora, me empurro através do buraco e entro no escritório de Bianchi. As luzes estão apagadas, o ar cheio de pedaços flutuantes de esculturas, obras de arte, artefatos alienígenas, todos saídos das estantes devido à força da explosão de Auri. Uma mesa grande está rodeada de cadeiras confortáveis, e redomas de vidro estão dispostas em forma de espiral ao redor do enorme cômodo. Meu coração dá um pulo quando vejo nosso alvo — a estátua de três dedos feita com metal estranho — flutuando dentro de sua redoma de vidro alta.

O Gatilho.

Volto meu olhar para Aurora, vejo que ela está se mexendo nos braços de Cat. O poder que ela mostrou — essa garota frágil e pequena fora de seu tempo — é algo que eu nunca vi antes. Se eu não estivesse acreditando antes, se eu não tivesse escutado os avisos do Almirante Adams e da Líder de Batalha de Stoy, se não tivesse visto o que aconteceu na *Belerofonte*, e se as visões de Aurora sobre o futuro não tivessem sido o bastante para me convencer de que estávamos lidando com algo extraordinário e *muito* além de nós, a maneira como ela espremeu o ultrassauro como se fosse uma espinha teria dado o toque final.

Observando os olhos arregalados de Cat, também consigo ver, tão evidente como nos meus.

Crença.

Só espero que não tenha chegado tarde demais.

Cat abre caminho até o escritório, flutuando acima do chão com Aurora nos braços. Aurora grunhe e abre os olhos, piscando forte. Ela demora um pouco para focar, para me encontrar, para lembrar onde ela está, mas aí os olhos dela encontram o Gatilho, e ela fica tensa, completamente desperta de repente. A respiração fica mais rápida, a mandíbula cerra. Ela olha para a escultura, olha para mim. A voz dela está rouca, como se tivesse passado um tempo gritando.

— É isso — ela sussurra.

Pego a pistola disruptiva, dou um tiro em uma das redomas de vidro. O silicone se quebra e estilhaça ao redor do cômodo, a estátua de quatro cabeças se espatifando contra a parede. Eu abaixo a intensidade, dou um tiro em outra redoma e vejo o vidro quebrar, mas não estilhaçar.

Assim é melhor.

Me viro para a redoma do Gatilho, dou um tiro no vidro. Mil rachaduras aparecem pela superfície como se fossem teias de aranha. Ergo a pistola e dou uma batida de leve com o cabo, e o vidro se estilhaça no momento exato em que a gravidade volta a funcionar.

Caímos no chão de repente, pegos de surpresa, eu de bruços em cima de vidros despedaçados. Cat e Auri caem ali perto, minha Ás grunhindo quando aterrissa. Há um borrifo longo e nojento quando as entranhas do ultrassauro tocam o chão lá fora, seguido por um estrondo pesado quando o resto do corpo segue seu curso. Eu me levanto de joelhos, tirando fragmentos de vidro do cabelo.

Os técnicos de Bianchi devem ter ligado o gerador de gravidade secundário.

O nosso tempo iria acabar eventualmente.

Escuto uma série de apitos eletrônicos nas minhas costas. O som de uma trava pesada se abrindo. Meu coração se aperta ao ouvir o pequeno e sombrio sussurro da porta do escritório se abrindo.

Já sei o que verei quando me virar, e ainda assim, meu estômago está apertado quando olho por cima do meu ombro. Deixo a pistola disruptiva cair no chão polido quando um grito ensurdecedor de raiva preenche o ar.

Estávamos tão perto.

Casseldon Bianchi invade o escritório, rodeado por todos os lados de seus guarda-costas. São Chellerianos, todos eles — tão grandes quanto carros pequenos, e armados até os dentes. Os quatro olhos de Bianchi estão arregalados de raiva, os caninos à mostra em um rugido quando entra pela porta. Só que não são as redomas quebradas, o caos do cenário, as antiguidades espalhadas entre os pedaços de vidro no chão que o fazem erguer os punhos para o ar e soltar outro grito. É o sangue que escorre pelas paredes do outro lado do vidro. É ver o seu bichinho mais precioso — a fera mais rara em toda a galáxia — ter sido reduzido à mesma consistência da sopa do dia.

— Skaa taa ve benn! — ele ruge.

E virando-se para mim, seus quatro olhos vermelhos ficam tão estreitos quanto corte de papel.

— Rú-maano — ele sibila.

Seu soco me levanta do chão, me faz chocar contra a parede. Caio no chão de joelhos, uma dor horrível no estômago, sangue escorrendo da boca. Bianchi pega a pistola disruptiva de um dos seus capangas, aponta para a minha cabeça. Auri grita meu nome, Cat ergue a sua arma e todos os capangas de Bianchi apontam as pistolas na direção dela.

— Não é necessária a troca de tiros, cavalheiros — uma voz eletrônica sem gênero diz.

Olho para cima, segurando meu estômago dolorido, a respiração sibilando por meus dentes. Um agente da AIG em uma armadura cinza sem marcas entra no cômodo, ladeado por um segundo agente.

Bianchi grita em Chelleriano. Ele aponta para os restos ensanguentados do seu ultrassauro com três braços enquanto balança a arma no ar com o outro.

— E EU APRECIO ISSO, SR. BIANCHI — diz o agente, gesticulando na direção de Auri. — MAS COMO EXPLICAMOS ANTES, ESSE RECURSO É DE EXTREMA IMPORTÂNCIA PARA A TERRA. PREFERIMOS QUE ELA NÃO SEJA UM DANO COLATERAL EM MEIO A SEU CHILIQUE.

Bianchi inclina a cabeça, se aproximando do agente e grunhindo em Terráqueo perfeito.

— *Essa é a minha nave. O meu mundo. Você não tem jurisdição aqui, rú--maaano.*

Não consigo ver o rosto dele, mas o agente fala como se não tivesse nem piscado.

— VOCÊ SEQUER SABERIA DESTE ROUBO SE NÃO O HOUVÉSSEMOS INFORMADO, SR. BIANCHI. TALVEZ SEJA HORA DE MOSTRAR UM POUCO DE GRATIDÃO.

— *Se tivesse me avisado mais cedo, o meu mascote não estaria morto!*

— A BELEROFONTE ESTÁ APENAS A ALGUMAS HORAS DA NAVE DO MUNDO, SENHOR. QUANDO ELA CHEGAR, NOSSO PRINCEPS IRÁ RECOMPENSÁ-LO ADEQUADAMENTE POR SUA PERDA. NÓS PRECISAMOS APENAS DA GAROTA. QUANTO AO RESTO DESSES TRAIDORES... — o agente gesticula na minha direção e de Cat — ... NÓS TEMOS CERTEZA DE QUE UM HOMEM DE SUA REPUTAÇÃO IRÁ APROVEITAR BASTANTE O TEMPO COM ELES EM SUA PRISÃO.

— Espera um pouco — diz Cat, se adiantando. — Isso não fazia parte do acordo.

Eu me viro para ela, os olhos arregalados.

— Acordo?

Ela não olha para mim, encarando o agente da AIG.

— Você disse que nos dariam imunidade. Disse que poderíamos voltar para nossas vidas.

O agente inclina a cabeça.

— NÓS MENTIMOS, LEGIONÁRIA BRANNOCK.

— Você... você nos entregou? — sussurro para Cat, mãos cerradas em punhos.

Cat encontra meus olhos, os dela cheios de lágrimas.

— Eu... eu fiz isso pelo esquadrão, Ty.

— Pelo esquadrão? — grito. — Você me traiu pelo *esquadrão*?

— Trair? — a voz de Cat é incrédula. — Se alguém nos traiu, esse alguém foi você!

— O *quê*?

— Você me ouviu! — Cat aponta o dedo para Auri. — Desde que ela chegou na Longbow, você jogou o regulamento todo pela janela! Nos deixou de mãos vazias, e por causa de quê? Por causa *dela*? — Ela pressiona as mãos contra o peito e choraminga. — *Ah, eu sou tão frágil e doce, sr. Jones, por que você não me pega em seus braços tão fortes e bonitos...*

— É por causa disso? — questiono. — Por causa do que aconteceu entre mim e você?

Bianchi dá um passo em frente e rosna.

— *Chega...*

— Não tem nada a ver com a *gente*! — Cat grita por cima dele. — É por causa da Legião! Por causa da Academia! Tudo que nós nos esforçamos pra conseguir desde pequenos, Tyler! Uma menina de saia pisca pra você e você quer jogar tudo isso fora?

— Foi um erro, Cat! — esbravejo. — Eu sinto muito pelo que aconteceu entre nós quando estávamos de férias! Eu sinto muito que eu fiz tudo errado! Mas já não passou da hora de você superar isso?

Os olhos dela se arregalam.

— Seu filho duma pu...

Ela atravessa o cômodo, me dá um soco bem no queixo, me empurra contra a parede, meu crânio batendo no vidro. Faço força contra ela, e derrubamos juntos o pedestal onde está o Gatilho, estatelando tudo no chão. Vidro quebrado e punhos erguidos, Cat batendo no meu rosto e gritando, *berrando*.

O cômodo se dissolve em caos: alguns dos Chellerianos soltam gostosas risadas por causa dos rú-maaanos idiotas, os dois agentes da AIG se adiantam para apartar a briga, Auri agachada cobrindo os ouvidos quando Bianchi ergue a pistola disruptiva e dá um tiro para o alto.

Os agentes conseguem tirar Cat de cima de mim, os nós dos dedos manchados com meu sangue. Ela está arfando, se debatendo, ainda me xingando de todos os nomes possíveis.

— Seu desgraçado! Vou acabar com você, seu car...

— *CHEGA!* — ruge Bianchi. — *Levem-nos para as celas!*

Um dos agentes agarra o braço de Aurora, levantando-a das ruínas.

— Nós levaremos a senhorita O'Malley de volta para a Terra, como era o combinado.

Bianchi olha o agente de cima a baixo, cruzando todos os quatro braços.

— Você terá garantido uma relação amigável com o Governo Terráqueo, sr. Bianchi. Eu lhe asseguro, nossa gratidão é quase ilimitada.

— Talvez enquanto estão demonstrando essa gratidão, possam explicar por que dois dos seus agentes estavam na minha Nave do Mundo sem minha permissão.

O agente dá de ombros.

— A Agência de Inteligência Global tem mil olhos, sr. Bianchi.

O criminoso cerra seus caninos, mas finalmente grunhe e assente. Os capangas Chellerianos se adiantam para dentro do escritório e agarram a mim e a Cat. Os agentes da AIG marcham rapidamente porta afora do escritório, levando Auri com eles. Com um empurrão para nos acelerar, Cat e eu seguimos, as botas amassando os pedaços de vidro, deixando para trás Bianchi, que encara enlutado o que restou do seu mascote.

Marchamos lado a lado, Auri e os agentes da AIG na nossa frente. Cat se recusa a olhar para mim. Sangue escorre pelo meu queixo do meu lábio arrebentado. Consigo ouvir a respiração de Auri soluçando em seu peito, o som metálico e suave dos agentes respirando. Não consigo mais ouvir a música da festa.

Os agentes se agrupam dentro do elevador, apertam o botão para sair no atracadouro. Um dos capangas passa um cartão e aperta outro botão — presumo que para chegar no andar das famosas celas de Bianchi, onde as pessoas entram para nunca mais sair.

Fico em pé encarando a porta, seis Chellerianos atrás de mim, e dois agentes da AIG atrás dele. Estou todo dolorido. Um dos capangas fala alguma coisa, os lábios se curvando em um sorriso de escárnio.

— Eu não falo Chelleriano — respondo, lambendo o sangue dos meus lábios.

— Ele está perguntando se você é um idiota — um dos agentes responde, solícito. — Como você achava que conseguiria entrar e sair daquele escritório sem ser pego.

Eu sorrio para o capanga, então olho por cima do meu ombro para a máscara espelhada sem rosto.

— Diz pra ele que eu não consegui.

O agente pega a pistola disruptiva, aponta para a nuca do Chelleriano e atira. O segundo agente pega a pistola, atirando na cabeça de um capanga quando ele se vira, e então outro tiro diretamente para o peito. Há um pequeno agito, outro tiro ecoa, e em meros segundos, todos os capangas no elevador estão deitados no chão, tremendo e babando.

— BEM. — Scarlett tira a máscara da AIG, checando seu reflexo e ajeitando o seu cabelo vermelho flamejante. — Foi um pouco mais conturbado do que eu esperava.

— É claro que você tem críticas — digo. — Finian está bem?

— O exotraje dele sofreu danos, mas ele está vivo — Zila responde debaixo de outro uniforme da AIG. — Kal o levou de volta para a Longbow.

— Isso poderia ter dado muito errado — murmura Cat. — Os desgraçados me falaram que iam esperar até termos conseguido a chave, antes de entrar no apartamento.

— Acho que é seguro dizer que a gente não pode confiar nos Agentes da Inteligência Global — eu sorrio.

Cat sorri de volta.

— Se eles eram tão inteligentes assim, não deveriam ter pedido a uma Ás para entregar o seu Alfa. Deveriam saber que a primeira coisa que ia fazer era correr até você e contar tudo o que disseram.

Eu estico a mão para apertar a mão dela, e ela sorri para mim, triunfante, feroz, brilhante como o fogo de mil estrelas.

— Bom trabalho, Legionária Brannock.

— Sempre apoie seu Alfa — diz ela. — *Sempre.*

As portas do elevador se abrem, e encontramos Dariel do outro lado. Ele pisca, surpreso, o queixo caído.

— Caramba, deu *certo*? — ele pergunta, olhando para os corpos inertes no chão do elevador.

— Nunca subestime o elemento-surpresa — digo, passando por ele.

Saímos no corredor e passamos pela câmara de vácuo, indo direto para o atracadouro. O lugar está uma bagunça depois da falha de gravidade, mas o pessoal da manutenção já está de volta ao trabalho. Nós aceleramos, Dariel ao meu lado, franzindo o cenho e coçando o cabelo. Me sinto péssimo admitindo isso, mas acho que Finian herdou seus neurônios de algum outro lado de suas três famílias.

— Explica isso pra mim de novo — fala Dariel.

— Essa — Zila fala, tirando o capacete — será a terceira vez.

— Sou um paquerador, não um pensador — o Betraskano pisca. — Aliás, você tem um número que eu possa...

— Foi como Fin falou — digo. — Não havia jeito de conseguir fazer isso sem ser pego. Então já que os agentes da AIG tentaram fazer Cat nos trair, eu *contei* com o fato de que eles estariam nos esperando. O plano original era pegar a chave de Bianchi e entrar no escritório, a AIG iria chegar ao seu apartamento na hora que combinei com Cat, deteriam Fin, cortariam nossa comunicação. Depois disso, eles alertariam Bianchi do nosso esquema, e todo mundo iria para o escritório para nos pegar no flagra. Se a AIG tivesse avisado antes, nós seríamos mortos pelos seguranças e a AIG não conseguiria nada. Mas nos pegar no flagra faria a AIG sair como heroína.

— E um Bianchi muito grato entregaria Auri enquanto os outros levariam alguns tiros — acrescenta Cat.

— Só que a AIG chegou mais cedo... — Dariel protesta. — Bateram pra caramba no Fin.

— Então tivemos que passar pela jaula do ultrassauro — assinto. — E Kal teve que entrar no apartamento para enfrentar os agentes da AIG, em vez de esperar por eles em uma armadilha.

— Ele foi... meio assustador — murmura Dariel.

— De novo, desculpe a bagunça — diz Scar.

— Tudo que realmente importava era conseguir os uniformes da AIG — digo. — É quase impossível saber quem está debaixo dessas máscaras, e Scar consegue convencer todo mundo de tudo.

Dariel pisca.

— Então... se deram todo esse trabalho... só para serem pegos?

— É — respondo. — Mas aí precisávamos estar *no escritório* quando a AIG chegasse. Depois disso, tudo de que precisávamos era que Cat e eu entrássemos numa briga.

— Desviar a atenção de Bianchi — Cat concorda.

— Fazer com que ninguém prestasse atenção em mim — diz Auri baixinho.

Dariel se vira quando a garota fala. E com um sorriso triunfante, ela coloca a mão nas camadas de tule vermelho-claro em volta da cintura e tira de lá uma estátua de três dedos esculpida em um metal estranho, um diamante brilhando em seu peito, o olho direito, uma pérola cintilante.

— Uma distração clássica. — Dou de ombros. — Tática Básica, segundo semestre.

— Quanto tempo até Bianchi perceber que isso sumiu? — Dariel pergunta.

— Considerando o caos do escritório — diz Zila —, estimaria mais uns três ou quatro minutos. Aproximadamente.

— E a *Belerofonte* ainda está em rota para a Nave do Mundo — diz Cat. — E pelo andar das coisas, não acho que o sr. Princeps vai gostar muito do que Kal fez com os únicos dois agentes da AIG a bordo.

— Você não faz *ideia* — diz Scarlett.

Auri pisca.

— Então... por que é que não estamos correndo?

É uma boa pergunta, e não consigo pensar numa boa resposta. Então, começamos a correr. Passamos pelos cargueiros e os atracadouros, descendo pelas largas câmaras entrelaçadas da Nave do Mundo, por dentro do cordão umbilical transparente de nossa Longbow. A câmara de vácuo está aberta, e Kal está esperando por nós. Seu uniforme do Tio Enzo's está coberto de sangue, um rifle disruptivo na mão. Ele nos vê e, apesar de manter a calma típica dos Syldrathi, seus lábios se curvam num sorriso pequeno.

Aurora encontra os olhos dele.

O sorriso dele desaparece.

— Devemos nos mexer, senhor — diz ele.

Eu assinto, me viro para Dariel e aperto a mão dele como agradecimento.

— Não sei o que Fin te deve, mas agora eu também te devo o mesmo. De verdade. Se precisar da minha ajuda no futuro, basta gritar.

Scarlett dá um beijo na bochecha de Dariel e pisca.

— Obrigada, Romeu.

Dariel se vira para Zila, um pequeno sorriso em seus lábios.

— Ganho um beijo seu também?

— Obrigada. Adeus — ela diz, passando direto por ele para entrar na nave.

Aurora tira um segundo artefato das dobras do vestido — é uma pequena estatueta esculpida em uma pedra verde. Ela estende o objeto para Dariel.

— Peguei isso pra você. Caso precise de um dinheiro para se mudar.

Ele coloca a estátua no bolso com um sorriso.

— Não é uma má ideia — ele admite. — E obrigado, aquelas estalactites não foram baratas.

O resto de nós sobe a bordo. Com um aceno de cabeça final para Dariel, selamos a câmara de vácuo, entramos na ponte. Finian já está na cadeira. Seu exotraje parece que enfrentou dificuldades, e ele está ajeitando algo com uma chave de fótons no braço esquerdo, parecendo machucado e desgostoso, mas ele se alegra quando nos vê. Trevo está sentado no seu colo.

Cat fecha a cara para ele quando se senta na cadeira de piloto.

— Esse é o meu dragão — ela diz.

— Só estava segurando ele pra você — diz Finian, jogando o brinquedo para ela.

— Por quê? — ela pergunta, pegando Trevo no ar.

— Achei que precisávamos de boa sorte.

Cat abre um sorriso largo, beija o dragão na testa e começa a apertar os botões no console.

— Cale a boca, Finian.

Colocamos os cintos de segurança, fazemos todas as checagens pré-voo. Minhas mãos deslizam pelos controles, e não sei o que acontece depois disso. Sei que a *Belerofonte* chegará a qualquer instante a Sempiternidade. Eu sei que a AIG não vai parar enquanto Auri não estiver sob seu controle. Eu não sei quem ou o que ela é, ou aonde está nos levando. Somos sem dúvida caçados pelos encouraçados Terráqueos que patrulham a Dobra, e sei que acabamos de ganhar um novo inimigo, Casseldon Bianchi.

Mas esse é um problema para o futuro. Nesse momento, precisamos sair daqui antes que...

— Alerta — diz o sistema de comunicação. — Alerta. Todas as decolagens da Nave do Mundo estão suspensas devido à ordem de Casseldon Bianchi, mediante as operações de busca. Por favor, desliguem seus motores e...

— Segurem suas cuecas, criançada! — grita Cat.

Ela aperta os propulsores, os acopladores do atracadouro gemendo enquanto tentam nos impedir de sair, mas com o poder de nossa nave, um terremoto de tremer os ossos e um rangido do metal, escapamos para a escuridão e deixamos a Nave do Mundo para trás. O impulso me empurra contra a cadeira, e, por um instante, fica difícil respirar. Só então lembro que sou sortudo demais por estar conseguindo respirar de algum jeito.

Nós escapamos.

Nós conseguimos.

Olho ao redor da ponte para o meu time. Esquadrão 312. Esse bando de perdedores, indisciplinados e sociopatas, os desajustados que ninguém na Academia Aurora queria. E percebo também a imensidão da coisa que acabamos de fazer.

Penso no fato de ter pedido para cada um deles para entrar na barriga do monstro simplesmente porque confiam em mim. O fato de nenhum deles sequer ter hesitado. E o fato de que eles não apenas entraram.

Eles *voaram*.

Auri está encolhida na estação auxiliar, os joelhos embaixo do queixo. Está machucada, cansada e ensanguentada, mas está com o brilho nos olhos restaurado. Ela está com o Gatilho apertado em sua mão, olhando para ele como se tivesse uma resposta para todas as suas perguntas.

O que eu sou?
Por que estou aqui?
Por que tudo isso está acontecendo?

E agora que nós conseguimos a estátua, não consigo deixar de pensar nisso. Sei que somos parte de algo muito maior. Algo que está para acontecer há pelo menos duzentos anos. Talvez mais. Algo que os líderes da Academia sabiam, mesmo antes de nós entendermos. Algo que a AIG sabe, também.

Me sinto como um peão sendo empurrado de quadrado para quadrado, e por mais que eu tente, não consigo ver o restante do tabuleiro. Porém, não dá para passar cinco anos em uma academia militar sem aprender uma ou duas coisas sobre como armas funcionam.

E se essa coisa na mão de Auri é um gatilho...

Então onde está a Arma?

E para que, em nome da Via, essa Arma serve?

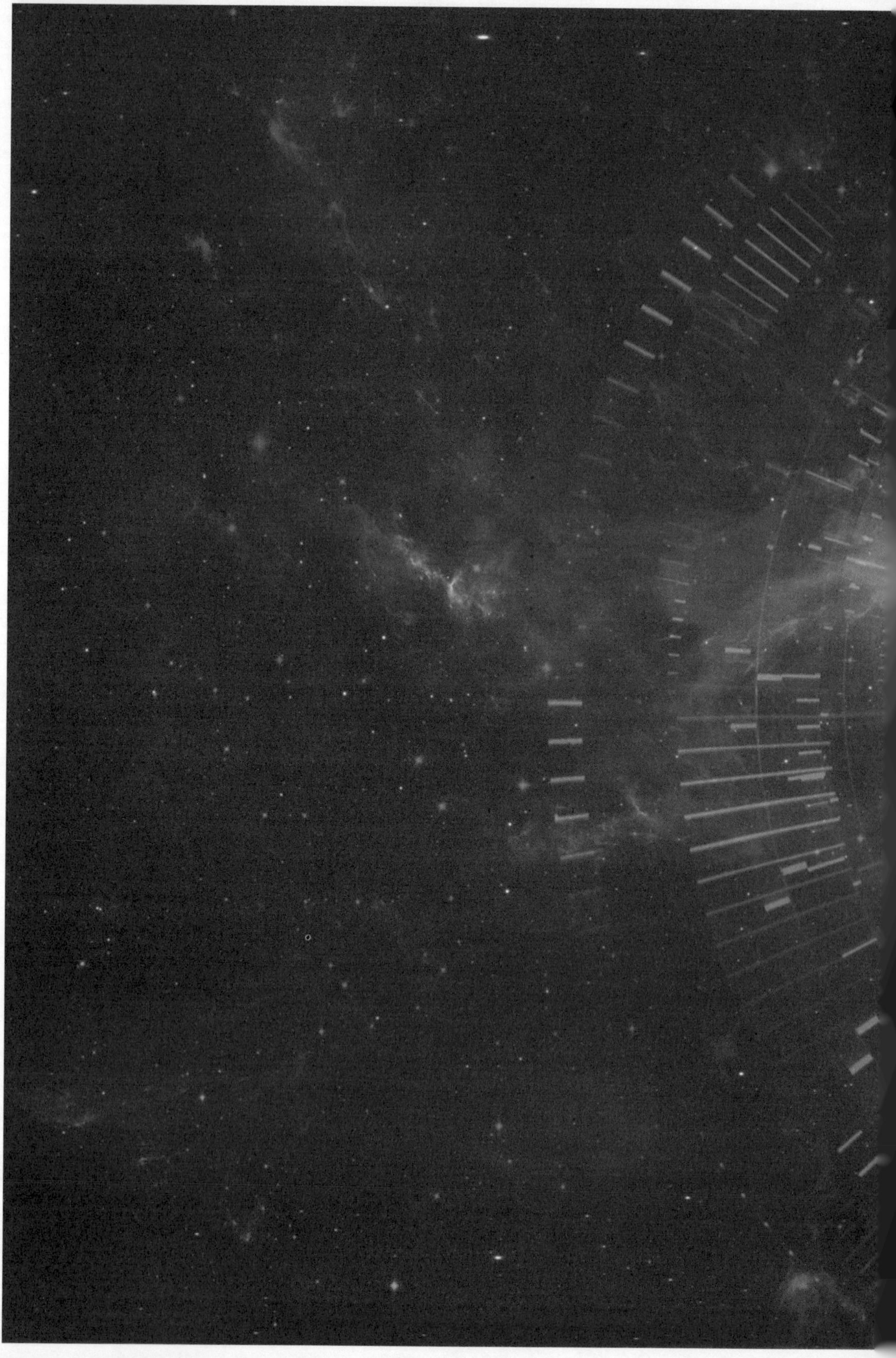

PARTE 3

CORAÇÃO DE BURACO NEGRO

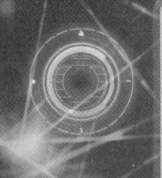

O UNIVERSO
▶ A DOBRA
▼ RISCOS

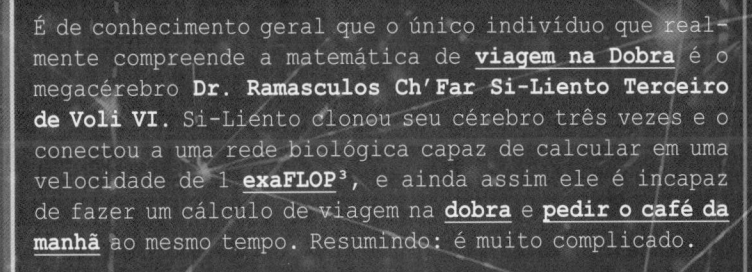

É de conhecimento geral que o único indivíduo que realmente compreende a matemática de **viagem na Dobra** é o megacérebro **Dr. Ramasculos Ch'Far Si-Liento Terceiro de Voli VI**. Si-Liento clonou seu cérebro três vezes e o conectou a uma rede biológica capaz de calcular em uma velocidade de 1 **exaFLOP^3**, e ainda assim ele é incapaz de fazer um cálculo de viagem na **dobra** e **pedir o café da manhã** ao mesmo tempo. Resumindo: é muito complicado.

Por sorte, você não precisa entender como vai de A até B para compreender o que pode dar errado no meio do caminho. Alguns dos riscos de viajar na Dobra incluem:

▶ Alucinações

▶ Dobrastades

▶ Dano cerebral permanente

▶ Fechamento de portão inesperado

▶ Psicose

Ainda assim, dadas as distâncias que naves podem percorrer dentro da Dobra, é válido pesar esses riscos contra a morte garantida por velhice que irá lhe acometer se resolver fazer a jornada do jeito antigo.

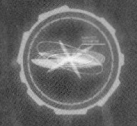

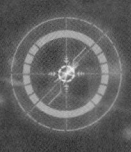

25

AURI

Adentramos a Dobra há dez minutos, e desde então ninguém falou nada.

As cores são monocromáticas, preto e branco e os tons entre os dois, alvejando as chamas do cabelo de Scarlett, deixando a pele negra de Zila em um tom de chumbo. A nave está viajando tranquila, e estou sentada em um dos bancos acolchoados na parte mais distante da ponte. O peso do Gatilho descansa nas minhas mãos.

Cada parte de mim dói, dos meus dentes até os dedos dos pés, mas apesar de estar tonta devido à exaustão, eu estou *viva*. Não só com a adrenalina de ter sobrevivido, mas também com a percepção de que estou no caminho que devo seguir. Não sei aonde esse caminho leva — e eu nem sei qual o próximo passo —, mas sou preenchida com uma sensação de propósito que não pode ser definida, de que estou fazendo exatamente o que preciso fazer.

O que preciso fazer? De acordo com quem? E por qual razão?

Se eu seguir esse caminho, eu saberei o que aconteceu com meu pai e os outros em Octavia? Vou descobrir o porquê de o governo também querer me apagar?

Será que descobrirei o que eu sou?

Olho para a estátua em minhas mãos, percorrendo meus dedos pela superfície. Parece velha, a pedra lisa devido ao desgaste do tempo. Parece o peso correto na palma da minha mão, como se *devesse* estar exatamente ali, mas não faço ideia do que devo fazer com ela.

É Tyler quem quebra o silêncio, soltando o cinto e ficando de pé. Ainda está vestindo os trajes formais, o tecido preto completamente rasgado, já fora das tendências da moda.

— Precisamos decidir para onde vamos — diz ele.

Então ele pausa, olha para o resto da cabine. Examinando os rostos cansados do Esquadrão 312 da Legião Aurora. Seus lábios formam um daqueles sorrisos com covinhas que ele mostra tão bem.

— O que eu quero dizer é — ele se corrige — que o que fizemos foi incrível. Não poderia estar mais orgulhoso de servir com cada um de vocês.

São as palavras certas. Vejo cada um dos membros do esquadrão corrigir a postura, se ajeitar na cadeira depois que ele fala.

Ainda assim, Fin não parece diferente quando ele responde:

— Obrigado, Garoto de Ouro, mas você está certo. Precisamos descobrir pra onde vamos, ou a única coisa que vamos ter para nos preocupar é o tempo de cadeia que vamos pegar. E de jeito nenhum que vou dividir cela com esses miseráveis.

Cat fala sem virar a cabeça, apesar de que gostaria de ver seu rosto.

— Admito que ajudaria saber ao menos um *pouco* o que fazer com o sistema de navegação.

Abro a boca, depois fecho, olhando para o Gatilho na minha mão mais uma vez. A coisa pela qual todos nós arriscamos as nossas vidas. Todos estão me encarando agora — exceto Kal, é claro, que está me ignorando com a determinação de sempre. Consigo sentir os olhos de todo mundo na nave esperando que eu dê uma resposta.

Não faço ideia de aonde devemos ir.

Sou poupada de responder a pergunta por Zila, que se desfaz do cinto e fica de pé.

— Vou providenciar tratamento médico — diz ela, na mesma voz calma que sempre usa, como se não tivesse acabado de atirar em seis guardas Chellerianos três vezes maiores do que ela, depois de desativar a rede de gravidade de uma estação espacial inteira. — Scarlett, consegue acessar os suprimentos? Devemos comer logo. E precisamos trocar de roupa.

A ideia de comida anima todos nós. Há uma pausa de concordância quando os gêmeos Jones pegam e distribuem os pacotes de ração "chacoalhe e esquente". O meu diz *Ensopado e Torta NãoDePorcoComMaçã*™ na embalagem. Não sei se devo me preocupar com o *Não* ou com o *e Torta!*, e eu chacoalho até que a embalagem esquente nos meus dedos, rasgando na linha pontilhada.

Um apito familiar soa de dentro do meu cinto.

— Sabe que não tem nada parecido com porco ou maçã aí dentro, não sabe?

Encarando a embalagem com desconfiança, suspeito que Magalhães esteja correto, mas dou de ombros e começo a comer.

— Ty, precisamos conversar — diz Scarlett.

— Oh-oh — responde Tyler, de boca cheia. — Nenhuma conversa em toda a história da humanidade que começou com essas palavras acabou bem.

Zila está de pé ao lado de Fin, aplicando alguma coisa nos cortes do rosto dele.

— Deveríamos discutir o que vimos no apartamento de Dariel. A informação deve influenciar nossa próxima decisão.

— Por quê? — pergunta Cat, olhando para elas. — O que vocês viram?

Kal fala ao meu lado, sua voz baixa.

— Havia algo errado com os agentes da AIG. Nós observamos quando retiramos os uniformes para que Scarlett e Zila usassem.

Tyler olha de relance para ele.

— Errado? Pode contar um pouco mais?

Scarlett apoia o seu *Exatamente Igual Bolinhos de Peixe*™ na mesa.

— Não acho que queremos contar. Esse tipo de coisa é melhor mostrar.

Ela ainda está usando a armadura cinza da AIG do pescoço pra baixo, e ela desacopla a parte que cobre o seu peito, tira o univídro de dentro do corpete suado do vestido e aponta na direção do display central holográfico da nave, transferindo uma imagem apenas com um movimento do dedo.

A imagem substitui as leituras da trajetória, e o esquadrão inteiro fica imóvel e em silêncio.

Cat é a primeira a falar, em um tom que nunca ouvi antes.

— Puta que *pariu*.

É a imagem de uma mulher — uma mulher humana. Ela provavelmente tem por volta de trinta anos, apesar ser difícil de determinar isso a princípio. Ela está morta, suas bochechas esvaziadas. A boca está um pouco aberta, e a pele dela é de um cinza sem vida, soturno. E onde o olho direito dessa mulher deveria estar, tem uma... planta?

Me lembra um pouco das suculentas que minha mãe costumava ter no nosso apartamento. Folhas em formato de diamante saem do olho dela em um pequeno buquê, grossas, carnudas, pouco maiores do que a unha do meu dedão. Há um tom sem vida nelas que combina com a pele, com um tom mais escuro ao redor das bordas e um emaranhado de veias que as percorre.

Um tipo de musgo se espalha do lado direito do rosto. Parece feito de uma folhagem macia e com vinhas retorcidas que cobrem metade da sua testa, trilhando e desaparecendo para dentro da sua camisa preta. As mesmas veias negras das folhas também percorrem a pele dela como teias de aranha.

É como se ela fosse feita de pedra, e as plantas e o musgo estivessem *crescendo* de dentro dela. Não é à toa que Kal disse que tinha algo errado. Uma sensação no meu estômago me diz que eu nunca vi algo mais errado do que isso. Deveria ser só nojento, descabido, mas em vez disso está colocando todos os meus nervos à flor da pele, minha medula pinicando de pânico.

— Não sou muito entendido de doenças humanas — diz Kal baixinho —, mas suponho que esse não seja um sintoma comum.

— Não — diz Ty, soando o mais trêmulo que já ouvi até agora. — Você está me dizendo que essa mulher era um dos agentes da AIG? Ela estava andando e conversando?

Olho novamente para o rosto da mulher. Eu não... Há algo incrivelmente errado nisso, mas também há algo *familiar*. Ergo minha mão para bloquear o olho que está florescendo com a planta anômala e olho bem para o resto do corpo dela.

E então meu estômago contrai.

— Tyler, eu... eu a conheço.

Minha voz está rouca, pouco mais do que um sussurro.

Ty olha para mim, a sobrancelha com a cicatriz erguida.

— Você a viu em Sempiternidade?

Sacudo a cabeça.

— Eu a *conhecia*. Antes mesmo de entrar na *Hadfield*.

Eu sinto os olhares que meus companheiros trocam ainda antes de vê-los com meus próprios olhos.

— Isso é impossível — Scarlett diz. — Isso faz com que ela tenha duzentos anos. Você sobreviver à criogenia foi uma ocorrência anormal, Auri. Você está dizendo que a mesma coisa aconteceu com ela, em uma nave que nunca nem chegou a virar notícia?

— Ou isso, ou a rotina de skincare dela é realmente muito boa — Fin diz, mas ninguém ri.

— Eu sei — digo baixinho —, mas essa é Patrice Radke. Ela era uma das colonizadoras em Octavia III, chefe do departamento de Exploração e Cartografia.

Desvio meu olhar da imagem, e todos eles estão olhando para mim. Alguns parecem esperar mais coisa. Alguns parecem desconfiados. Todos eles, no entanto, estão escutando cada palavra do que eu digo.

— Ela seria minha chefe — sussurro. — Eu estava indo fazer um estágio em Exploração e Cartografia sob o comando dela. Ela e meu pai... eles...

Primeiro, obrigada pelos parabéns, pai. Obrigada por me dar parabéns por vencer as Interestaduais de novo. Obrigada por se lembrar de mandar uma mensagem para Callie por causa do recital, que ela apresentou lindamente, aliás. Mas, mais do que tudo, obrigada por isso. Mamãe não conseguiu permissão para o Octavia, então agora você... você troca ela? Vocês nem se divorciaram ainda!

E então eu desligo o telefone. As últimas palavras que falei para ele foram uma lista das razões pelas quais ele era um pai ruim.

E agora ele está morto.

Olho de novo para o rosto sem vida de Patrice, meu estômago revirando.

Mas se ela está viva...

— Oficialmente, não houve nenhuma colônia em Octavia III — diz Zila. — Os relatórios diziam que estavam indo para Lei Gong.

— Bem, os relatórios estão errados — respondo.

Zila inclina a cabeça, me examinando do jeito que ela sempre faz.

— E essa Patrice foi uma das colonizadoras originais da sua expedição, há uns duzentos e vinte anos.

Não parece que ela está me questionando. Só tentando entender onde as coisas se encaixam. Os outros têm menos certeza, apesar de ninguém estar me contestando como fizeram antes. Acho que já passamos dessa fase.

— Eu sei que parece que estou louca — digo. — Mas sei que estou certa. Exceto pelo fato de que Patrice Radke está morta há mais de dois séculos. Pensando bem, eu mesma tenho duzentos e trinta e sete anos.

Estou em uma nave cheia de alienígenas. Com quem eu acabei de roubar uma estação espacial.

Nada é impossível.

Mas algo está muito, *muito* errado.

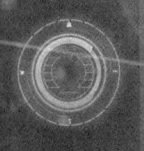

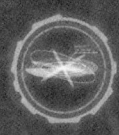

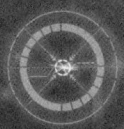

ESQUADRÕES DA LEGIÃO AURORA
▶ MEMBROS DO ESQUADRÃO
▼ CÉREBROS

Cérebros são os oficiais de Ciência e Medicina dos **Esquadrões da Legião Aurora (LA)**. A maioria possui um número de QI assustadoramente alto, cartões que certificam que são membros oficiais do clube nerd, e também possuem uma tendência de correr na direção do perigo com a desculpa de que "isso pode ser interessante".

Cérebros são responsáveis por curar ferimentos, providenciar informações científicas para seus **Alfas** num piscar de olhos, e, ocasionalmente, descobrir como **explodir tudo** usando apenas um palito de dente e uma goma de mascar.

Não quero reforçar estereótipos nem nada, mas as pessoas que têm assim tantos neurônios às vezes são um pouco... **esquisitas**.

INSÍGNIA DOS CÉREBROS

26

KAL

— O outro agente da AIG também estava assim? — pergunta Tyler.

Eu assinto, lembrando a sensação dos corpos conforme eu os espancava. O som que faziam quando caíam. A carne estava... errada debaixo dos meus punhos. Fibrosa. Molhada. Ossos se desdobrando como galhos verdes, em vez de quebrando feito madeira seca.

— Já encontrei muitos Terráqueos durante todo o meu tempo na Academia Aurora — digo. — Esses agentes não eram humanos.

— Mas eles são da AIG — protesta Cat. — São parte do ranking superior da Força de Defesa Terráquea dentro da Divisão de Inteligência.

— Então a sua Força de Defesa Terráquea tem muitos problemas — respondo.

Consigo sentir Aurora sentada perto de mim. A presença dela é como sentir os raios de sol na minha pele. Me sinto banhado por ela, apesar de tentar ignorá-la, focando no rosto do meu Alfa e no nosso problema atual. A atração que sinto é como a gravidade. Um lago sem fundo no qual me atiraria alegremente para me afogar.

— Como é que um colonizador de Octavia de duzentos e sessenta anos entra na AIG? — pergunta Aurora. Consigo sentir a aflição na sua voz. Ela conhecia essa mulher. Talvez até mesmo se importava com ela.

— Hum, uma pergunta um pouco mais preocupante — diz Fin, indicando Auri com a cabeça. — Da última vez que chequei, a Clandestina aqui é a única pessoa que sobreviveu a um período de criogenia por mais de algumas décadas. Como é que um humano de duzentos e sessenta anos está *vivo*?

— Eu não acredito que ela estava.

Todos nos viramos para Zila, que está olhando para seu univídro.

— Eu não tive muito tempo para conduzir experimentos — ela continua —, mas os dois agentes da AIG mostravam sinais de degradação epidérmica consistente com uma necrose precoce.

— Você está dizendo que eles estavam mortos antes de Kal conseguir derrubar todos eles? — pergunta Tyler.

— Estou dizendo que eles demonstravam sinais disso.

— Mas eles estavam andando e falando?

— Eu não posso explicar isso. Talvez essas eclosões — ela gesticula na direção das folhas prateadas que florescem dos olhos da agente — tenham alguma coisa a ver com isso. Como os pólipos saski Betraskanos, ou os nematomorfos Terráqueos.

Zila olha em volta para encarar um oceano de rostos sem expressão.

— Nematomorfos são parasitas nativos na Terra — ela explica. — Eles crescem e amadurecem dentro de organismos, e então começam a exercer controle da química do cérebro de seu hospedeiro, levando a criatura a se afogar em corpos de água onde os nematomorfos se reproduzem.

— E você ainda assim colocou o uniforme? — pergunta Cat, agoniada.

— Eu fiz uma irradiação completa nos trajes da AIG antes — responde Zila, sem pestanejar.

— Ela *realmente* gosta daquela pistola disruptiva — murmura Finian.

— Eu gostaria só que tivéssemos trazido um dos corpos a bordo para eu poder estudá-lo — suspira Zila.

— Não mesmo, obrigado — Tyler responde, olhando horrorizado para a imagem no display. — O mais longe que pudermos ficar dessas coisas, melhor. Talvez seja algum tipo de vírus que pegaram enquanto estavam na Nave do Mundo, ou algo do tipo?

— Duvidoso — desdenha Zila.

— Mesmo se tivessem feito isso, como é que ficaram tempo o suficiente lá para pegar o vírus? — Fin pergunta.

Aurora ainda está encarando a imagem, os olhos distantes, talvez ainda perdida nas memórias que tem dessa mulher, a parceira de seu pai, que agora se tornou sua inimiga.

— Auri, você reconhece esse homem? — Scar pega a imagem do segundo agente da AIG que matei.

Ele é parecido com a outra, as eclosões estranhas irrompendo do olho, um punhado de flores brilhantes crescendo da orelha e em meio ao cabelo, o lado direito do rosto repleto com o crescimento do musgo. Consigo ver os traços de veias finas entre as folhas que parecem desenhadas nas bochechas do homem. Escuras como sangue.

Aurora morde o lábio.

— Talvez? Ele pode ter sido um engenheiro.

— Outro colono de Octavia — digo.

— Que deveria estar morto há duzentos anos — Scar concorda.

— Ele está ótimo para a idade dele — diz Fin. — Levando tudo em consideração.

A piada morre com o silêncio, mas uma parte de mim admira que Fin continue tentando aliviar a atmosfera pesada. A ponte está quieta, com exceção do pulsar dos motores, o zumbido dos consoles ao nosso redor. Aurora está encarando a tela principal, a pele sem vida das pessoas que ela conhecia, as eclosões que irrompem de suas cabeças. Consigo ver os tremores do seu corpo, sentir o medo da sua alma. Quero poder estender a mão para ela, pegar um pouco do medo dela e dissipá-lo dentro de mim. Resisto a esse Chamado com toda a minha força, e tento esconder na minha voz o desejo que sinto quando falo com ela.

— O Gatilho. — Indico a estátua nas mãos dela. — Significa algo para você?

Ela faz que não com a cabeça.

— Acabamos de arriscar nossas bundas por esse bagulho pequeno aí — Cat grunhe. — Você está me dizendo que foi pra nada?

— Eu não sei. Ele parece... correto. Deveria estar comigo, mas não sei como usar. — Aurora sacode a cabeça e olha para Tyler. — Olha, porque nós não vamos até Octavia III e damos uma olhada no planeta? Se os colonos estavam...

— Nós não podemos — interrompe Cat. — Está interditado, lembra?

— Correto — vem a voz digitalizada pendurada no cinto de Aurora. — Esse planeta foi considerado inacessível por ordem do Governo Terráqueo há algumas centenas de anos.

— Bem, alguém sabe por quê? — pergunta Aurora.

O aparelho apita.

— De acordo com os relatórios, as sondas de exploração descobriram um patógeno agressivo na atmosfera de Octavia III, e uma Interdição Galáctica foi invocada para impedir que o vírus se espalhasse para fora do planeta.

— Mas parece que isso já aconteceu! — Aurora diz, apontando para a tela.

— Nós definitivamente precisamos reportar isso para as autoridades — diz Scarlett.

Eu indico os cadáveres da AIG na tela com a cabeça.

— Essas pessoas *são* as autoridades.

— Bem, seja lá o que formos fazer — diz Cat —, não podemos simplesmente invadir a porra de Octavia III. As punições por violar a Interdição são horríveis.

— A PENA É DE MORTE — o aparelho fala. — DO TIPO QUE DÓI MUITO.

— Sim, obrigada, Magalhães — suspira Aurora.

— SEM PROBLEMAS — ele responde. — SÓ ESTOU FALANDO PORQUE VOCÊ NEM SEMPRE É A PESSOA MAIS INTELIGENTE NA...

— Modo silencioso — ela diz.

Aurora abaixa a cabeça, encarando o Gatilho em suas mãos. Consigo ver o conflito que há nela. Ela quer saber o que aconteceu de verdade com as pessoas que ama. Com a colônia que supostamente nunca existiu. Ao mesmo tempo, reconhece o que esse esquadrão já arriscou em nome dela. O perigo que ela trouxe até nós. E parece que ela não está disposta a pedir que arrisquemos nossas vidas por ela novamente.

— Auri, você se lembra da briga do lado de fora do escritório de Bianchi? — pergunta Tyler. — Você se lembra do que fez com o ultrassauro?

— Não — ela sussurra.

Sinto o medo dentro dela dobrar de tamanho. Não quero acusá-la de mentiras, mas suspeito que o que ela está dizendo não é verdade. Suspeito que talvez uma parte dela *realmente* lembre, mas o resto de Aurora só quer fazê-la esquecer.

— Talvez esse... poder que você possui tenha algo a ver com o Gatilho? — Tyler pergunta. — Você consegue tentar...

Um alerta baixo preenche a ponte, uma série de luzes piscando aparecem na tela. Cat se vira para os controles, e Tyler pula de volta para seu assento, os dedos passando rapidamente pelos consoles.

— Alguma coisa acabou de esbarrar na gente com o LADAR — Cat relata. — Estou pegando uma leitura... bem atrás de nós, indo pra sete e sessenta, A-12 gama quatro.

— Tela principal — diz Tyler.

Cat aquiesce, pegando o visual da aeronave que acabou de acionar nossos alarmes de proximidade. Sinto a atmosfera ficar pesada ao redor da ponte conforme a imagem aparece na tela.

Já vivi entre os Terráqueos por dois anos, mas ainda tenho dificuldade em processar o quanto inacreditavelmente *feias* as naves deles são. Naves Syldrathi são instantes de beleza congelados em titânio e no tempo. São nossas canções em homenagem ao Vazio pela qual navegam — formas graciosas e curvas gentis, e um revestimento puro, brilhante.

O exterminador que nos persegue é rústico em comparação, com uma frente reta e toda a elegância crua de um objeto feito somente para ser funcional. O logo da Força de Defesa Terráquea está estampado no seu casco escuro. O nome está pintado em branco.

— *Belerofonte* — diz Tyler.

— Nós sabíamos que estavam em rota para a Nave do Mundo. — Cat dá de ombros. — Acho que finalmente nos alcançaram.

A voz dela é casual, o blefe tão bom quanto sempre, mas ela entende o que todos nós também entendemos. Princeps está a bordo. O primeiro entre iguais, que persegue Aurora em uma perfeita obstinação.

— Bom, ao menos podemos reportar o caso para as autoridades agora... — diz Fin.

A voz do nosso Alfa está tensa quando ele fala.

— Cat, nós conseguimos escapar deles?

A nossa Ás faz que não.

— Eles vão nos pegar em algum momento. Uma Longbow é mais devagar que um exterminador, *e* eles têm muito mais combustível. Não quero me estender no assunto, mas a gente nem tem uma merda de um destino. Eu só estou voando em linha reta e fingindo que está tudo ótimo.

Scarlett aquiesce, cruzando os braços.

— E se ficarmos na Dobra tempo demais sem criogenia, vamos todos começar a ter problemas.

— Precisamos de uma rota — concorda Cat.

Todos os olhos se viram para Aurora. Ela está olhando para o Gatilho em suas mãos, virando-o em direções diferentes como se fosse um quebra-cabeça.

— Eu... — Ela sacode a cabeça. — Eu não sei...

BAM!

Um relampejo de uma pistola disruptiva acende a ponte em um tom de branco. Aurora é arremessada para trás pelo disparo, o Gatilho se soltando dos dedos e rolando no chão. Em um piscar de olhos, estou de pé, acometido repentinamente por uma fúria impossível. Zila está na frente de Aurora, a arma na mão, olhando para a garota com olhos indecifráveis.

— Ela *realmente* ama essa coisa — diz Fin.

— Zila, você ficou *louca*? — pergunta Scarlett.

— Estou testando uma...

Zila não fala mais nada. Eu a ataco com um golpe Aen no ombro, deixando seu braço inerte e fazendo a pistola cair no chão.

Pare.

Só que o Inimigo Oculto agora já está solto. Ver Aurora inconsciente no chão finalmente solta o monstro de sua jaula, uivando em deleite sombrio. A canção da morte preenche minhas veias quando alcanço a pistola caída, meu pulso gritando, minha visão aguda como o fio de uma navalha. Meu dedo se fecha no gatilho e ergo a arma e aponto para a cabeça de Zila.

Pare. Agora.

Alguma coisa me atinge por trás, derrubando a pistola. Eu me abaixo, rolando na direção do inimigo, sentindo meus dedos se esmagarem contra ossos. Então, ouço a voz do meu pai em minha cabeça. Sinto sua mão no meu ombro, guiando meu golpe quando atinjo a garganta de Tyler. Ouço sua risada quando meu Alfa grunhe, quando o sangue espirra e ele cambaleia para trás, sem ar. Cat me atinge por trás, mas eu consigo me desvencilhar, sangue nos nós dos dedos, as mãos erguidas, o coração batendo.

Pare.

O Inimigo é tudo que sou naquele instante. O Chamado o deixa livre. Até aqui, na Dobra, minha visão fica vermelha. Eu não consigo respirar. Não consigo pensar em nada exceto que Aurora está ferida, ela não está segura, ela é aquela que é fundamental, aquela que é meu tudo, minha...

— Kal, pare agora! — Scarlett grita.

Pare.

Agora.

Fecho meus olhos, lutando com tudo que tenho. O Inimigo é forte demais. O Chamado é profundo demais. Alto demais. Seria difícil cada um deles resistir sozinho, mas juntos, eles são mais fortes que a força que segura minhas células, que envolve e conecta o universo como um todo. Não é como nada que já senti antes. Não consigo explicar. Não consigo racionalizar.

Mas eu *preciso* controlá-los.

Não há amor na violência.

Não há. Amor. Na violência.

E lentamente, tão lentamente, eu abro meus olhos.

A ponte está caótica. Tyler se ergue de onde caiu, sangue escorrendo pelo queixo. Cat está no chão, pressionando suas costelas. Zila está encostada contra a parede, olhando para a confusão, de olhos arregalados, e chupando um cacho do cabelo.

— Estava no modo atordoar — ela sussurra.

— E todos estávamos nos dando tão bem! — ri Fin.

Fico ao lado de Aurora. Tudo que tentei esconder agora está borbulhando na superfície. As paredes de gelo que guardam meus sentimentos foram estilhaçadas. Meu coração pulsa contra minhas costelas.

Ela está inconsciente com o tiro da pistola disruptiva de Zila, a cabeça balançando por causa da velocidade da nave, os olhos fechados como se estivesse dormindo.

Mas está bem, eu percebo.

Tudo está bem.

— Todo mundo bem? — Tyler pergunta, a voz rouca por causa do golpe que dei na garganta.

Há uma série de respostas em assentimento, devagar.

— Kal, você me disse que daria um jeito nisso! — ele diz, me encarando.

— Eu sinto muito — digo. Estou abismado com o que acabei de fazer. De ter me perdido tão completamente. — Eu... Eu não queria... Eu não sabia que a arma estava apenas no modo atordoar. E ver Aurora assim em perigo...

Sacudo a cabeça, tentando encontrar as palavras. Como é possível descrever o significado de voar para aqueles que nunca sequer viram o céu?

— Eu sinto muito — digo novamente, olhando para Zila. — De'sai. Estou envergonhado.

— Legionária Madran, explique-se — demanda Tyler, virando para encarar a garota.

Zila pisca, demorando um instante para focar novamente.

— Me ocorreu que na maioria das vezes que Aurora manifestou seus poderes ocultos, ela estava dormindo ou inconsciente. Eu achei que...

— Você achou que *atirar nela* sem avisar antes seria uma boa ideia?

— Foi um risco calculado, senhor — diz Zila. — Se eu avisasse Aurora, a probabilidade de uma reação defensiva de proporções calamitosas aumentaria drasticamente.

Meu esquadrão se entreolha, sem ter certeza de quem é a pessoa mais perigosa do grupo — Zila ou eu. Pode ter sido indesculpável, mas ao menos eu tenho uma *razão* para a violência da minha reação. Zila... é como se ela simplesmente não se encaixasse. Como se ela fosse fundamentalmente incapaz de compreender o que deve ser feito e o que não deve.

Tyler fecha os olhos, massageando as têmporas.

— Zila, você é a pessoa mais inteligente nessa nave — ele diz. — Você pode até ser uma das pessoas mais inteligentes em toda a Legião. Você sabe qual é o seu problema?

— Eu... eu ficaria feliz em ouvir o feedback, senhor — ela responde.

— O seu problema é que você entende como tudo funciona, exceto outras pessoas.

Ela pisca com a constatação.

Acho que vejo lágrimas nos seus olhos.

— Eu estou...

Cat xinga e se afasta quando Aurora se levanta, de pé. Os músculos dela estão tensos, todo seu corpo rígido como aço. Os olhos dela estão abertos, a íris direita queimando em branco. Seu cabelo está esvoaçando como se estivesse em uma brisa, uma nuvem tênue de luz escura envolvendo seu corpo. Assim tão perto, consigo sentir a corrente que percorre a pele dela. Sentir o gosto de sódio na boca. Sentir a força emanando no ar e dentro do meu peito.

— Ora, ora. — Fin ergue uma sobrancelha pálida para Zila. — Você estava certa.

— Aurora...? — chamo.

Ela estica os braços, erguendo-se levemente do chão.

— *Nãããã-ã-ããh* — ela diz.

— Auri, você consegue me ouvir? — Tyler pergunta, dando um passo à frente.

A estática pulsa. Consigo sentir os cabelos no meu escalpo se erguerem. A Longbow estremece, a eletricidade oscilando, um grito débil crescendo pelo ar. Aurora vira os olhos incandescentes e díspares na direção de Tyler, a luz ao seu redor brilhando enegrecida.

Scarlett se aproxima devagar, aparentemente sem medo, as mãos erguidas na frente dela.

— Quem é você?

A nave estremece ao nosso redor, o grito começa a ficar mais alto e a luz ao redor de Aurora fica mais escura enquanto ela se esforça para falar.

— N-*nnnãoquem* — ela responde. — *Oquen-nnããoquemnãoq-q-quem-O--QUÊ*.

— Certo, *o que é você?* — Scarlett pergunta.

— *Eshvarennnnnn-n-nn* — ela responde.

Meu pulso acelera com a resposta. O nome dos Antigos, extintos há centenas de milhares de anos. Os primeiros a nos encontrarem na Dobra. Os primeiros a andarem pelas estrelas. Eu olho para Finian em triunfo, vejo o ceticismo dele desaparecer dos olhos negros. Aurora inclina a cabeça, e meu coração dispara quando sangue começa a escorrer do seu nariz e ir até o queixo.

— O que você quer? — Tyler pergunta, equilibrando-se conforme a nave estremece.

Aurora não responde. Virando para olhar a cabine ao redor dela, ela encontra o Gatilho, que rolou embaixo do console principal. Ela estica a mão na direção da estátua e o objeto estremece em resposta, erguendo-se do chão como se tivesse vontade própria. Os olhos dela estreitam, e ela encurva os dedos em um punho. Rachaduras aparecem na superfície do Gatilho, o som de metal se rachando ecoando no ar.

Eu me adianto, a mão esticada. Todos nós arriscamos as nossas vidas para obter a escultura, todos nós...

— *Não!*

O Gatilho se despedaça, estilhaços de metal voando por toda a ponte. Um pedaço corta minha bochecha, outro passa voando perto de minha garganta, e o grito nos ouvidos fica mais alto. E ali, flutuando na frente de Aurora, está o diamante que estava antes no peito da estátua. É maior do que eu pensava — a maior parte dele estava escondida, como um iceberg escondido sob a superfície do oceano. Está brilhando, e o exterior está esculpido com uma rede complexa de espirais.

Aurora chama com um movimento e a pedra preciosa flutua na direção dela, descansando na palma de sua pequena mão. Quando toca a sua pele, uma projeção feita de luz pura preenche toda a ponte. Um caleidoscópio de pequenos pontos brilhantes, bilhões deles, hélices e espirais e formas que qualquer cadete na Academia Aurora seria capaz de reconhecer.

— Essa é a Via Láctea! — Cat grita por cima dos berros.

A totalidade da nossa galáxia.

A pedra preciosa brilha, continua pulsando. E entre a vasta coleção dos nossos sistemas solares brilhantes, apesar do tom monocromático da Dobra, dezenas de sóis ficam vermelhos. O único toque de cor entre o branco e preto, escarlate como sangue humano. O grito no ar se torna ensurdecedor. Sinto um calafrio na minha barriga sem saber exatamente por quê. Consigo sentir o mesmo entre os meus membros do esquadrão, as treliças de suas mentes frágeis se desdobrando com um terror instintivo. É um medo primordial, o medo que os talaeni sentem quando a sombra das asas dos drakans aparecem em suas costas.

O medo que pertence às presas.

Olho para a projeção, lutando contra o temor que sinto no peito. Vejo a nossa galáxia estender diante dos olhos, ao nosso redor, espiralando em volta do enorme buraco negro que fica no centro do seu coração tempestuoso.

Um céu impossível, brilhando e pulsando com pequenos pontos vermelhos iluminados.

E eu finalmente entendo o que estamos vendo.

— É um mapa estelar! — berro por cima do grito.

A galáxia começa a se mexer. Como se o tempo estivesse acelerando. Rodopiando em volta do coração preto e lustroso, mais rápido e mais rápido. Uma espiral sem-fim, bilhões de estrelas interagindo e se unindo, acendendo e morrendo.

Os sistemas mais próximos do coração giram mais rápido, passando pelas estrelas mais lentas nas margens, flutuando por cima e entre elas, a força de sua velocidade enviando ondas em luz de estrelas. É um balé cósmico. Centenas de milhares de anos em um piscar de olhos. E conforme o vermelho começa a se esvair daquelas poucas estrelas iluminadas, a mancha se espalha como sangue até que toda a galáxia esteja mergulhada em escarlate.

Aurora olha para mim. O olho branco está brilhando com luz interna, o sangue agora escorrendo do queixo e caindo no chão embaixo dela. Sinto o Chamado rugir em minhas veias ao ver seu sangue. O desejo de protegê-la que se sobrepõe a qualquer pensamento racional. Ela aponta para as imagens no display central. Os agentes da AIG, com suas faces mortas e florescendo.

— *Ra'haam* — diz ela.

— Você está machucando ela! — digo, dando um passo à frente.

— *Gestalt* — a coisa que está em Aurora responde, apontando para a mancha escarlate. — *Cuidado. Ra'haaaaa-a-ammm.*

— Solte-a!

Eu estico o braço e pego a mão dela. Sinto um frio congelante tão voraz que começa a queimar. Sinto o chão desaparecer sob meus pés. Sinto a vastidão ao meu redor, o quanto sou pequeno, apenas uma pequena partícula de carbono animado e água em meio a um oceano de infinitude.

Tudo o que eu já vivi. Tudo que já sofri. A destruição do meu planeta natal. O colapso da minha cultura. O genocídio do meu povo. Minha mãe. Minha irmã. Meu pai. A guerra exposta e o Inimigo Oculto.

Nada disso tem sentido.

— *Tuuudoooo* — diz Aurora — *ardeeeeeee*.

Então ela fecha os olhos e desmaia em meus braços.

— Santo cacete voador, ela está bem? — Cat pergunta.

Zila se apressa na direção de Aurora, escaneando os sinais vitais com o seu unividro. A Longbow parou de estremecer, e o grito horrível se esgotou como se alguém tivesse apagado uma vela. Tyler e os outros estão encarando o que resta do mapa estelar conforme ele desaparece de vista, como pontos de luz atrás das pálpebras depois de ficar muito tempo olhando para o sol.

— O batimento cardíaco está normal — relata Zila, e eu suspiro com alívio. — A respiração está normal. Tudo está normal.

— Hum. — Scarlett ergue a mão devagar. — Eu devo discordar.

— Eu também — responde Fin, os olhos arregalados.

Os olhos de Tyler ainda estão fixos no mapa estelar que desaparece. A mancha escarlate está recuando mais uma vez, deixando os sistemas estelares originais ainda brilhando em vermelho em meio ao preto e branco que nos cerca.

Ele sacode a cabeça, olha para mim e depois para a garota em meus braços.

— Leve ela para o ambulatório. Zila, você vai com ele. Certifique-se de que Auri fique bem.

Olho para Zila e vejo que ela se recompôs, mesmo depois do nosso confronto. Então eu aceno com a cabeça, erguendo Aurora gentilmente como uma criança adormecida. Conforme saímos da ponte e vamos para o corredor na direção do ambulatório, ouço a voz de Scarlett, baixinho, atrás de mim.

— Que *merda* isso significa, Ty?

A porta se fecha antes que nosso Alfa possa responder.

E tudo que sobra é o silêncio.

27

ZILA

Fico em pé ao lado do corpo inconsciente de Aurora, um scanner medicinal em mãos. Ela está deitada em uma biomaca no ambulatório, e eu estou checando seus sinais vitais. Faz quase cinco minutos que eu a fiz desmaiar — ela deve recobrar a consciência a qualquer instante.

— Está tudo bem? — Kal pergunta baixinho atrás de mim.

— Não há nada para se preocupar nas leituras.

— A pergunta era pra você, Zila.

Meu braço ainda está moderadamente entorpecido devido ao golpe que ele me deu no nervo, mas não há dor. Consigo ver apenas preocupação em seus olhos quando me viro para olhar. Essa preocupação se desfaz em alívio quando Aurora finalmente se mexe, erguendo uma mão à cabeça e gemendo. Sou deixada de lado quando Kal dá um passo à frente, os lábios abertos de leve, os olhos só para ela.

— O que foi que me atingiu? — Auri sussurra.

— Vou deixar vocês a sós — eu me ouço dizer.

— Zila... — Kal diz quando eu me viro para a porta. — Eu realmente sinto muito. Eu queria apenas tirar a arma de você.

— Eu entendo — minto.

As palavras do meu Alfa ainda ressoam nos meus ouvidos assim que a porta se fecha atrás de mim.

O seu problema é que você entende como tudo funciona, exceto outras pessoas.

É verdade, e também não é.

Eu aprendi demais sobre como os humanos funcionam quando eu tinha seis anos.

Eu sei tudo que eu preciso.

Ainda assim, não posso dizer que eu os entendo.

28

KAL

Eu deveria saber que isso aconteceria.

Aurora abre os olhos, e a luz reflete na sua íris e a deixa como uma pérola, e a inundação de alívio que sinto escapa do meu peito pelos meus lábios com um suspiro suave.

— Be'shmai...

Eu a ajudo a sentar na biomaca, observo enquanto ela pisca, tentando escapar da sonolência do tiro da pistola disruptiva de Zila. Ver que ela está segura extingue o fogo que me consumiu na ponte. Só a imagem dela já é como a água em um deserto infinito, e eu preciso contar a verdade. Eu nunca me senti tão dividido em toda a minha vida, porque isso não pode continuar.

— Do que você se lembra? — pergunto.

Eu observo, quase hipnotizado, quando uma pequena ruga surge na sua testa.

— Zila... atirou em mim.

— Ela não queria te machucar — digo. — Ela queria apenas acordar aquilo que dorme dentro de você.

Aurora olha para mim, e meu coração bate um pouco mais rápido quando nossos olhares se cruzam.

— Eshvaren — ela sussurra.

— Os Antigos — concordo. — De alguma forma, eles estão envolvidos em tudo o que está acontecendo. E agora você também é parte disso, Aurora.

— Isso é loucura. — Ela fecha os olhos, massageia as têmporas como se doessem. — Eu podia ver tudo, mesmo ainda apagada. Como se eu estivesse... eu estivesse fora do meu corpo. Vendo tudo num vídeo. Zila atirando em mim, e então você...

Nossos olhares se cruzam de novo, e meu coração se aperta. Espero tomar uma reprimenda. Uma reprovação justa pela violência que causei entre os membros do meu esquadrão. Consigo sentir o Inimigo Oculto, encurvado dentro do meu peito. A sombra de meu pai às minhas costas.

— E você me defendeu — ela diz.

Eu pisco. Sacudo a cabeça.

— Não. Eu me tornei uma vergonha.

Ela olha para mim. De cima a baixo, desde as botas até meus olhos.

— Eu não te *entendo*, Legolas — ela suspira. — Eu não te entendo mesmo. Uma hora você me diz que eu sou um risco, ou me ignora completamente. Outra hora você resolve atirar por todo um exterminador da FDT para me tirar da prisão, ou espancar todo o seu esquadrão para me proteger.

Ela suspira e balança a cabeça.

— Qual é a *sua*?

Eu respiro fundo, hesitando um instante antes de me deixar levar. Eu sei que uma vez que falar essas palavras, não haverá como retirar o que disse. Eu nunca deveria ter deixado isso chegar tão longe. E eu não consigo mais fazer isso.

— Já passou da hora de falarmos disso. Do porquê de eu me comportar desse jeito quando estou perto de você.

— Quer dizer do porquê de você se comportar como um completo idiota? — ela pergunta.

Mesmo com a dor em meu peito, sinto um pequeno sorriso se curvar nos meus lábios enquanto procuro as palavras certas. Para tentar encontrar uma explicação para algo que não tem.

— Há uma gravidade em tudo, Aurora — finalmente digo. — Não só em planetas. Não só em estrelas. Cada célula do nosso corpo, cada célula na criação, exerce uma força de gravidade em objetos e pessoas que a cercam. E... é isso que eu sinto. Por você.

Ela franze o cenho, os olhos brilhando na luz reconfortante. Por um segundo, ela está tão linda, que minha respiração se vai de uma vez só. Ainda assim, me esforço para recuperá-la. Porque se eu não disser isso agora, tenho medo de nunca mais conseguir.

— Syldrathi chamam isso de Chamado — eu digo. — É uma atração... instintiva que nós sentimos. Um elo elemental. Primitivo. Como a gravidade. Nunca ouvi falar de alguém de meu povo sentir o Chamado com um humano antes. Mas... eu sinto isso por você, Aurora.

Ela abre a boca como se fosse falar, mas minhas palavras são como uma enchente.

— Eu não queria que os outros soubessem disso. E você já estava com problemas demais sem que eu acrescentasse mais isso. Achei que talvez porque você tivesse me visto antes de me conhecer... talvez nós fôssemos... predestinados, ou coisa assim. — Eu balanço a cabeça, me sentindo um tolo. — E foi por isso que tentei proteger você do perigo sem deixar que soubesse o que estava acontecendo. Não estava tentando fazer com que sentisse qualquer obrigação comigo.

— Quais... quais obrigações poderiam acontecer? Se eu fosse Syldrathi?

Um longo silêncio recai entre nós.

— O Chamado é um elo entre almas gêmeas — revelo. — Entre parceiros.

Ela engole em seco. Claramente está sem palavras.

— Eu nunca deveria ter deixado chegar a esse ponto — suspiro. — Nunca deveria ter colocado uma humana nessa posição. Não é justo com você, nem com os outros. E você não deveria ter que fazer essa escolha.

Eu respiro fundo novamente, aquiescendo para mim mesmo. Lutando contra a onda de angústia. Sentindo a rachadura aumentar ainda mais no meu peito até que esteja tão sombria e profunda que sinto que nunca acharei meu caminho de volta.

É melhor assim.

— Eu não posso evitar me sentir desse jeito por você — digo —, mas eu *posso* controlar o que eu faço com relação a isso. Então quando descobrirmos qual é a verdade por trás desse Gatilho, do mapa estelar, eu vou me demitir da posição dentro do esquadrão. Eu já ignorei a guerra do meu povo por tempo demais. Não posso mais ficar fora disso. Assim que chegarmos ao fim deste caminho, você nunca mais precisará me ver de novo.

O silêncio entre nós é tão profundo e frio quanto o Vazio. Por um momento, não consigo imaginar como ele irá terminar. No entanto, o meu unividro apita na quietude, preenchendo o poço sem fim e quebrando o feitiço que nos cerca.

— Kal? — a voz de Tyler chia. — *Está me ouvindo?*

Toco no aparelho no meu cinto.

— Estou na escuta.

— *Zila disse que Auri acordou?*

Eu olho para os olhos díspares, sinto a dor cortando o meu coração como uma lâmina.

— Ela está acordada.

— *Acho que vocês dois precisam vir aqui e dar uma olhada nisso.*

— ... Estamos a caminho.

Toco no unividro de novo, cortando a transmissão. Encaro a garota sentada na minha frente, séculos e anos-luz de distância de qualquer lugar onde ela deveria estar. Sinto o gosto de sangue e cinzas na minha boca.

O que dizer quando não há palavras para o que se está sentindo?

O que dizer quando não há mais nada para ser feito?

— Vamos — eu digo.

E sem dizer uma palavra, ela desce da biomaca e marcha pela porta.

29

CAT

Estou trabalhando no sistema de navegação quando O'Malley e o Garoto-fada voltam para a ponte. Ela parece que acabou de ter a cara arrastada no asfalto, e ele como se alguém tivesse matado o seu cachorrinho e deixado a cabeça dele no travesseiro. Para falar a verdade, temos problemas maiores do que Sentimentos nesse instante. A *Belerofonte* ainda está se aproximando cada vez mais rápido, e depois do que acabamos de descobrir...

— Auri, você está bem? — Scarlett pergunta, obviamente priorizando Sentimentos um pouco mais do que eu. Ela é uma pessoa boa.

O'Malley olha para o Garoto-fada, e consigo ver a mentira nos seus olhos antes de ela abrir a boca.

— Estou bem.

— Cat, mostre pra eles — diz Ty.

— Entendido.

Com uma virada do meu punho, coloco o sistema de navegação de volta no display holográfico principal. O'Malley encara a espiral de estrelas brilhantes que rodopia na tela.

— O que é para eu olhar? — ela pergunta.

— O mapa dentro do seu Gatilho destacou vinte e duas estrelas no total — eu digo. — Eu acabei de alinhar esses sistemas com os segmentos que conhecemos da galáxia.

— Demorou um tempinho — diz Finian. — Ela não sabia quais eram só de olhar.

— Tem mais ou menos duzentos bilhões de estrelas na Via Láctea, Magrelo. Eu não sei todas elas de cor.

Ele funga.

— Achei que era pra você ser boa nisso.

— Cale a boca, Finian. — Meus dedos voam pelos controles, e vinte e dois pontinhos brilham em vermelho entre os bilhões de sóis. — A maioria dos sistemas marcados ainda não foram explorados. E alguns ficam a uma bela jornada daqui, mesmo se estivermos na Dobra. Acontece que cada um deles está exatamente em um conhecido ponto fraco da Dobra.

— Todos eles têm portões naturais? — Garoto-fada pergunta.

— Aparentemente, sim. — Aperto mais uma série de comandos. — E vocês nunca vão adivinhar qual é o sistema mais próximo da nossa localização atual.

Kal ergue a sobrancelha em dúvida, e eu coloco a resposta no display principal, onde estavam antes as imagens das nossas assustadoras pessoas-plantas. Uma imagem holográfica de uma estrela flutua sobre os consoles, brilhando incandescente. Ela é orbitada por sete planetas, e o terceiro planeta está exatamente na zona habitável. O nome do sistema está delineado em letras brilhantes embaixo da estrela.

— Octavia — sussurra Aurora.

Olho para Ty, e depois para Scarlett. Olho para cada membro desse esquadrão lixo nessa missão lixo para a qual passamos cinco anos nos preparando na Academia. Todos sabemos que não pode ser coincidência. Os relatórios oficiais dizem que deveria ser Lei Gong, mas os agentes da AIG com a planta esquisita na cara eram todos colonos de Octavia III de acordo com O'Malley. Ela disse que a nave, a *Hadfield*, ia para Octavia III quando desapareceu há duzentos anos. E agora isso, seja lá por qual outra razão que esse mapa de um milhão de anos exista, está nos mandando exatamente para a mesma porra de planeta.

— Me ajudem a entender, legionários — diz Tyler. — Suponham que vocês são agentes da AIG e há um sistema que você não quer que as pessoas visitem. E suponham que vocês não possam simplesmente trancar o portão, porque é um portão que ocorre naturalmente na Dobra. Como é que vocês impedem pessoas de irem lá bisbilhotar?

— Talvez invente uma história que envolva um vírus atmosférico mortal — murmura Scarlett.

— Talvez não seja história nenhuma — relembro. — Zila disse que os colonos nos uniformes da AIG estavam mortos antes de Kal chegar. Talvez eles tenham sido infectados com o vírus de que a Interdição está nos avisando.

— Então por que mudar todos os relatos e apontar para Lei Gong? — O'Malley pergunta. — Por que apagar qualquer vestígio de que existiu uma colônia em Octavia? Por que perseguir a última pessoa que ainda tem uma conexão com o lugar?

Tyler cruza os braços por cima do peito.

— Eu não sei vocês, mas estou com a sensação de que tem algo em Octavia que a AIG não quer que a gente veja. Ou melhor, uma coisa que eles não querem que Auri veja.

— Ra'haam — murmura Zila.

Kal assente.

— Cuidado.

Eu não gosto de aonde isso está nos levando. Conspirações do governo e acobertamentos, e sabe o Criador o que mais. Só que nós temos problemas maiores.

— A *Belerofonte* está em distância de comunicação — reporta Scarlett. — Eles estão nos chamando.

— Tela principal — ordena Tyler.

A imagem de Octavia dissolve, substituída por uma figura em um traje branco, camiseta branca, luvas brancas. O brasão alado da Força de Defesa Terráquea está estampado na parede atrás dela. Seu rosto é uma máscara branca espelhada.

— Bom dia, Princeps — Tyler diz.

— LEGIONÁRIO JONES — a figura responde. — VOCÊ É RESPONSÁVEL PELO ASSASSINATO DE AGENTES DA AGÊNCIA DE INTELIGÊNCIA GLOBAL, ABRIGAR E AJUDAR UM FUGITIVO PROCURADO E A VIOLAÇÃO DE INÚMEROS REGULAMENTOS DA LEGIÃO AURORA.

— Esses últimos dias foram esquisitos mesmo — Tyler concorda.

— VOCÊ ESTARÁ MENOS FELIZ QUANDO FOR ENCARCERADO NA COLÔNIA PENAL LUNAR — o agente responde. — DESLIGUEM OS MOTORES DA NAVE E MANTENHAM SUA POSIÇÃO PARA AGUARDAR NOSSA CHEGADA. ISSO É UMA ORDEM.

— E se eu recusar?

— NÓS DESTRUIREMOS SUA NAVE — responde Princeps.

— Perdão — diz Tyler, sacudindo a cabeça. — Mas com todo o respeito, eu não acredito em vocês. Acho que vocês terão que nos seguir até chegarmos ao sistema Octavia.

Princeps ergue a voz pela primeira vez desde que o conhecemos.

— ESSE SISTEMA ESTÁ SOB INTERDIÇÃO GALÁCTICA POR ORDEM DO GOVERNO TERRÁQUEO!

— Empolgante, né?

— Vocês devem...

Tyler passa um dedo pela garganta e eu interrompo o sinal, revertendo a imagem de volta para o sistema Octavia. A ponte toda está em silêncio com exceção do zumbido dos motores. Scarlett está com a sobrancelha levantada para o seu irmãozinho, e eu não consigo evitar encará-lo também. Durante todos os anos em que convivo com Tyler, eu nunca o vi rejeitar a autoridade. Nenhuma vez. Só que nesses últimos dias, ele foi de aluno estrela da Academia para fugitivo procurado intergaláctico.

E, Criador nos ajude, acho que ele está gostando disso.

— Isso foi uma aposta e tanto, bebezinho — diz Scarlett.

— Não muito — ele diz. — Desde o começo, tudo que a AIG quer fazer é capturar Auri. Eles estavam dispostos a matar qualquer um que soubesse que eles a tinham sob custódia. E é *isso* que importa na verdade. — Ele gesticula para a tela. — Tem alguma coisa em Octavia que a AIG não quer que a gente veja. E o que quer que seja, está ligado às habilidades novas de Auri. Os transes dela nos levaram até o Gatilho, e o Gatilho está nos levando a Octavia. Eu não sei se a Líder de Batalha de Stoy e o Almirante Adams sabiam que ia acabar nisso, mas acho que nossa missão o tempo todo era vir até aqui. Acredito que é uma coisa muito maior do que qualquer um de nós pode imaginar.

Ele olha ao redor da ponte para todos nós.

— Nós estamos pulando de um precipício. Não culpo nenhum de vocês se quiserem ir embora agora. Somos fugitivos do governo Terráqueo, mas se cruzarmos a linha de Interdição, vamos ser procurados pelo governo de todos os lugares.

Tyler está certo, e todo mundo sabe disso. Interdição Galáctica é uma das regras mais reforçadas do nosso mundo. É usada apenas nos setores mais perigosos da galáxia — sistemas que foram dizimados por pragas ou infestações que representam uma ameaça imediata para o resto da civilização galáctica. Lysergia. Doença Selmis. Tempestades temporais. Não dá pra brincar com sistemas sob Interdição. Se você quebrá-la, não vai haver uma corte marcial. Eles vaporizam o sujeito assim que o veem e torcem pra não cair respingos nos sapatos.

Tyler olha para cada um bem nos olhos.

— Qualquer um que queira ir embora, é só descer ao nível 3, pegar a cápsula de escape, e abandonar a nave. Sem ressentimentos.

Scarlett coloca as mãos no quadril.

— Você está brincando, né?

— Estou falando sério, Scar. Não sabemos o que vamos encontrar quando chegarmos a Octavia. Não nos voluntariamos pra isso.

Ela cruza a ponte. Coloca as mãos nos ombros de Tyler, vira a cadeira para que ela esteja de frente para ele. Assim de perto, apesar de não serem idênticos, consigo ver todas as semelhanças. O elo inabalável entre eles. Vai além do sangue.

Quando ela se inclina, beija a bochecha do seu irmão.

— Eu me alistei por *você*, seu bobo.

— Uma Ás sempre apoia seu Alfa — eu digo.

Encontro os olhos de Tyler quando ele olha para mim.

— Sempre — ele responde.

Eu sorrio em resposta.

— Sempre.

— Eu não sou normal — Zila diz no silêncio que se segue.

Todos nos voltamos a ela. Ela está olhando para baixo e brincando com as argolas de ouro penduradas nas orelhas. Vejo que tem pequenos pedaços de pizza de penduricalho no brinco. Seus cachos são como uma cortina escura ao redor de seu rosto, a voz dela, um sussurro.

— Zila? — Scar pergunta.

— Os únicos lugares no qual me encaixo são os lugares dentro da minha cabeça — ela continua. — É como você disse, senhor. Eu não entendo as pessoas. — Ela olha ao redor da ponte. — Mas eu acredito que, de todos os lugares nos quais não me encaixei, eu me encaixo aqui um pouco melhor.

Scar sorri.

— Por que alguém gostaria de ser normal quando você pode ser interessante?

Zila olha para Scar e assente.

— Eu fico.

Kal fala do seu lugar perto do console de armas. Os nós nos dedos estão machucados, os olhos incandescentes quando ele olha para O'Malley.

— Eu fico até o fim dessa linha.

— Bem, boa sorte com isso — diz Finian. — Mas pessoalmente, quebrar a Interdição Galáctica é onde esse Betraskano que vos fala acha que é um bom ponto pra parar. Não estou pronto para deixar que todos os governos de toda a galáxia se tornem meus inimigos em nome de uma garota sujinha com poderes psíquicos de duzentos anos que começa a nos jogar pelo ar como bolas de kebar cada vez que um de nós dá um tapa no cérebro dela. Se divirtam nessa missão suicida, criançada!

Estamos todos um pouco embasbacados, acho. O esquadrão inteiro observa enquanto Finian dá uma girada na cadeira, fica em pé, e começa vagarosamente a mancar na direção da porta, o exotraje rangendo. Eu não posso culpá-lo. Ele é Betraskano, no fim das contas, e o nosso problema por enquanto é só com a Terra. Se ele for esperto e cortar laços agora, ele talvez até consiga...

Finian dá uma volta e se vira para nos encarar, apontando diretamente pra mim.

— Te peguei, não foi?

— O quê?

Ele se abre no seu sorriso malandro de sempre.

— Pode admitir. Todos vocês. Vocês acharam que eu realmente ia embora, não é?

Também abro um sorriso, pego Trevo e o arremesso contra Finian. Ele nem tenta pegar o bicho, e o brinquedo bate contra seu peito e cai no chão.

— Você é um cuzão, Finian — suspira Scarlett.

— Sim — ele responde. — Mas sou o *seu* cuzão.

Ele faz uma careta.

— Espera, não, não foi isso que eu quis dizer. Ugh. Desculpa. Terráqueo não é minha língua materna e tal...

Tyler dá um sorriso, e olha para a ponte e o Esquadrão 312. Quase todos nós nos conhecemos por apenas alguns dias. Já passamos por muitos apertos juntos. Talvez agora passaremos pelo inferno. A verdade é que mesmo com tudo que aconteceu, eu não queria mais ninguém me liderando e mostrando o caminho pela Via.

— Pode estabelecer uma rota para o sistema Octavia, Zero.

Eu presto uma continência, e então sorrio.

— Sim, senhor.

• • • • • • • • • • • • •

Estamos quase no Portão da Dobra de Octavia quando a *Belerofonte* começa a atirar em nós.

Princeps esteve tentando se comunicar conosco durante a última hora, mas Ty ordenou que Scarlett ignorasse as chamadas. Já está barulhento o suficiente aqui sem a AIG acrescentar suas ameaças de morte na bagunça. Nossos sistemas estão reclamando pelos últimos vinte minutos, os faróis locais alertando que estamos nos aproximando de um sistema sob Interdição Galáctica, que a entrada no sistema Octavia é "extremamente insalubre" e pode resultar em "consequências catastróficas", e consiste em "violação da lei intergaláctica, como colocada pelo Tratado de Verduum IV e assinada por blá-blá-blá".

Estou começando a odiar a vida.

E então um míssil é arremessado na nossa direção, e eu me lembro por que eu amo tudo isso.

Todos trocaram as roupas da festa e estão de volta aos uniformes, então ao menos estamos vestidos de acordo. Aciono nossos chamarizes assim que acelero o motor e começo a rotina de evasão. Nossa tela pisca quando o míssil explode atrás de nós, acendendo a Dobra em um branco puro e incandescente.

— Isso era um míssil nuclear? — Scarlett pergunta, os olhos arregalados.

— Certamente não era um buquê de flores — respondo.

— Aquela rima sobre a peste bubônica — diz Zila. — Um buquê de flores era a maneira mais eficiente de evitar a...

— Sim, obrigada, Legionária Raio de Luz — diz Finian —, mas sem entrar em rimas mórbidas Terráqueas, acho que seus colegas de barro estão tentando nos matar e eu achei que nosso destemido líder tinha dito que *eles não fariam isso*!

Tyler está olhando pelo periscópio, desacreditando.

— Eu não achei que fariam.

— Não *achou*? Não era pra você ser um gênio da tática militar?

Tyler ergue a sobrancelha.

— Finian, eu odeio arruinar sua opinião sobre a minha pessoa, mas talvez essa seja uma excelente hora para confessar que...

— Segurem-se! — grito.

Outros três mísseis estão acelerando na nossa direção junto com uma série de tiros das baterias de tiro da *Belerofonte*. Me apoio firme nos controles, soltando outra rodada de chamarizes. Eu ziguezagueio ilesa pelos tiros, sentindo o zumbido do motor embaixo de mim, os dedos passando rapidamente pelos controles, tão rápidos quanto um pensamento. Os disparos abrangem quilômetros, queimando a Dobra conforme florescem para fora. A nossa Longbow é mais rápida, dançando e rodopiando através da tempestade de tiros, as rajadas passando ilesas perto de seu casco quando ela sai do outro lado sem sequer levar um arranhão.

— Esses filhos da puta estão falando sério — grunho.

— Quanto tempo até chegarmos ao Portão da Dobra de Octavia? — Tyler demanda.

— Entrada daqui a quatro minutos e trinta e um segundos.

— Você consegue aguentar até lá?

Olho para ele e dou uma piscadela.

— Não me chamam de Zero à toa.

Já consigo ver o portão na nossa frente. Em vez dos portões hexagonais de titânio que nós Terráqueos usamos, ou o portal de cristal em forma de lágrima como os dos Syldrathi, esse aqui é inteiramente natural. Parece um rasgo brilhante no tecido da Dobra — como se houvesse sido a proeza das garras de algum animal impensável. Tem dezenas de milhares de quilômetros, e as pontas ondulam com relâmpagos quânticos. A vista do horizonte tremula como uma miragem no deserto. E além desse arranhão impensável na pele do universo, consigo ver o brilho tênue da estrela de Octavia, vermelha e brilhante em um oceano do universo colorido.

A *Belerofonte* está se apoiando mais nos disparos da nave agora. Qualquer resquício de dúvida sobre quererem nos matar ou não é respondido quando dezenas de tiros passam de raspão pela asa a bombordo, errando o alvo por apenas uma centena de metros.

— Grande Criador, essa foi por pouco — Finian respira.

— Cale a boca — grunho. — Está tudo sob controle. Entrada para o espaçoreal em sessenta segundos.

Uma rodada de tiros nos pega por trás, fazendo um buraco do tamanho de uma bola de futebol no casco. Os alarmes apitam, e o sistema de autocontenção começa a funcionar, isolando a parte que foi comprometida. Dou uma olhada no relatório de danos, e acabo de ver que levamos um tiro na parte de Engenharia.

Isso não é bom.

— Achei que você tinha dito que estava tudo sob controle! — Finian grita por cima dos alarmes.

— Eu achei que tinha dito pra você calar a boca!

Kal sorri, completamente à vontade no caos da nossa batalha. Eu nunca o vi mais relaxado do que agora.

— Você não é bem um guerreiro, é, Finian?

— Bem, e você não é um... — O Betraskano pisca com os olhos negros grandes enquanto tenta se achar. — Espere, espere, sério, eu tinha uma resposta muito boa pra essa ontem...

Outra rodada de tiros de urânio passa por apenas três metros do nosso bordo. Mesmo voando na velocidade máxima, queimando combustível desse jeito, há armas demais. Longbows não são feitas para enfrentarem exterminadores, é como jogar um Pinscher para lutar contra um Doberman. Pode até ser que lute bem, e com bastante raiva e energia, mas no fim das contas, o cachorrinho acaba sendo feito de palito de dente do cachorro maior.

— Entrada para espaçoreal, quinze segundos!

— Se segurem! — Tyler grita.

O rasgo paira na nossa frente, preenchendo a tela. Consigo sentir a gravidade dele agora, passando pelo meu corpo, se esticando por cima da pele. Os nossos alarmes estão gritando sobre a Interdição, o furo no casco na Engenharia, os disparos da *Belerofonte*. Meu estômago afunda, e há um silêncio ensurdecedor quando a galáxia inteira vira de ponta-cabeça. E então, com um protesto dos motores e o impacto inexplicável da realidade, nós atravessamos, de volta para o colorido do espaçoreal.

A boa notícia é que passamos intactos.

A má notícia é que a *Belerofonte* ainda está bem atrás de nós.

Ela sai do rasgo na Dobra como um morcego infernal, liberando outra rodada de mísseis nucleares. Seja lá quais eram os planos originais para pegar O'Malley, parece que eles decidiram se poupar enquanto havia tempo e simplesmente apagar todo mundo, e a parte estranha é que eu não faço ideia por que caralhos fariam isso. Nos meus radares, Octavia parece um sistema perfeitamente normal. Não há nada que consiga ver que eles gostariam de proteger ou esconder a qualquer custo — até mesmo o custo sendo desistir de obter Aurora.

Conforme nos aproximamos, consigo ver que Octavia III é um pedaço de pedra da classe-M completamente ordinário. Um pedaço de terra azul-esverdeado maciço sai do oceano de mesma cor. Setenta e quatro por cento do planeta é oceano. Temperaturas amenas, quatro continentes maiores. Em outras palavras... entediante.

Então por que eles não queriam que nós...

— Senhor. — Zila olha por cima dos seus aparelhos, primeiro para Aurora, e depois para Tyler.

— O que foi, legionária? — Ty pergunta.

Com uma virada do punho, Zila coloca a varredura que fez do continente no display principal. E ali, aconchegado entre um vale verdejante ao lado de um fio de água reluzente, ficam trinta ou quarenta *prédios*.

— É Butler — Aurora sussurra. — O primeiro assentamento da colônia Octavia.

Então é verdade. *Havia* uma colônia aqui. Pessoas viviam neste planeta. Famílias. Crianças. Alguma coisa deu errado, e nos últimos dois séculos, a parte mais importante das Forças de Defesa Terráquea e o departamento de inteligência estão acobertando isso.

— Filhos da puta mentirosos — sussurro.

Olho para a *Belerofonte* atrás de nós, e então para Tyler, aguardando as ordens. A sua aposta de que a AIG não estava disposta a nos matar não deu muito certo, e agora estamos tendo que lidar com a realidade desagradável de fugir de uma nave da qual não conseguimos, ou lutar contra uma nave impossível de derrotar. Estamos perto de Octavia III, mas os mísseis da *Belerofonte* estão travados em nós para os disparos, as armas prontas para outra rodada. Estamos perdendo força também — parece que os tiros atingiram o reator principal na Engenharia. E mesmo que eu seja muito boa, não sei se sou boa o suficiente para vencer isso por ele.

— A *Belerofonte* está nos chamando de novo — relata Scarlett.

Tyler suspira, olhando em volta da ponte. Consigo ver nos olhos dele: o medo que tem por nós, a decepção em si mesmo. Estamos tão perto de Octavia III agora, e consigo ver as nuvens rodopiando na atmosfera, as pontas agudas dos continentes embaixo. Aurora está de pé, olhando para a imagem da colônia na tela principal. Esse lugar onde ela deveria ter passado o resto da vida dela.

Nós quase conseguimos. Quase a trouxemos para casa. No fim das contas, talvez a fé de Tyler realmente tenha sido desperdiçada. Talvez essa viagem finalmente tenha chegado ao fim.

— Abra o canal — ele ordena para Scarlett.

A imagem do Princeps aparece na tela principal, sua máscara branca espelhada sem nenhuma marcação, sua voz monótona e metálica.

— LEGIONÁRIO JONES — o agente diz. — ESSE É SEU ÚLTIMO AVISO. SE NÃO DESLIGAREM OS MOTORES IMEDIATAMENTE, VOCÊS SERÃO...

O som de uma explosão corta a transmissão, momentaneamente virando estática. Um alarme soa na ponte da *Belerofonte*, outro alarme, no nosso. Tento ver os radares, tento entender o que está acontecendo.

— Cat, relatório! — Tyler ordena,

— A *Belerofonte* está... sob ataque?

— De quem?

Sacudo a cabeça.

— Tenho uma dúzia de leituras de energias por aqui, mas não estou conseguindo determinar nenhuma origem no LADAR. Os scanners mal conseguem detectar.

— Qual o visual?

Pego o display da *Belerofonte,* e vejo que foi atingido certeiro a bombordo nos motores, e está vazando combustível para o espaço. Ao redor dele, como um enxame, quase invisível na escuridão, está uma dúzia de naves esguias em formato de lua crescente. São totalmente pretas, os pilotos mantendo-as em um ângulo mínimo, então não há sequer uma pequena região visível para ser detectada pelo LADAR. Eles começaram o ataque-surpresa, e o ataque foi brutal, os canhões de plasma derretendo o casco do exterminador até virar vapor. E eu não consigo entender se fomos salvos por um milagre de última hora, ou se estamos ainda mais ferrados do que estávamos antes.

— São fragatas clandestinas Chellerianas — diz Kal.

A voz do Princeps ecoa pelo canal aberto de comunicação.

— Atenção, naves chellerianas não identificadas. Vocês estão atirando em uma nave da Força de Defesa Terráquea sob o comando da Agência Global de Inteligên...

— *Eu sei bem em quem estou atirando, rú-maaano* — vem a resposta em forma de grunhido conforme o criminoso mais infame da galáxia aparece na tela. — *Vocês tubarões da AIG me traíram, e ninguém apunhala Casseldon Bianchi pelas costas e fica vivo para contar a história.*

— Acho que alguém quer seu Gatilho de volta — diz Scarlett.

— Hum. — Finian olha para Aurora. — Alguém quer falar pra ele que nós o quebramos?

Chegamos na zona de gravidade de Octavia III agora, o combustível vazando do bombordo da *Belerofonte* espiralando lentamente na direção da atmosfera do planeta.

As naves Chellerianas se movem tão rápido quanto beija-flores, voando pelas rodadas de disparos do exterminador e continuando a destruir a nave maior, como um enxame de formigas atacando um elefante. Eu observo quando a *Belerofonte* finalmente faz o lançamento dos caças, as naves menores saindo pelo atracadouro. A maioria dos caças do exterminador se viram para combater as naves Chellerianas, mas ao menos meia dúzia se vira para nos perseguir.

Nossos níveis de força estão se esgotando rapidamente, mas é aqui que eu dou meu melhor. Viro a Longbow para encarar os caças que se aproximam, passando por nuvens de disparos como se estivesse passando um fio por uma agulha. Todos esses anos de treinamento, todo o meu instinto, todo o ritmo pulsando em minhas veias voltam para a superfície. Não consigo sentir minhas mãos enquanto voam pelos controles. Não consigo sentir meu corpo quando a nave rodopia e se mexe ao meu redor.

Voamos na direção da gravidade de Octavia, pegando um pouco mais de aceleração. Kal conseguiu acionar os arranjos de armas secundárias, e entre nós dois, conseguimos disparar uma série de tiros nos caças da FDT. A alegria irrompe dentro de mim, vendo os caçadores se tornarem as presas. Vendo os Chellerianos e a *Belerofonte* se destruindo por completo. Vendo os relampejos de luz azul e estilhaços de casco enquanto atiramos nos caças que nos perseguem, um por um.

E então eu me lembro de que minha mãe era uma pilota da FDT.

E eu percebo que há pessoas de verdade dentro desses caças.

Eu nunca atirei em ninguém de verdade antes de hoje. Todas aquelas horas, todo o treinamento, a cabine onde eu ganhei meu apelido — tudo aquilo era apenas uma simulação. Lá fora são *pessoas de verdade*. Terráqueos, lutando pelo que acreditam.

Exatamente como eu.

O motor está ficando mais lento. A força pelo dano que levamos quase chegando na linha vermelha. E pensar nas pessoas que estão naquelas cabines está me deixando mais desleixada. A *Belerofonte* está pegando fogo, o oxigênio saindo do casco de metal e queimando contra a escuridão. Os Chellerianos também estão despedaçados, as partes das naves clandestinas pretas tão esguias brilhando como cacos de vidro quebrado enquanto rodopiam pelo espaço.

Um relampejo de fogo nuclear irrompe pela atmosfera superior de Octavia III — um golpe desesperado da *Belerofonte* quase morta. Bianchi está rugindo pelos comunicadores enquanto a sua nave é atingida pelo impacto. Eu vejo a bola de fogo, observo a onda de choque eletromagnético vir na nossa direção.

Tento nos puxar pra cima, mas os motores já não têm mais a força necessária — minha garota está machucada demais para voar do jeito que eu preciso. O pulso eletromagnético nos atinge, uma onda de luz e som, todos os instrumentos no console na minha frente se acendendo com o choque.

Sou jogada para os lados presa pelo cinto. Ouço Fin gritar. Os alarmes continuam disparando. A temperatura está subindo. Atingimos a atmosfera, e nossa nave está passando por ela como uma pedra saltando pela superfície de um lago. Tento lutar contra o empuxo, tentando levantar com tudo que eu tenho. A energia já está com hemorragia demais.

Estamos com danos demais.

— Nós vamos descer!

BUSCA NÃO ENCONTRADA: RA'HAAM

Sua busca não encontrou nenhum resultado, chefia. Não consegui encontrar nada. Que vergonha.

Sugestões:

Se certifique que todas as palavras estão escritas corretamente.

Tente palavras-chave diferentes.

Tente palavras-chave mais genéricas.

Aperte o botão de desligar e ligar no seu aparelho.

30

FINIAN

— Ty, aperte os estabilizadores! Esquadrão se prepare, e reze!

Cat está cobrindo seu controle como se ela fosse um dos nossos amigos Chellerianos de quatro braços lá de cima: as mãos por toda parte ao mesmo tempo, ligando interruptores e dançando pelos botões, tentando levantar um pouco mais nosso transporte ferido.

— Coloquem os cintos, todos vocês — Ty comanda, e Aurora se senta em um dos assentos de sobra no fim da cabine, ao meu redor todos os membros do meu esquadrão acionam as restrições de segurança. — Preparar para o impacto.

A Longbow inteira estremece, inclinando para o lado com um grito de protesto, e Zila é arremessada contra a parede mais distante antes de conseguir chegar de volta ao seu lugar. Nenhum de nós sequer consegue dar uma ajuda, e Cat continua a dar ordens sem parar. Garoto de Ouro pode ser nosso Alfa em campo, mas ele é treinado para ajudá-la em horas como essa, e o rostinho bonito está bem sério.

— Estabilizadores estão acionados — ele relata.

— Não parece! — Cat grita quando a nave estremece de novo, chacoalhando como se estivéssemos passando por uma rua esburacada. Se essa rua fosse um barranco íngreme que acabasse por nos jogar de um precipício.

Membros do Criador, nós vamos morrer.

— Estou falando, estão acionados! — Ty relata de novo quando Zila finalmente consegue pegar sua cadeira e se jogar nela, uma das mãos apertando o botão do cinto com força enquanto as tiras se cruzam sobre seu peito e a prendem no lugar.

— Tem buracos na atmosfera por todo lugar — Cat grunhe.

Atingimos outra zona de turbulência, e há um zumbido insistente nos meus punhos enquanto meu exotraje tenta me avisar para parar de ficar mudando de níveis de gravidade tão rápido que se torna impossível de acompanhar.

— Perseguição? — Ty pergunta quando o céu azul passa rodopiando pela tela principal, e nós conseguimos ver um relance de um continente abaixo de nós por um instante. Está bem mais perto do que estava antes.

— Ainda não! — ela grita por cima dos alarmes e avisos de Interdição. — Fique perto da unidade auxiliar de energia, nós vamos morrer se o combustível chegar perto do...

Acontece antes de ela terminar a frase. A energia pisca e some, todas as luzes ao redor do console ficam pretas, e os alarmes e avisos morrem ao nosso redor em um último respirar. E agora nós *realmente* sabemos o que é a vida sem os estabilizadores.

Os lábios de Ty estão se movendo silenciosamente enquanto ele liga as unidades auxiliares de energia, e, mesmo com o rosto impassível de garoto bonito, eu acho que consigo ouvir Kal sussurrar alguma coisa. Meus pulsos pararam de protestar, meu exotraje finalmente feliz por eu estar sob uma gravidade consistente, mesmo que seja gravidade-preso-em-meu-assento-por-uma-descida-incontrolável. E pode ser a última coisa pela qual meu traje tem que compensar.

Todo mundo está em silêncio, cada rosto refletindo o mesmo tipo de angústia. Ninguém está disposto a falar nada que possa distrair Cat e Ty do que estão fazendo.

— APU engajado — nosso Alfa reporta. — Está compensando.

— Confirmado — Cat diz conforme as luzes no console voltam a acender. — Poder auxiliar em cem por cento, marcar.

E agora nós temos um relógio. A Longbow está despedaçada demais para controlar os motores, quebrada demais para conseguir ir para casa, mas a unidade auxiliar de energia nos dá mais alguns momentos de assistência. Só um pouco, para que nossa pilota possa ter instrumentalização básica, uma ajudinha para guiar.

Só um pouco, mas talvez o suficiente pra fazer isso — se você for a Zero.

— Pouso em um minuto e quinze! — ela relata, e eu quero fechar meus olhos, rezar para o Criador, levantar minha fé até os céus e exigir algum tipo de compensação por todos esses anos de devoção.

Só que não funciona dessa forma, e, de todo modo, não consigo fechar meus olhos. O horizonte aparece na tela de novo, e vejo o oceano azul-esverdeado, a costa, um tilintar de um riacho que passa por nós.

— Poder auxiliar em setenta por cento — relata Ty, tenso e baixinho. Ele já fez tudo que podia, e como o restante de nós, está observando enquanto a Ás dele luta contra a Longbow para fazer uma descida controlada.

— Pouso em sessenta segundos — ela responde.

Será que a força aguenta até atingirmos o chão?

Ou vai acabar só alguns segundos antes disso?

Desvio o olhar da visão da tela e olho para o meu esquadrão. Auri parece que está se esforçando para não vomitar, e Kal está olhando para ela, os olhos violeta cheios de preocupação. Zila está com a cabeça levemente inclinada para o lado como se estivesse calculando qual é a nossa chance de sobrevivência e precisa se concentrar em tentar encontrar esse único caminho. Scarlett olha para Cat, os lábios se movendo em silêncio, mas eu duvido que ela esteja rezando.

— Poder auxiliar em quarenta por cento — nosso Alfa relata, a voz suave.

— Quarenta e cinco segundos para o pouso.

Consigo ver as árvores, as folhas azul-esverdeadas balançando com o vento que atravessa o topo como uma onda. Elas ondulam como água, e na minha cabeça, a Longbow é uma pedrinha, jogada para a superfície do lago, batendo de novo e de novo.

— Quinze segundos.

— Treze por cento.

— Se eu puder dar uma opinião...

Sete vozes gritam em uníssono:

— Modo silencioso!

— Esquadrão inteiro, preparar! — Cat grita, e sem piscar, o corpo todo determinado em lutar contra a nave e fazer com que obedeça, ela guia a nave na direção de uma longa faixa de praia pálida e pedras escuras na nossa frente.

A Longbow range e grita quando passamos pelas pedras com uma série de batidas em staccato, arrancando pedaços do casco enquanto passamos.

Ninguém está mais contando, mas os números continuam a decrescer na minha mente.

Sete. Seis. Cinco.

Todas as luzes no painel de controle se apagam, e Cat xinga, tentando empurrar o manche com braços trêmulos.

Quatro. Três. Dois.

Nós batemos contra a areia, levantamos de novo, batemos mais uma vez, e então continuamos arrastando sem controle. A nave inteira estremece tanto que mal consigo respirar, o barulho ensurdecedor, a barriga da nave derrapando contra a água. A Longbow finalmente atinge algo duro, e nós somos levantados em uma meia volta até que finalmente paramos. Consigo ver o caminho que cravamos na praia atrás de nós, e provavelmente qualquer um que estiver acima da gente conseguirá também. É o maior sinal de você está aqui que alguém poderia pedir.

Mas estamos vivos.

O silêncio é interrompido apenas pelos alertas baixos do nosso casco esfriando. Estou desesperado para respirar, uma dúzia de alarmes silenciosos no meu traje informando que eu estou sob uma pressão física extrema — *valeu, eu mal notei* — e ninguém fala nada. Lentamente, Tyler e Cat se viram para olhar para o restante de nós e confirmar que estamos todos inteiros.

— Bem — digo, tentando manter minha voz estável. — Não quero ser pessimista, mas acho que não vamos conseguir receber o seguro por essa coisa.

Scarlett é a primeira a dar risada, tirando o cinto com mãos trêmulas e se contorcendo para abraçar os cotovelos contra os joelhos, as mãos segurando a cabeça. E um por um, os outros a imitam, tirando os cintos, erguendo-se das cadeiras, ficando em pé, se esticando, estremecendo.

Fico onde estou por enquanto, porque estou esperando ter controle o suficiente para erguer minha mão e apertar o botão de liberar no meio do meu peito, mas ninguém parece perceber que não é uma escolha.

— Nós temos alguma energia sobrando? — Garoto de Ouro pergunta, sem parecer muito esperançoso.

— Nem sequer pra botar no meu brinquedo favorito — Cat diz, passando uma mão pelo seu console. — E aquela coisa tem uma bateria que dura pra sempre.

Ele lança um sorriso para ela, estendendo a mão para apertar o ombro dela.

— Isso foi incrível, Cat. Isso foi... isso foi *voar*.

Ela sorri em resposta, deixando escapar um suspiro estremecido.

— Todo mundo fala que você deve experimentar de tudo uma vez na vida. Essa foi minha vez. Nunca mais.

Todo mundo começa a rir — estamos todos prontos para começar a rir de qualquer coisa, ainda estremecidos com o pouso. Tyler, porém, já está preparado para voltar ao trabalho.

— Zila, pegue os biotrajes e distribua pra todo mundo. Não quero ninguém respirando nem uma molécula de ar sem proteção. Kal, pegue as armas mais pesadas. Não temos mais radares, então vamos ter que ficar de olho em qualquer inimigo da maneira antiga. E vamos ter que dar uma olhada na Longbow, ver se tem alguma condição de voltar para o espaço.

Aurora está de pé agora, olhando para as telas que mostram o mundo que nos espera lá fora. Os olhos dela estão arregalados, o rosto pálido.

Zila distribui os trajes, e Kal e Ty e os outros começam a se enfiar neles, mas Scar descansa o quadril no controle central na minha frente, sem dúvida percebendo que eu estou exatamente no mesmo lugar desde que pousamos. Com uma piscadela, ela se inclina para a frente e pressiona o botão de soltar o cinto, e as restrições passam por cima do ombro, de volta para a minha cadeira.

— Você poderia apertar meus botões sempre — eu digo a ela, e quase pareço ser eu mesmo.

Só que ela é uma Frente brilhante, e é tão boa no seu trabalho quanto seu irmão é em ser um Alfa. *É claro* que foi ela que percebeu que tinha algo errado comigo.

— Quer uma ajudinha para tentar entrar no traje? — ela pergunta.

— O que, agora você quer me colocar em ainda *mais* roupas? Acho que estamos regredindo.

— Não tem problema — ela diz, abaixando a voz para manter a conversa somente entre nós dois. — Como está o exotraje?

A verdade é que ele está vagaroso, reagindo mais lentamente para os meus movimentos que o normal. O pulso eletromagnético que acabou com os sistemas da Longbow também atingiu meu traje. Ele tem proteção pra esse tipo de coisa, mas aparentemente não é perfeito — eu nunca tinha exposto o traje a uma explosão espacial nuclear antes. E nós não temos o tempo que eu precisaria pra consertar tudo.

— Está bem — insisto.

— Fin?

Ela não está convencida, mas a pergunta ainda é gentil. E é isso que acaba comigo. Eu não quero isso dela, de todas as pessoas. Se ela estiver com pena de mim, como se quisesse falar algo para que eu me sinta melhor, eu vou...

Quando olho para ela, os olhos azuis não estão demonstrando nenhum sinal da pena que eu já estava esperando. Não há nada ali senão preocupação. E é por isso que eu digo, mantendo minha voz tão baixa quanto a dela. Falando algo que eu nunca disse em voz alta.

— Scarlett, eu não quero ser o cara que precisa de ajuda. Toda vez que mostrei para alguém o que parece ser uma fraqueza para os outros, paguei o preço. A gravidade normal é difícil? Mandem-no embora de Trask, para longe dos amigos e da família. Precisa de gravidade baixa para dormir e descansar? Deixem-no sozinho em um quarto da Academia, sem nenhum colega de quarto como todos os outros. O traje dá problemas? Seu irmão me mantém fora da ação, deixando todos vocês em perigo. E não dá pra recuperar o que se perdeu, não se você demonstrar essa fraqueza. Então, por favor, não faça um escândalo com relação a isso. E se conseguir segurar um pouco o seu *scar*casmo, seria ótimo também.

Scarlett levanta uma sobrancelha esculpida.

— *Scarcasmo?*

— Dá certinho, né? Pensei nisso ontem à noite.

Grande Criador, Finian, você acabou de dizer que estava pensando nela ontem à noite...?

— Ninguém vai achar que você é mais fraco porque você aceitou ajuda, Fin — diz ela.

— É fácil você falar — respondo, gesticulando para o meu traje. — Tem um motivo para eu ser o último Maquinismo a ser escolhido no Alistamento.

Lentamente, Scar faz um bico.

— Finian?

— Sim?

— Você já pensou que a razão por você ter sido escolhido por último não tenha sido o traje? — Ela me encurrala com os olhos. — Não estou dizendo que as pessoas não notam isso. Estou dizendo que talvez... só *talvez*, você tenha sido escolhido por último porque passa o tempo todo tentando convencer a galáxia inteira que você é um cuzão insuportável?

Eu não sei como responder isso, tamanho o choque.

— Está tudo bem, Fin — diz ela. — Sua família sela seu abrigo, certo?

E eu sei que, naquele instante, ela me entendeu por inteiro. Um Betraskano quer um grupo do qual fazer parte — precisa de um, em um nível instintivo, profundo. Não é só uma coisa cultural para nós, é parte do nosso DNA. Mesmo que eu finja bem, eu não gosto de ficar sozinho.

E apesar de preferir dançar tango com o ex-pet favorito de Casseldon Bianchi do que admitir isso em voz alta, esse tempo todo uma parte de mim estava procurando por essa conexão. Eu não posso evitar — eu me inclino na direção como uma flor que procura o sol. E olhando ao redor da ponte, eu percebo que talvez, só *talvez*, eu finalmente tenha encontrado meu clã nesse esquadrão.

Então eu dou minha mão para ela, e com uma força praticamente invisível, ela me ajuda a ficar de pé. Por um momento, estamos apenas a centímetros de distância. Olhos azuis grandes encarando diretamente os meus.

Membros do Criador, eu realmente gosto dela.

Então ela me dá uma piscadela, e ergue um biotraje entre nós. O material prateado é como água nas nossas mãos, e acontece que, por coincidência, Scarlett se abaixa em um joelho para ajeitar o pé do dela no momento certo para me ajudar a colocar uma das minhas pernas dentro do meu mais facilmente, sem ninguém nem reparar.

Quando finalmente estamos todos vestidos, eu entendo que estou em apuros. Fica difícil me mexer, mais difícil para andar, e meu traje está me enviando alertas, que eu silencio com o apertar de um botão.

Zila reporta que não há nenhum inimigo à vista no céu acima de nós, e Cat e eu vamos na direção da Engenharia para ver qual é o estado da nossa Longbow. Surpreendentemente, parece estar menos danificada do que eu imaginava. Dando uma olhada em volta, vejo que nosso casco foi socado como se fosse papel molhado. Dá pra consertar o buraco, mas o coração do nosso bebê foi cortado horrivelmente pelas balas.

— Como é que está aí? — pergunta Tyler, se aproximando de nós.

— Uma bagunça — Cat responde, apontando para a central da energia. — O reator está totalmente destruído.

— Sei que ser o sr. Raio de Luz não é geralmente minha função, mas não está tão ruim assim — falo. — Dá pra consertar o casco com os sistemas autorreparáveis. A central é uma parte discreta, então conseguiremos trocar bem fácil. Se conseguirmos encontrar algumas células radioativas pesadas pra substituir os combustíveis.

— Está certo, mas onde vamos encontrar algo assim? — Tyler pergunta.

— Estava indo na direção do assentamento quando pousamos — diz Cat. — Deve estar a uns dez quilômetros daqui.

Estou completamente impressionado por ela ter conseguido chegar assim tão perto em meio ao caos, mas parece um bom plano.

— Então, precisamos achar o porto colonial — digo. — Presumo que eles tenham tido um, e é provável que nenhuma das pessoas tenha deixado o local, ou mais pessoas saberiam que a Interdição aqui era uma mentira. Isso significa que as naves ainda devem estar por aqui. Nas condições certas, com um pouco de cuspe e polimento, dá pra conseguirmos fazer o reator funcionar de novo.

— Parece ótimo — Ty assente.

— É, ótimo — Cat bufa. — Quer dizer, se definição de *ótimo* incluir uma marcha forçada de dez quilômetros por um território hostil enquanto andamos com um ferido por uma colônia que nem era pra existir e caças da FDT que provavelmente vão cair do céu e nos acertar na cabeça a qualquer instante.

— Cat — diz Tyler, mostrando o seu par de covinhas que é capaz de explodir ovários a uma distância de cinco metros. — Estou te dizendo. Você precisa ter fé.

・・・・・・・・・・・・

Vinte minutos depois, estamos parados em pé na rampa de descarga da Longbow, quase prontos para sair. É claro, *eu* sou o ferido ao qual Cat se referia — estava mais óbvio do que eu esperava —, mas também sou o que tem a melhor chance de conseguir fazer a central da nave funcionar, então ao menos não vou ficar pra trás com a nave. O oceano se estica para além de nós, uma pequena praia de dunas de areia em frente, e depois disso, morros azul-esverdeados no horizonte. O som das ondas parece completamente deslocado.

— Para que lado é a colônia? — Ty pergunta.

Cat pressiona os lábios, apertando o botão contra o visor do seu biotraje.

— Talvez a oeste? Apesar de que agora, pensando no assunto...

— É pra aquele lado — Aurora diz, apontando.

— Tem certeza? — pergunta Ty.

Ela assente, e quando fala, sua voz é firme. É o mais firme que já ouvi antes.

— Eu estudei esse lugar por dois anos para conseguir garantir meu lugar na *Hadfield*. Era para eu me juntar ao setor de Cartografia quando chegasse. Estamos a uns doze quilômetros noroeste da colônia. O chão é pesado. Vai demorar umas três horas pra chegar a pé.

Ty assente, impressionado.

— É melhor andarmos logo, então.

As dunas deslizantes estão estranhamente quietas quando passamos pela rampa, e o planeta ao nosso redor é todo liso e feito de um céu infinito. O ar parece estar cheio de uma coisa que parece neve, a princípio, mas assim que saio da rampa da Longbow, percebo que é algum tipo de...

— Pólen — diz Zila, olhando para a poeira semiluminescente que cai do céu.

Eu engulo em seco, esticando a minha mão para o céu.

Aurora nos guia pelas dunas, para longe das ondas que continuam a arrebentar e para longe da nossa nave abatida. Há um chiado audível do meu exotraje a cada passo que dou, e eu sinto a dificuldade na subida, a areia se desfazendo debaixo das minhas botas. Scarlett fica por perto, próximo o bastante para eu saber que ela está ali caso eu precise, mas eu continuo andando e enfim chego ao topo do morro e olho para a paisagem que nos aguarda depois.

— Sopro do Criador — sussurro.

Depois da praia, das pedras, e do chão, tudo está *coberto* com uma vegetação baixa que tem forma de lágrima e folhas suculentas — exatamente como aquelas que vimos saindo do olho da falecida Patrice Radke. Parece que é tudo uma planta só, um tapete contínuo e assustador. As árvores estão sufocadas em meio a elas, longas vinhas se curvando e se espalhando por cima do tronco. Há ainda extensos pedaços de uma grama prateada, que também me lembra da vegetação feito musgo que crescia nos rostos dos capangas da AIG.

— É pra ser assim? — Tyler pergunta.

— Não — Aurora responde, sacudindo a cabeça. — Não, não é.

Há uma antiga torre de comunicações a alguns metros de distância — o único sinal visível de que já houve uma colônia humana por aqui, mas está envolta por um casulo da mesma vegetação, com troncos grossos e pesados, que se entrelaçam pelas bases da torre como os tentáculos de um seldernauta Ospheriano. As plantas parecem prontas para puxar toda a estrutura para a terra, como um navio que desaparece debaixo da água.

É quase como um fungo. E encobre *tudo*.

— Eu... — Aurora pisca rapidamente. — Eu já vi isso antes.

— Eu também... — sussurro, perdendo o equilíbrio.

O esquadrão olha para mim cheio de perguntas. Eu tento alcançar a marca do Criador no meu peito, mas está coberta pelo biotraje. Meu coração está disparado.

— Eu sonhei com isso — digo, olhando para Auri. — Achei que era uma neve azul caindo do céu. Estava por toda a parte... exatamente desse jeito. Só que não foi aqui em Octavia. O planeta com que sonhei foi... — Eu balanço a cabeça, olhando para os outros. — Era meu planeta natal. Trask.

— Eu recomendo ninguém tocar em *nada* — diz Kal.

— Entendido. — Tyler assente, o rosto drenado de sangue. — Olhos abertos e as mãos coladas ao corpo. — Ele levanta o rifle disruptivo. — Vamos seguir, todo mundo.

Sem nada mais a dizer, nós começamos a caminhar novamente, de volta para a vegetação azul-esverdeada. A expressão de Aurora é dura, o olho colado no chão e as plantas na frente dela. Kal segue logo atrás, os olhos violeta atentos, também com um rifle em mãos. De vez em quando, Auri vira a cabeça só para verificar se ele está por perto, mas nunca fazem contato visual.

Scarlett está andando ao meu lado como se estivesse em um passeio, como se os biotrajes prateados fossem um design original Feeney e ela estivesse arrasando na passarela. Cat está indo um pouco na frente, sem dúvida sentindo o cansaço de pousar a Longbow há pouco. Tyler e Zila fecham o grupo. Ele está carregando um sistema de confinamento para conseguirmos substituir os elementos da central da nave, e ela — bem, ela está exatamente como eu esperava. Estoica. Está andando com um par de binóculos telescópicos pressionados contra os olhos, olhando para o céu em vez de ver o que está diretamente na frente dela. Ao menos não há nenhum sinal de que ela vá atirar em alguém a qualquer instante, então isso é um alívio.

A vegetação fica mais grossa enquanto caminhamos, e começamos a andar por uma parte que poderia ser um pequeno bosque antes de ser completamente devorado por... seja lá o que for isso. Estou andando em silêncio, ainda pensando no meu sonho, e talvez seja por estar tão concentrado em ouvir os gemidos e chiados do meu traje que eu ouço o barulho.

Atrás de nós.

Um ruído.

Eu paro, olho por cima do meu ombro estreitando os olhos.

— Está tudo bem, Finian? — Garoto de Ouro pergunta, parando atrás de mim.

— Nós sabemos alguma coisa sobre a fauna nativa desse lugar?

Zila olha para mim.

— Sua pergunta tem um motivo?

— Acho que ouvi alguma coisa — admito, meu pulso acelerando um pouco demais.

— A maior parte da fauna de Octavia não era muito complexa — diz Auri lá da frente. — Ao menos não nos primeiros relatórios do departamento de biologia. Tinha os ratos no laboratório, no entanto. Chimpanzés também. Meu pai trabalhava com eles.

— Tinha o quê?!

Minha imaginação está me fornecendo imagens infinitas que poderiam se encaixar nesse nome, a maioria incluindo garras e dentes que eu não gostaria de ver. Kal fica alerta imediatamente, apertando ainda mais o rifle na mão.

— Chimpanzés — Auri repete.

— *Pan paniscus* — acrescenta Zila, solícita.

— São quase do tamanho de uma pessoa normal — explica Auri. — Têm mais ou menos a mesma anatomia, a mesma família. São cobertos de pelos pretos, porém. E eles sobem muito bem nos lugares.

— Então eles são tipo humanos cabeludos? — pergunto. — Qual é a diferença entre um chimpanzé e um... vocês chegaram a conhecer o O'Donnell? Tinha esse cara que sentava atrás de mim em engenharia mecânica, e vou te contar, ele...

— Eles não são humanos — responde Tyler. — São muito inteligentes, mas eles são animais. O que eles estavam fazendo na colônia, Auri?

— Testes ambientais iniciais — ela responde. — São a coisa mais próxima que temos de humanos, sem serem de fato humanos. Nosso DNA é praticamente idêntico. Também estavam no primeiro foguete que lançaram da Terra.

— Espere um pouco — interrompo. — Essas coisas são inteligentes o suficiente para pilotar espaçonaves?

Kal está segurando seu rifle disruptivo em posição de ataque agora, girando seu corpo em um círculo lento.

— Parece que são inimigos perigosos...

— Não é nada disso — Auri nos corrige. — Olha... eles não são perigosos. E eles não pilotaram as espaçonaves, eles eram só passageiros. Colocamos eles no espaço pra ver como iria afetá-los, porque fisiologicamente, eles se parecem muito com os humanos.

Garoto-fada e eu trocamos um olhar longo.

— Mas se esses chumpanzés... — começo.

— Chimpanzé — ela corrige.

— Se eles não conseguem pilotar as naves... como é que eles pousavam?

— Eles não precisavam pousar as naves — diz Auri. — Era tudo automático.

— Então — digo com cuidado —, deixa eu ver se entendi. Vocês, crianças do barro, pegaram esses animais quase tão inteligentes quanto vocês e enfiaram em uns foguetes e mandaram pro espaço só pra ver se o cérebro deles derretia?

— Não culpe a gente pessoalmente — Cat diz na defensiva, e há um pouco de desconforto em meio ao nosso time Terráqueo.

— Uau — digo, olhando para o grupo. — Nós, Betraskanos, sabíamos de todos esses assassinatos de chompanzis quando nos aliamos a vocês?

— Chega, Finian. Mesmo se algum chimpanzé tivesse sobrevivido, isso já faz duzentos anos, e... — A voz de Tyler vai diminuindo, sem dúvida pensando na mesma coisa que todos estavam pensando. Patrice Radke e seu lindo amigo galhudo estavam aqui há duzentos anos também. Não impediu nenhum dos dois de sair andando pela galáxia.

Membros do Criador...

— Armas — diz Kal simplesmente, e quando nós continuamos, todos estamos segurando uma.

Eu não ouço mais nenhum ruído.

Aurora está nos guiando através das samambaias espetadas e árvores sufocadas, o pólen grosso caindo ao nosso redor como uma chuva espessa azul e grudenta. Nossos trajes logo estão completamente cobertos, e precisamos tomar cuidado com os galhos também — os trajes são resistentes, mas não indestrutíveis. Demora algumas horas e muitas batalhas contra a vegetação para conseguirmos finalmente subir no topo de um morro e encontrar a colônia Butler esperando no vale à nossa frente.

Na verdade, as ruínas da colônia Butler. Todos os edifícios estão cobertos da mesma folhagem azul-esverdeada, subindo por eles feito trepadeiras, cada ângulo quadrado de prédio suavizado pelas plantas que o cobrem. As trepadeiras sobem pelo concreto e aço, os esporos caem do céu, rodopiando com uma garoa levemente incandescente.

É quase bonito. Até eu lembrar que no meu sonho esse mesmo pólen está caindo na superfície do meu mundo. Penso no mapa estelar de Aurora. O vermelho, se espalhando das estrelas marcadas como uma mancha de sangue.

E então meu coração está acelerando de novo.

Demoro alguns passos mancos para perceber que Auri parou no topo do morro. Vejo lágrimas rolando pelas bochechas dela quando ela olha para a colônia a nossa frente, e com a máscara na frente dela, não há nada que ela possa fazer para impedir o choro. Eu fico onde estou, mas Scarlett se adianta e vai até ela.

— Se a *Hadfield* tivesse completado seu percurso, eu estaria aqui — diz Auri baixinho, mas a sua voz se espalha. Não há competição aqui, nada para abafar o som da sua voz.

— Mas você está aqui — diz Scarlett gentilmente. — E você está com a gente. Eu não conheci a sua família, mas tenho certeza de que estariam felizes que você encontrou um esquadrão do qual faz parte.

Aurora funga, profundamente e sem elegância nenhuma.

— Meu pai largou minha mãe quando ela não conseguiu permissão para ir na missão de Octavia. De certo modo, ela e minha irmã já o tinham perdido. Quando a *Hadfield* desapareceu, elas devem ter achado que perderam nós dois. — Ela sacode a cabeça. — E eu... eu não posso ajudá-las. Eu não posso voltar atrás e dizer que eu estou bem.

Ela funga de novo, a voz tremendo.

— A última vez que falei com meu pai antes de partir da Terra... nós brigamos. Eu falei um monte de coisas que não queria falar. E foram as últimas coisas que ele me ouviu dizer. Você não pensa nesse tipo de coisa quando está falando. Achei que minha família sempre estaria comigo.

Todo mundo está em silêncio, a brisa conduzindo o pólen que cai e lentamente ondula nas plantas ao nosso redor, fazendo com que todas estremeçam gentilmente.

Eu não sei como responder isso. Minha família é composta de mais de cem pessoas, então o conceito de estar *sozinho* é só... impossível. Apesar de me sentir isolado muitas vezes, ou diferenciado e até segregado, eu nunca fiquei sozinho como Aurora está agora.

— Eu acho — diz Zila devagar, e eu me preparo para a sua falta de tato habitual — que se sua mãe e irmã pudessem escolher entre você ter morrido ou *acreditar* que você tivesse morrido e nunca descobrirem se estavam erradas, elas escolheriam a segunda opção. Se a minha família pudesse estar viva, mas o preço fosse minha ignorância, eu pagaria sem pestanejar.

E como é que dá pra responder depois disso?

Milagrosamente, Aurora oferece a Zila um sorriso discreto, cheio de lágrimas.

Nossa garota fora do tempo não está só de luto por sua família, ela está de luto por ela mesma — nenhum de nós sabe o que ela é, até mesmo enquanto seguimos a trilha que ela nos impõe. Ainda assim, ela deve querer um pouco de normalidade. E todos nós sabemos como é isso.

É uma sensação... de companheirismo quando todos os sete começamos a andar novamente, o grupo mais estranho de desajustados que já cruzou um planeta alienígena abandonado com as plantas mais assustadoras e sitiados por forças militares. Ainda tem uma caminhada de vinte minutos até a colônia, e meu estômago parece que está cheio de um gelo oleoso, e todo mundo está quieto como se estivéssemos num cemitério. É obviamente a hora de fazer uma piada.

— Então — eu digo —, sobre esses chintanzés...

— Chimpanzé — Tyler diz, já suspirando cansado.

— Isso aí. Vocês ainda têm essas coisas?

— Estão extintos — diz Cat. — Como você, se continuar falando.

— Muito engraçado, Zero. De verdade, vocês não estão inventando essa história? Parece ridículo. Quer dizer, umas crianças de barro peludas que voam em espaçonaves e têm DNA praticamente idêntico ao de vocês? — Eu bufo. — Não acho que isso exista.

E é aí que um humanoide preto feito piche, peludo e rosnando, com dentes amarelos que deixariam os ultrassauros envergonhados sai gritando de dentro da vegetação e pula diretamente na minha cara.

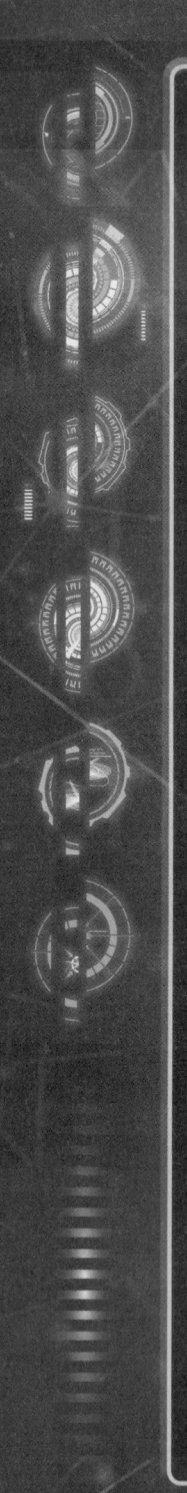

[BUSCA NÃO ENCONTRADA]
▶ [DESCONHECIDO]
　▼ [DESCONHECIDO]

Erro 4592.

Link não encontrado. Você está longe demais do sinal.

Você está sozinho nessa, chefia.

31

AURI

Fin cai no chão, e o maior chimpanzé que eu já vi em toda minha vida se joga em cima dele. Folhas verdejantes florescem dos olhos dele, as costas cobertas em um emaranhado de lindas flores, e quando abre a boca para rosnar a sua ira, vejo folhas avermelhadas até o fundo de sua garganta.

Terror se alastra em mim conforme o chimpanzé bate com as duas mãos contra o painel frontal do traje uma vez, duas vezes, fazendo a cabeça de Fin quicar contra a terra. Kal já está com o rifle na mão, mas como se essa coisa soubesse, ele se agarra nos ombros de Fin e rola pelo chão, jogando-o como uma boneca de pano e usando como um escudo.

— Tirem esse chumpanzé de cima de mim! — Fin berra.

— Aee'na dō setaela! — Kal cospe, caindo de joelhos e chutando aleatoriamente. Com um terror gélido, percebo que as trepadeiras mais perto deles estão se esticando, se enrolando nos calcanhares dele e no rifle e o arrastando para longe da fera. Eu dou um grito, e Scarlett se adianta perto de mim, rapidamente atirando nas plantas com a pistola disruptiva.

Sem querer arriscar atingir Fin com sua pistola, Tyler mira um chute na cabeça do chimpanzé. Ele sai voando, gritando alto, e Cat consegue dar um tiro. Há um relampejo de luz e outro grito inumano, mas o disparo não parece tê-lo parado. Em vez disso, o macaco rola sobre seus pés e pula novamente em cima de Fin, gritando enquanto Zila dá dois passos adiante, erguendo o rifle disruptivo e esperando conseguir um disparo livre.

Scarlett ainda está atirando nas trepadeiras que agarraram Kal, e eu estou tentando libertar as pernas dele das plantas, os nossos olhares se encontrando por um longo e intenso instante. Depois da confissão dele no ambulatório, ainda há tantas coisas para dizer, e de repente, estou aterrorizada com o fato de que não terei uma chance para dizê-las. Ouço um grito e viro quando Fin é arremessado para longe da briga. Ele aterrissa com um estrondo, alguma coisa no seu traje quebra, e eu corro para enganchar minhas mãos embaixo dos braços e o arrasto para longe.

A coisa vai de encontro a Ty e o joga para longe — meu pai sempre costumava me lembrar de que um chimpanzé é quatro vezes mais forte que um humano, e que nunca dava para baixar a guarda quando estávamos perto deles. Cat grita o nome de Ty quando ele voa. Ela dispara outro tiro com seu rifle, e o bicho se vira para ela, atacando com as mãos cobertas de musgo e dentes amarelados. Com um grito, ela também é arremessada para longe, rolando pelo gramado até parar, completamente imóvel.

— Sopro do Criador, atire nessa coisa! — O grito de Ty ecoa enquanto Zila anda em círculos ao redor, virando de um lado para o outro para conseguir um tiro que não acerte nenhum dos membros do esquadrão.

Ergo minhas mãos para cima, desesperadamente tentando chamar o que quer que seja que tenha me ajudado a chegar até aqui. O ar ao meu redor estremece. Um zumbido baixo atrás dos meus olhos. Só que minha mente é uma coisa selvagem, desviando da visão a minha frente, gritando para que eu corra, que eu abandone meus amigos e corra, corra, gritando para que eu me salve desse lugar.

A criatura vira na minha direção, e apesar do verde em seus olhos, eu sei que está olhando para mim, eu sei que está me *vendo*, os lábios repuxados para trás quando rosna mostrando os dentes e se joga direto na minha garganta.

E então Kal está rugindo, quase irreconhecível atrás do painel frontal do capacete. Abandonando o rifle e se livrando das plantas para colidir com a fera, vindo me ajudar sem nenhuma arma, exceto os próprios punhos.

Ele dá um soco e o chimpanzé voa para longe de mim, os dois rodopiando em um emaranhado de membros. Rolando com o impacto, encurvando-se como uma bola, Kal planta as duas botas no peitoral da coisa e chuta com força, lançando-o para o ar enquanto grita para Zila.

E Zila não perde a oportunidade.

BAM!

A cabeça da coisa simplesmente... desaparece. E milhares de pequenos esporos flutuam pelo ar, levados pela brisa em rodopios rápidos conforme o resto do corpo cai com impacto no chão.

Cat geme, ainda deitada de bruços, e Ty corre até ela, mas Zila já está correndo e se jogando de joelhos, o mais rápido que já vi ela se mexer, tirando o kit médico da mochila.

Kal se agacha perto do que sobrou da fera, arfando. Eu ajudo Fin, que está gemendo, a se levantar, meu coração batendo forte. Scarlett já terminou de disparar contra as trepadeiras, todas elas tendo virado cinzas. As mãos dela tremem, e ela está com a arma apontada para a paisagem ao nosso redor, caso alguma outra parte dela resolva se mexer quando não deve.

— No três — Zila diz baixinho, e com mãos infinitamente gentis, ela e Tyler viram Cat de barriga para cima para conseguir ver onde ela se machucou.

Ah não. Não.

— Membros do Criador — Fin sussurra, e apesar de ele estar evidentemente desconfortável, ele já estende a mão para a mochila de Zila.

Do lado esquerdo de Cat, o traje está rasgado. Consigo ver sangue e pele e ossos, consigo ver as costelas dela, consigo...

O ar está em contato com a pele dela.

Enquanto encaro, paralisada pelo terror, um esporo minúsculo voa em câmera lenta para pousar em seu lado.

— O pólen — digo, estendendo os braços para tentar cobrir a ferida com minhas duas mãos, o sangue dela manchando minhas luvas prateadas em questão de segundos.

— O pólen pouco importa se não conseguirmos estancar o sangramento — Zila diz simplesmente, e Fin, trêmulo, entrega para ela um spray, e ela se inclina para aplicar no ferimento.

— Lá em cima!

É Kal, erguendo-se de onde se encontra o corpo do chimpanzé, apontando para uma nave branca que corta o céu em um arco rápido. Eu não sei se a *Belerofonte* ainda está em órbita, mas é evidente que alguém sobreviveu à luta entre a FDT e as naves de Bianchi. Enquanto observo, a nave dá uma volta na direção da trilha de destruição que deixamos na aterrisagem na praia, o enorme aviso que deixamos para trás.

E a nave começa a sua descida.

Cat grunhe quando Zila fecha o traje com um tipo de plástico pegajoso, os segundos preciosos começam a se esvair. Tyler observa Cat, uma estátua imóvel agachado ao lado dela, calculando todas as possibilidades.

— Zila — ele diz baixinho. — Ela precisa mais do que primeiros socorros, não é?

— Sim, senhor. — Zila assente. — Ela precisa de mais cuidados.

— Bem, não podemos voltar para a Longbow. — Tyler olha na direção da nave da FDT que está descendo, e então para a colônia no vale à nossa frente. — Auri, alguma sugestão?

Fecho meus olhos, tentando lembrar tudo que sei sobre o assentamento Butler, tentando me lembrar dos mapas que estudei mais de mil vezes. Meu cérebro exausto e sobrecarregado pifa por alguns segundos antes de conseguir me lembrar.

— Tem um centro médico — eu digo. — Do lado oeste do assentamento.

Tyler se põe de pé, olhando para o assentamento coberto de folhagem verde acinzentada.

— Acho que consigo ver. Fin, você consegue andar?

— Sim, senhor — Fin responde, simplesmente. Ele corrige a postura com um gemido, o exotraje cuspindo um rangido baixo e chiado. Os olhos dele estão estreitos escondendo a dor, mas ele não reclama.

— Está bem — diz Tyler. — Scar, Zila, nós levamos Cat ao centro médico. Kal, você vai com Fin para as docas da colônia tentar encontrar um substituto para o reator central.

— Eu sei o caminho — digo, parecendo mais corajosa do que realmente me sinto.

Tyler assente.

— Fiquem com Auri, e deixem os canais de comunicação abertos o tempo todo. Quando encontrarem o que precisam, nos liguem imediatamente.

Kal fica em pé em um único movimento gracioso, assentindo na minha direção. Eu esfrego as mãos na grama cheia de musgo para me livrar um pouco do sangue de Cat, e meu estômago se aperta quando a cor muda — de um azul-esverdeado para um roxo mais profundo. Há um aviso gritando em minha cabeça. Consigo sentir em meus ossos. Consigo sentir embaixo dos meus pés, e nos esporos que dançam pelo céu acima de mim.

Alguma coisa está errada aqui. Completamente, *horrivelmente*, aberrantemente errada.

Consigo ouvir um sussurro na minha mente. Um eco da minha própria voz.

Cuidado.

Ra'haam.

A mandíbula de Cat está apertada, e o fato de ela não protestar com a divisão do grupo, não tentar entrar na conversa, diz claramente o quanto ela está machucada. Eu deixo que Kal me ajude a me levantar, e ficamos um ao lado do outro por um instante, olhando para a garota machucada, com os amigos ao redor dela.

Eu trouxe todos eles até aqui.
Tudo isso é minha culpa.

— Vão — Tyler diz sem olhar para nós. — Boa caçada.

Kal pega o rifle disruptivo das cinzas. Quando nós dois começamos a andar atrás de um Fin que já manca na nossa frente, eu me permito um último olhar.

Não consigo evitar a sensação de que não verei Cat novamente.

• • • • • • • • • • • • •

Demora bem mais do que vinte minutos até a expansão plana do porto espacial, e não ajuda que Fin se mova tão lentamente e com tanta dor, concentrando-se em andar e carregar a unidade de contenção para o novo reator central. Apesar de não conseguir ver debaixo do seu biotraje, consigo ouvir os protestos do exotraje mesmo a alguns metros de distância. Kal e eu mantemos as pistolas preparadas, ainda que eu não saiba direito como atirar com a minha. Nós três tentamos não pular com barulhos imaginários.

Nós damos a volta pela orla da colônia — seria mais rápido ir pelo meio, mas Kal disse que o território era bom demais para uma emboscada. A voz dele é estável, seus movimentos precisos, e eu me sinto aproximar cada vez mais dele.

Minha mente está em frangalhos, pensando na nave que agora sumiu do céu, passando pelo rosto pálido e ensanguentado de Cat, para as memórias nebulosas na Nave do Mundo, e outro monstro que destruí sem sequer tocá-lo. Eu disse aos outros que eu não me lembrava de nada, mas era uma mentira. Assim como confessei para Kal no ambulatório, consigo ver tudo na minha cabeça. Como se eu fosse uma passageira dentro do meu próprio corpo, vendo por uma tela que, na verdade, são meus olhos. Eu me lembro de matar o ultrassauro. Eu me lembro de estilhaçar o Gatilho depois que Zila atirou em mim, as palavras que falei e o mapa estelar que brilhou na ponte da Longbow, a palavra que ouço em meus sonhos depois de acordar com duzentos anos de atraso.

Eshvaren.

A palavra me atrai, me chama, da mesma maneira que todo esse planeta me repele. Há um desejo de saber mais sobre essa antiga espécie que está presente na minha mente, a única coisa que continua voltando para empurrar meus medos e perguntas para longe.

Bem, não a única coisa.

Kal está andando ao meu lado, o rifle disruptivo erguido, movendo-se com aquela graciosidade estranha e etérea. Cada um dos seus movimentos é fluido e também preciso. O guerreiro que ele nasceu para ser está cada vez mais aparente, é quase tudo que consigo ver. Não consigo esquecer a maneira como ele se atirou no chimpanzé quando o animal virou para me atacar. Sem sequer pensar na sua própria segurança. Sem medo e sem hesitações.

Ele olha para mim, e desvia o olhar logo em seguida.

Ele não é igual a nenhuma das pessoas que já conheci. Quer dizer, eu já tive alguns encontros e namorei um pouco, mas há um mundo inteiro de diferença — uma galáxia inteira de diferença — entre um cinema com uma pipoca na sexta-feira à noite e um cara dizendo que ele tem um vínculo eterno com você.

Ainda assim, quando ele falou comigo no ambulatório, é como se ele tivesse acendido as luzes, e eu me encontrei em um lugar tão inesperado que nem sabia o que dizer. Depois de todo aquele tempo que ele passou me ignorando, tentando me afastar de qualquer coisa que sequer parecesse com ação ou responsabilidade, eu tinha quase certeza de que ele achava que eu era um risco. Que se ele estava me defendendo, era por se sentir na obrigação com as ordens de Tyler.

Só que agora eu sei que o tempo todo que ele tentava me afastar, *essa* era a sua obrigação, seu dever. As vezes que ele me defendeu foram completamente outra coisa.

Agora ele caminha ao meu lado, os olhos firmes no horizonte, cada parte dele em alerta e de prontidão. E até mesmo com o caos e a insanidade ao nosso redor, é muito melhor só ficar ao lado dele.

Ele faz com que eu me sinta segura.

Nós três chegamos ao porto espacial, passando com cuidado pelas trepadeiras que cobrem os portões abertos, e meu coração se aperta ao ver o que está na nossa frente. O atracadouro, a torre de controle e todas as naves estão cobertas da mesma vegetação que parece ter infestado todo o resto da colônia. Os esquifes, os cargueiros, as orbitais, tudo. Os cascos estão cobertos com grandes vinhas de galhos retorcidos e flores estranhas, acolchoados em um enorme tapete desse pólen azul grudento que continua a cair como chuva.

O lugar é gigantesco. Como é que vamos encontrar o que precisamos para restaurar a força elétrica da Longbow em meio a isso?

— Filho de uma égua — murmuro.

— Nem sei o que é isso — diz Finian. — Parece horrível. Mas ainda não estamos perdidos, cara Clandestina. As coisas de que precisamos têm uma meia-vida de alguns milhões de anos. Se estão aqui, não vai ser um pouco de erva-daninha que vai ter estragado tudo.

— Os reatores nessas naves têm o que precisamos? — Kal pergunta.

— Sei lá — diz Fin. — Essas naves são mais velhas que meu quarto avô, nem sei que tipo de motor eles usavam. Só que aqueles capangas da AIG ainda estão atrás da gente, então vamos nos separar. Vai ser mais rápido assim, e aí conseguimos checar mais naves. Se acharem uma nave com um reator central ativo, é só me mandar uma mensagem.

— Está bem — Kal assente. — Fique de olho no canal de comunicação.

— Tá tranquilo — responde Fin. — Se eu vir outro daqueles chumpanzés, você vai conseguir ouvir os meus gritos sem nem precisar do unividro.

Kal ergue uma sobrancelha.

— Você não é bem um guerreiro, é, Finian?

— E você não é... — Fin faz uma careta e suspira. — Ah, esquece isso.

Ele manca na direção do maior dos cargueiros, transportando a unidade de contenção com dificuldade. Kal e eu vamos na direção dos esquifes, ele na frente com o rifle erguido, eu logo atrás. Ele oferece a mão para me ajudar a passar por cima de um emaranhado de vinhas, na mesma hora que olha para trás para checar onde Fin está. Percebo agora que ele sempre sabe onde estou, sempre está prestando atenção em mim.

— Kal... — eu começo baixinho.

Eu não sei o que dizer. Eu só sei que quero conversar sobre isso. Ele imediatamente presta atenção, apesar de nunca tirar os olhos violeta intensos dos prédios e naves ao nosso redor.

— O que é, be'shmai?

— Eu estive pensando muito. Sobre o que você disse.

Ele fica em silêncio, o que acho que é justo — ele já expôs tudo o que sentia, falou tudo que carregava no coração. Eu também não seria voluntária para uma segunda rodada se fosse ele.

— Fico feliz que tenha me contado — digo. — Não pode ter sido fácil.

Ele fica quieto por um instante depois disso, mas dá pra ver que está considerando minhas palavras, em vez de recusar uma resposta. Fin já está bem longe de nos ouvir quando ele finalmente fala.

— Não foi — diz ele —, mas eu devia a verdade a você.

Conforme nos aproximamos lentamente do primeiro esquife, com cuidado, eu olho em volta para as ruínas do lugar que teria sido o meu mundo. Kal ergue o univridro na direção dos motores, fazendo alguma leitura. Depois de um momento, ele suspira e balança a cabeça — não tem nada aqui. A energia do esquife já era. Começamos a ir na direção do próximo.

— Sinto muito que não disse nada de cara — eu falo. — Foi uma... surpresa. Quer dizer, pra você também, né? Quando aconteceu, no caso.

— Verdadeiramente. — Ele pausa. — Vocês Terráqueos sempre dizem que o seu lar é onde está seu coração. Quando meu mundo morreu, eu achei que talvez meu coração tivesse morrido junto. Eu nunca achei que eu me sentiria assim. Com relação a ninguém. Muito menos a uma humana.

— Mas você sente.

— ... Eu sinto — ele diz.

— Mas você vai embora quando isso acabar.

— Sim. — Ele continua a andar com o rifle erguido, e fico do lado dele. — Eu me alistei na Legião porque queria fugir. Fugir da guerra do meu povo. Da guerra em meu sangue. Rejeitar o lado sombrio, porém, só faz com que fique mais forte. Trancafiá-lo numa jaula, negar que isso é uma parte de mim... eu não posso negar quem eu sou. Em vez disso, eu preciso enfrentar a raiva para aprender a dominá-la.

Ele dá de ombros.

— O povo de minha mãe tinha um ditado: Ke'tma indayōna be'trai. Significa... significa que você não caminha sozinho quando está no seu caminho verdadeiro. Eu serei capaz de trilhar o meu caminho se souber que você está trilhando o seu. Se honrar os seus desejos, eu também honro o Chamado. E o meu caminho me leva de volta para o meu povo. Para a guerra que nos destrói.

Eu consigo ver o custo dessas palavras nos lábios dele. A ideia de ir embora é custosa para ele. Consigo ver que é apenas uma desculpa. Ele não é um bom mentiroso, e agora eu sei o que eu estou procurando.

Olho para o rifle disruptivo nos seus braços. O sangue em suas mãos.

— Você tem certeza de que esse é seu caminho verdadeiro?

Ele acompanha o meu olhar, aperta ainda mais o rifle.

— Ser um guerreiro é tudo para o qual fui treinado, Aurora.

Olho para ele de esguelha por um segundo, desejando que o olhar dele se cruzasse com o meu, mas ele está firme se concentrando em nossos arredores. E o silêncio se estica enquanto avalio as palavras dele, e então eu percebo que ele não é o único que precisa encontrar um jeito de trilhar o seu caminho.

A verdade é que tenho medo do que estou me tornando. Eu consigo sentir dentro de mim, se olhar bem. Há algo muito maior acontecendo. E apesar de saber que sou uma parte disso, tenho medo de me perder dentro disso. Mas se eu estivesse no controle, se eu tivesse conseguido chamar o poder que está dentro de mim, eu teria conseguido parar a luta antes de Cat se machucar.

E proteger meus amigos não vale esse risco?

Estou começando a pensar que a minha escolha está entre surfar essa onda — quase sem nenhum controle, mas tentando ao menos guiar a prancha — ou simplesmente ser abatida por ela. Ser derrubada de novo e de novo até me afogar.

Observando Kal, percebo o quanto somos parecidos. Os dois sozinhos. Os dois sem um lar. Nós dois que tivemos os caminhos escolhidos para nós por forças além do nosso controle. Ele disse que nunca ouviu falar de um Syldrathi que sentiu o Chamado por um humano. Ser refém disso, do guerreiro dentro dele, deve ser muito difícil.

— Eu sinto muito — digo, finalmente. — Que você não pode escolher por si mesmo.

Ele olha brevemente para o céu, a luz do sol refletindo naqueles olhos violeta.

— E as luas escolhem que planetas elas orbitam? Os planetas escolhem suas estrelas? Quem sou eu pra negar a gravidade, Aurora? Quando você brilha mais do que qualquer constelação no céu?

Eu olho para o estranho garoto ao meu lado. Seria tão fácil simplesmente vê-lo como uma arma. Uma arma bela, é verdade. Ainda assim, um garoto feito de violência, com os nós nos dedos ensanguentados e sua graça arrogante e seus gélidos olhos violeta. Mas aqui, nesse mundo impossível, eu começo a ver as possibilidades. Nele. Em mim.

Em nós.

— Pode ser que você tenha treinado só para ser um guerreiro, Kal — digo. — Mas não é tudo o que você é.

Eu deixo minha mão livre se entrelaçar na dele e a aperto. Ele se assusta no começo, como se estivesse surpreso, mas então, muito gentilmente, retribui. Seus olhos encontram os meus, e depois desviam de novo.

— O que significa a palavra pela qual me chama? — pergunto.

— Be'shmai? — ele responde. — Não há... não há uma palavra humana adequada pra isso.

— E palavras inadequadas?

A resposta dele é muito suave.

— Amada.

Há dois biotrajes e uma chuva de pólen azul entre nós, e repentinamente desejo que estivéssemos em outro lugar muito longe daqui. Um lugar calmo e quente. Um lugar em que só estivéssemos nós dois.

— Kal — chamo, e com a pressão mais suave dos meus dedos, faço com que ele pare.

Ele olha ao nosso redor cuidadosamente, e então olha para cima, reassegurando a si mesmo que temos um pequeno momento de segurança antes de olhar para baixo de novo pelo visor do capacete.

Eu continuo segurando a pistola em uma das mãos — essa é uma conversa importante, mas não quero que a gente morra bem no meio dela — e solto a mão dele para poder esticar a minha e colocá-la no peito dele. É onde o coração dele estaria se ele fosse humano, e por um instante fico chocada pelo fato de que não sei se isso também é verdade para um Syldrathi.

É só outra coisa que eu quero aprender.

— Eu aprecio muito o que você fez — digo, baixinho. — Que você quer me poupar de uma obrigação. Não consigo imaginar o quanto foi difícil pra você fazer isso. Foi muito nobre.

Ele engole em seco, perdendo a compostura por um único instante.

— É claro — ele sussurra. — Por você, eu faria...

Sinto a respiração dele acelerar debaixo da mão que estou descansando em cima das costelas, mas ele continua imóvel por mim.

Acho que conseguiria deixar ele imóvel só com o peso do meu dedinho.

— Você... — continuo, ainda baixo — ... você poderia fazer mais uma coisa por mim?

— Qualquer coisa — ele sussurra.

Eu não consigo evitar. Eu sorrio, só um pouco.

— Você me deixaria decidir por mim mesma o que sinto por você? Não quero fazer nenhuma promessa que não posso manter, mas já te ocorreu que se eu pudesse te conhecer de verdade, talvez eu também gostasse de você?

Os olhos dele se fixaram nos meus, e, pelo painel frontal, consigo ver o mais leve toque de rubor que se espalha por suas orelhas.

— Não — ele admite baixinho. — Não me ocorreu.

Com muita gentileza, com muito cuidado, eu engancho os dedos, que estão no peito dele, no tecido do biotraje, fazendo com que ele se aproxime lentamente de mim. Minhas bochechas estão manchadas com lágrimas secas, e consigo ver todos os tons de violeta dos olhos dele, a linha de sangue que corta a maçã do rosto onde um estilhaço do Gatilho o cortou. E quando nossos capacetes se tocam, estamos tão próximos um do outro que consigo contar todos os seus cílios.

E ele fica imóvel por mim.

— Eu não sei o que vem depois disso — digo, suavemente. — Mas por que a gente não tenta ver aonde esse caminho vai? Vamos descobrir juntos.

— Você iria... — As palavras se esvaem, preenchidas por esperança.

— Eu não sou Syldrathi — eu murmuro. — Não dá pra eu sentir com a mesma intensidade que você. Mas se você parar...

— De ser um energúmeno? — ele fornece, com um sorriso leve.

Não consigo evitar. Começo a rir.

— Talvez — digo. — Então talvez teríamos uma chance de ver o que acontece. Isso é algo que você pode fazer?

Não é uma pergunta fácil, e eu sei disso. Estou pedindo para que deixe seu coração desprotegido, só para ver se uma garota de uma espécie diferente poderia amá-lo de volta. Estou pedindo que ele deixe um elo eterno se fortalecer de uma maneira que vai doer ainda mais se ele for embora, e eu nem sei o que poderei oferecer em retorno.

Só que há tanto de nós que é igual. E tem alguma coisa nele que me faz pensar nisso.

Acho que o risco pode valer a pena.

Ele desvia o olhar enquanto considera a pergunta, e dessa vez sou eu que estou esperando, minha própria respiração tão acelerada quanto a dele. Consigo contar os batimentos do meu coração.

Estou no décimo quando ele olha para mim de novo, tão perto, o painel frontal de vidro dele contra o meu.

— Sim — ele murmura.

— Sim — ecoo.

Há uma suavidade no sorriso dele que deixa meu estômago mais apertado. E então a voz de Finian chia no unividro de Kal.

— *Garoto-fada, você tá aí?*

Nós nos afastamos. De volta para a realidade. Meus batimentos martelando e minhas mãos tremendo quando Kal toca no aparelho em seu cinto.

— Estou na escuta, Finian — ele responde, piscando, como se estivesse saindo de um encantamento.

— *Não precisam fazer fila pra me abraçar, mas acho que consegui encontrar uma solução. Estou naquele cargueiro classe-D no lado sul do porto, venham aqui dar uma olhada.*

— Estamos a caminho.

Kal sorri para mim, doce e caloroso. Eu respiro fundo e faço que sim com a cabeça. Ele estende a mão para mim e eu a pego, sentindo a força entre seus dedos. Ele levanta o rifle, com o guerreiro, o soldado voltando novamente. Agora, porém, percebo que tem mais alguma coisa nele.

Ele é meu.

E com os dedos entrelaçados, percorremos nosso caminho pelos campos azuis.

• • • • • • • • • • • •

— Vocês querem as boas ou as más notícias?

Fin está apoiado nos consoles do cargueiro, que ele milagrosamente conseguiu fazer com que voltasse à vida com a ajuda do seu unividro, uma chave de fenda enfiada entre dois painéis, e uma coisa que parece um poder auxiliar feito de fita crepe. Uma bagunça pegajosa de pólen azul cobre cada superfície, e a vegetação cheia de tentáculos e vinhas forçou a entrada pelo casco e conseguiu rastejar por quase tudo. Considerando o estado geral, fico perplexa que Fin tenha conseguido fazer com que a nave ligasse, que dirá ter alguma informação.

— As boas notícias — digo.

— As más notícias — Kal diz simultaneamente.

Fin dá um sorriso, percebendo que nós estamos de mãos dadas.

— Que bom que vocês, pombinhos, ainda têm algumas coisas pra discutir entre vocês. A má notícia é que nenhuma das naves aqui tem um reator central compatível com o nosso. — Ele olha pra mim e dá de ombros. — Parece que vocês, crianças de barro, ainda estavam usando propulsores de plutônio naqueles tempos. A boa notícia é que eu acho que consigo sintetizar o que nós precisamos. Só preciso acionar o reator da colônia.

— Elesssss não deveriam essssstar aqui.

A voz vem de trás de nós. Todos viramos, e três figuras estão paradas ali, acobertadas pela escuridão. A primeira é um homem, grande e largo, a segunda, um garoto pálido mais ou menos da minha idade, e a última é uma mulher de pele negra retinta e cabelos pretos que caem até a cintura em um emaranhado. Aglomerados de flores se espalham por seus olhos, e musgo cresce pelos lados do rosto. O musgo desaparece no pescoço em meio às trepadeiras que vestem como roupas, se retorcendo em volta dos braços, subindo pelas pernas. Aqueles agentes da AIG na Nave do Mundo pareciam infestados com a mesma... doença, mas essas pessoas parecem totalmente corrompidas.

— Carácoles — sussurro.

A mulher vira a cabeça na minha direção, o pescoço inclinado.

— Aurora? — ela pergunta, parecendo quase carinhosa.

Kal dá um passo à frente, colocando-se entre nós e erguendo sua arma.

— Não se aproxime.

O homem mais jovem dá um passo à frente. As trepadeiras ao redor dos braços da mulher começam a se retorcer, mas é a sua voz que me pega desprevenida. Seus olhos são flores, mas eu sei que ela está olhando para mim, que ela me *vê* de verdade enquanto sibila como uma cobra.

— Ela ssssse entrega para nósssss?

— Jayla — digo, lentamente, tentando me lembrar. — Jayla Williams.

Outra colona. Ela foi a escolhida para o grupo de Cartografia de Patrice um ano antes do que eu. Ela inclina a cabeça, como se estivesse tentando me entender. Como se eu fosse a última pessoa na galáxia que ela estava esperando ver. Os olhos azuis do homem mais alto estão fixos em Kal, e o mais jovem está indo para a frente e para trás apoiado nos calcanhares, sibilando. Ao nosso redor, as plantas e trepadeiras que cobrem o porto espacial começam a se mover em uníssono, lentas e sinuosas, serpenteando pelo chão na nossa direção.

— Elessss não vão parar ossss esssssporosss — a mulher diz, sacudindo a cabeça e arregaçando dentes pretos. — Elesssss não deveriam essssstar *aqui*!

— Eu não vou avisar de novo — diz Kal.

O jovem olha para ele inquisitivo. Dá mais um passo.

— O que é "eu"?

Rápidos como relâmpagos, eles se adiantam, todos de uma vez. A velocidade deles é cegante. Kal consegue disparar apenas dois tiros — o primeiro explode a cabeça do homem em um feixe de esporos azuis, e o segundo abre um buraco negro no meio do peito do garoto mais jovem, fazendo com que caia no chão. Só que Jayla já está perto de Kal, os dedos crescentes engolfando o rifle disruptivo.

Ergo minha própria arma, mas ela é rápida demais, e ataca com o pé, a arma voa das minhas mãos e eu caio de joelhos no chão. Ela dá um golpe em Kal, mas ele consegue bloquear, pegando-a pelo pulso e impedindo outro movimento.

Eles lutam um contra o outro. Kal é mais alto que ela, mas a mandíbula está cerrada, as veias no seu pescoço, tensas. Eu tento desesperadamente engatinhar até minha arma, mas as plantas começam a atacar minhas mãos, me puxando pelos calcanhares, exatamente do jeito que fizeram com Kal quando o chimpanzé atacou.

As trepadeiras sobem pelas botas de Kal como cobras, dando a volta nas canelas e o segurando no lugar. Os olhos dele se arregalam quando a mulher se aproxima. Retorcendo o rifle com uma força terrível até que o longo cano esteja exatamente embaixo do queixo dele. Os dentes dele estão cerrados quando os dedos dela se firmam no gatilho.

— Be'shmai — ele diz. — Corra.

BAM!

BAM!

BAM!

A mulher vai para trás assim que os tiros ecoam. O primeiro tiro acerta as costelas, o segundo, os ombros, e o último tiro acerta o seu olho florescente e sai exatamente do outro lado.

Um líquido azul-esverdeado se esparrama na parede atrás dela. Ela emite um som estranho engasgado, tentando se equilibrar. Lentamente, Jayla Williams cai no chão, e as plantas ao redor dela ficam perfeitamente imóveis.

Kal olha por cima do ombro para Fin, que está de pé com a sua pistola disruptiva nas mãos. A sobrancelha prateada de Kal está levantada quando ele olha para o garoto magricelo de cima a baixo.

— Ótima pontaria — ele sussurra, tentando voltar novamente a sua calma de sempre.

Fin sorri abertamente, colocando a pistola de volta no coldre.

— Pois é. Não sou bem um guerreiro, né?

32

SCARLETT

— Aguenta firme, Cat, está bem? — Tyler diz. — Estamos quase lá.

A garota em seus braços, minha colega de quarto, a melhor amiga dele, apenas dá um gemido em resposta.

— E-eles estão vindo...

— Scar, quanto falta para o centro médico? — meu irmão pergunta.

— Uns oitocentos metros — respondo, a voz tremendo.

Consigo ver agora, mais distante, erguido em meio à incessável garoa de pólen. Tem três andares — provavelmente é a maior estrutura na colônia, tirando o reator. As cruzes verdes pintadas nas paredes estão quase invisíveis embaixo da folhagem retorcida de trepadeiras azul-esverdeadas, as flores vermelhas como o sangue, as folhas prateadas. Esse lugar inteiro parece uma ruína antiga na Terra, abandonada há séculos e que a natureza resolveu retomar para si. Exceto que aqui eu não tenho a sensação de que foram as pessoas que abandonaram as coisas. E não tem nada *natural* sobre essa coisa toda.

Tyler está carregando Cat nos braços — ela está machucada demais para andar. Zila vem atrás de nós, calma e fria como sempre. Estou andando na frente, e não estou nada calma, meus olhos indo de um lado para o outro. Estou suando dentro do meu biotraje, minha respiração acelerada. As plantas cobrem tudo, ondulando e balançando como as ondas na superfície de um oceano, sempre na nossa direção. O pólen é grosso e grudento, e tenho que parar de vez em quando para limpar o painel frontal do meu capacete. E eu penso em Cat, e no rasgo em seu traje, e eu me pergunto...

— Movimento! — Zila fala, olhando para o univídro. — A trezentos metros!

Vejo-os chegando em meio à neblina, se movendo em passos largos. O pelo deles está cheio de ervas daninhas e vinhas e pequenas folhas pontudas e flores vermelho-sangue, mas ainda consigo ver os chimpanzés que costumavam ser. Estão se mexendo rápido, rastejando por cima das superfícies verticais dos prédios da colônia como se fossem aranhas, ou nadando entre a vegetação como se fossem água. Vão chegar até nós antes que consigamos alcançar o centro médico.

— Abrir fogo! — Tyler ruge.

Eu me ajoelho, e começo a atirar com o rifle disruptivo, sentindo o recuo forte nos meus braços. A verdade é que eu sou uma má atiradora. Passei a maior parte das minhas aulas de tiro no último ano dando em cima do meu parceiro de equipe (Troi SanMartin. Ex-namorado #48. Prós: ama a mãe dele. Contras: uma vez me chamou pelo nome dela), mas Tyler conseguiu entrar nos dez por cento do topo da classe, e Zila provavelmente dorme com a pistola embaixo do travesseiro.

Os tiros ecoam nas ruas vazias. Talvez seja só minha imaginação, mas a cada chimpanzé que cai, eu juro que consigo ouvir a vegetação ao nosso redor... murmurar. As folhas estremecem como se vento estivesse soprando, mas não há nenhum sinal. Sangue azul se esparrama, e os animais caem, gritando quando vão ao chão. Só que tem muitos deles.

Vejo um que está chegando mais perto, os lábios de musgo arregaçados, os olhos cheios de flores. Tento atirar com precisão, tento me lembrar das aulas, mas minhas mãos estão tremendo. Eu atiro uma, duas vezes. O terceiro tiro finalmente vinga e acerta o chimpanzé no braço. Ele rodopia no lugar, mas continua na nossa direção. Se aproximando a quarenta metros. Vinte.

Ele pula na minha direção, abrindo a boca para gritar. E quando faz isso, a cabeça só continua... abrindo.

Os lábios se arregaçam da cara.

A cara se arregaça do crânio.

O crânio arregaçando do torso até que *toda a parte de cima do corpo* se abre como se fosse uma flor repulsiva, pronta para me engolir por inteiro.

Estou paralisada no lugar por medo, e agora só faltam cinco metros, e eu não consigo evitar o grit...

BAM!

A coisa-chimpanzé explode como um balão de água. O tiro do rifle disruptivo jogando tudo para o lado e arremessando contra a vegetação. Conforme o sangue atinge as plantas, elas estremecem e suspiram, mas Zila dá um tiro nelas e faz com que virem cinza antes que alguma delas se mexa para nos atacar. Meu coração pulsa e minhas pernas tremem, estou tentando procurar alguma coisa maldosa ou sarcástica para dizer, mas eu não consigo mais. Ty já está pronto e se mexendo de novo, Cat de volta em seus braços. Consigo ver o sangue no seu biotraje, o remendo em cima do rasgo, e o pólen azul que se agarra no prateado.

Quando Ty limpa o painel frontal do traje, consigo ver que os olhos de Cat também estão azuis.

Eles costumavam ser castanhos.

— T-Tyler — ela geme. — Eles estão v-vindo.

— Scar, precisamos ir — meu irmão diz. — Agora.

A voz dele é como o aço, mas consigo sentir o medo que emana dele. Nos conhecemos desde antes de nascermos. Consigo entendê-lo mais do que qualquer outra pessoa. E eu sei que debaixo dessa fachada, debaixo do tom estável e das mãos que não tremem, ele está morrendo de medo.

Por nós.

Por *ela*.

Eu pisco com força. Aceno com a cabeça. E então me ponho de pé, movendo rapidamente. Corremos pelas ruas com as folhagens que cresceram demais, entre as samambaias balançando ao vento, e o centro médico está finalmente na nossa frente.

Temos que atirar para conseguir passar pelas trepadeiras na entrada, e eu não sei o que ele espera que encontremos aqui. Mesmo que esse lugar não tivesse sido engolido por essa... infecção, esses prédios têm duzentos anos. É só eu examinar com mais cuidado que vejo o quanto esse plano é desesperado e sem sentido.

O interior do prédio é escuro, as janelas cobertas por vegetação, e a energia já se foi há muito tempo. Nós aumentamos a luz dos nossos biotrajes, os feixes claros cortando a escuridão. O lugar foi inteiramente tomado — o chão está coberto de musgo feito tapete, as paredes subindo com trepadeiras e flores grudentas.

— Zila, do que a gente precisa? — Ty pergunta.

A garota sacode a cabeça, olhando pra Cat. Através do visor do seu biotraje, vejo que os olhos azuis da nossa Ás estão abertos, os cílios estremecendo. A pele dela está coberta de suor. Posso jurar que vejo um tom leve de prateado embaixo dela.

— Não tenho certeza, senhor — responde Zila. — Eu nunca vi sintomas assim...

— Improvise — ele a corta. — Você é o meu Cérebro. Eu preciso de você.

— Depósito médico — diz ela. — Eu não sei que tipo de componentes químicos guardam lá, ou o que sobrou depois de duzentos anos, mas talvez consiga ativar algum agente antibiótico ou supressor se conseguirmos encontrar o depósito.

— Está certo. — Tyler assente. — Vamos logo.

Nós passamos pelos corredores escuros do centro médico, os passos rangendo e esguichando no tapete de vegetação. Todas as superfícies estão cobertas por ele. O calor é opressivo, como o interior de uma sauna. Consigo ouvir a respiração curta de Cat, meu coração disparado. Nós checamos sala após sala, mas tudo está tomado, inútil, irreconhecível. Formas vagas que talvez fossem camas ou possivelmente computadores, pequenas partículas do pólen azul luminoso dançando no ar.

Cat estica a mão nos braços de Tyler, segura o ombro dele.

— Tyler...

— Cat, aguenta firme, está bem? — ele diz. — Vamos tirar você dessa.

— V-você... — Ela sacode a cabeça, engole em seco. — N-não enten... de.

— Cat, querida, por favor — eu peço. — Tente não falar.

— Eu... vejo — ela sussurra.

— O que você vê? — Zila pergunta.

— Agentes. — Cat fecha os seus novos olhos azuis. — V-vindo.

— A nave que vimos. — Zila olha para Tyler. — Os sobreviventes da *Belerofonte*.

— Zila, o que está acontecendo com ela? — pergunto.

Nossa Cérebro franze o cenho enquanto pensa, os lábios apertados. Consigo ver o QI de nível gênio trabalhando atrás dos seus olhos. O seu desapego trazendo uma clareza que eu apenas posso invejar. Me pergunto o que a tornou assim. Como ela ficou do jeito que é.

Depois de um momento de reflexão, ela se vira e atira o rifle disruptivo na parede — quando tudo mais falhar, fique com o que já sabe. O tiro queima uma seção da vegetação até virar cinzas, as folhas azul-esverdeadas reduzidas a pó. Da mesma maneira como matamos os chimpanzés, as plantas ao redor ondulam, sussurram, estremecem. E com meu coração apertando, eu vejo Cat estremecer também.

— Aaahh — ela geme. — *Ahhh*.

Zila passa o univídro por cima do corpo de Cat, através do ar. O aparelho solta um apito e clica, Zila guiando como se fosse um maestro.

— Legionária Madran? — Tyler pergunta.

Zila sacode a cabeça.

— Temos poucos dados. Variáveis demais. Só que essa vegetação, esses animais infectados, tudo o que vimos... aparentemente há uma congruência entre todos eles. Quando um deles se machuca, todos os outros sentem a dor.

Eu tento me lembrar do que foi falado na ponte da Longbow. As palavras de Aurora quando ela indicou os pontos brilhando em vermelho no mapa estelar.

— Gestalt — sussurro.

Zila assente.

— Uma entidade Gestalt, sim. Uma multidão de organismos que na verdade são um único ser. É como se tudo nesse planeta, todas as coisas infectadas por esse crescimento da vegetação... é como se todos estivessem conectados.

Cat começa a sofrer uma convulsão nos braços de Ty, sacudidas contorcendo todo o corpo. Ela arreganha os dentes, e conforme se debate, ele a deposita no chão, as lágrimas brilhando nos olhos dele.

— Cat? — Tyler pergunta. — Cat, consegue me ouvir?

— Ra'haam — ela grunhe, ecoando as mesmas palavras de Auri na ponte.

— Aguenta firme, nós vamos resolver isso. Prometo.

Cat geme, a cabeça jogada para trás, todos os músculos tensos quando ela começa a levitar do chão, as costas retorcidas em um arco perfeito.

— Ra'haaaaa-a-a-aam!

Eu me sinto tão inútil, quero gritar. Cada pedaço do meu pavor, do meu horror, é refletido nas linhas do corpo de Tyler, na maneira que ele se agacha perto dela, passa uma mão pelo braço, em uma tentativa sutil, como se encostar nela talvez fosse quebrá-la.

Eu sei o que aconteceu entre eles quando estavam de férias. Nenhum dos dois me contou, mas eu saquei. Voltando com as novas tatuagens e com uma distância entre eles. Eu conseguia ver que Cat queria fechar essa distância. Eu conseguia entender o porquê de Tyler não querer. O porquê de talvez ter sido um erro. O porquê de talvez ter sido a melhor coisa que aconteceu com os dois. Porque mesmo que Tyler ame a ideia de ser um líder, de ser um soldado, de ser alguém de quem papai teria orgulho, eu sei que uma parte de Tyler também é apaixonada por Cat.

Ele só não entendeu a parte do *como* ainda.

O que ele vai fazer se a perder?

— Eu consigo s-seeeentir — Cat sibila, suor acumulando na sobrancelha. — Consigo senti-los. Esse lugar, esse planeta... eu sssssei o q-que ele é.

Ela suspira e afunda de volta no tapete de musgos. Os olhos dela estão abertos, da mesma cor do azul luminescente do pólen que flutua ao nosso redor. E com um horror crescente, percebo que as pupilas dela não são mais redondas.

Elas são no formato de flores.

— Cat? — Zila pergunta, ajoelhando-se do lado dela. — O que é Ra'haam? Nossa Ás olha para Zila, as lágrimas brilhando nos cílios.

— *Nós* somos.

— Sopro do Criador — Tyler sussurra. — Seus olhos...

A mão de Cat se estende para cima, agarrando o braço de Tyler com tanta força que ele estremece.

— Vão embora, Tyler — ela diz, os dentes cerrados. — Tirem Auri daqui. Isso teria matado vocês todos para impedir ela de encontrar esse lugar. Mas agora que ela está aqui... você... não pode deixar que isso a leve.

— Cat...

— Eu consigo sssentir. — Ela sacode a cabeça, e as lágrimas escorrem pela bochecha. — Estou sentindo dentro de mim, Ty. Pelo amor do Criador... tire... tire ela d-daqui.

Minhas mãos estão tremendo e eu não consigo respirar rápido o bastante. Eu não consigo falar, os soluços subindo pela minha garganta para me afogar. É Zila que fala o que eu estou pensando.

— Mas o mapa estelar dentro do Gatilho nos *trouxe* até aqui — ela protesta.

— Você não enten... entende? — Cat sacode a cabeça, as costas arqueando de novo. — N-não era um convite. E-e-era u-um *aviso...*

Ela fica em silêncio, fechando os olhos, tremendo como se estivesse com febre. Olho para o meu irmão, vejo o rosto dele pálido como ossos. Vejo o desespero em seus olhos. A dor. O mesmo sentimento assustador que está crescendo dentro do meu próprio peito. Não há nada de útil aqui no centro médico. Nós temos inimigos hostis atrás de nós — agentes da AIG com suas armaduras cinzentas e sabe-se lá o que mais. Ele tem que priorizar as coisas. Ele precisa colocar as necessidades do grupo à frente dos próprios sentimentos. É o que os bons líderes fazem.

Ele encontra meus olhos, e eu falo com ele sem sequer precisar pronunciar uma palavra.

Mostre o caminho, irmãozinho.

Ele estende a mão para o cinto de utilidades no traje de Cat e pega o univídro dela.

— Kal, qual seu status?

— *Nós não obtivemos sucesso no porto* — nosso Tanque responde. — *Mas Finian diz que consegue sintetizar os componentes necessários para um núcleo* novo para a Longbow se conseguir acesso ao reator da colônia. Estamos a caminho de lá agora.

— Está todo mundo bem?

A voz de Kal fica mais baixa, como se ele não quisesse que ninguém mais escutasse.

— Aurora está... perturbada. Encontramos mais colonos, infectados com a mesma doença que os chimpanzés. Eles falaram algo de... esporos?

— Sssssim — Cat suspira, debatendo-se no chão.

Pego a mão dela quando ela abre os olhos e olha para mim. Eu quero desviar o olhar daquela cor sobrenatural, aquelas pupilas em formato de pétalas. Em vez disso, aperto os dedos da minha parceira, tentando sorrir.

Tyler respira fundo, estremecendo.

— Nós suspeitamos que ao menos um agente da AIG estava naquela nave. Deve ter vindo da *Belerofonte*. Estão vindo direto para a nossa posição.

— O reator da colônia é a estrutura mais fortificada nesse assentamento, senhor. Se estamos planejando alguma defesa, devemos todos ir para lá.

— Entendido. Vamos até vocês.

— *Terei mais recomendações prontas para quando chegarem.*

— Vamos assim que der. — Ele engole, com força. — Kal... fale para todos prestarem atenção na integridade dos biotrajes. Em circunstância nenhuma vocês devem permitir que o traje de alguém seja violado, entendido?

— *Zero, ela está...*

— Só faça isso, legionário. Logo estaremos aí. Câmbio, desligo.

Ty dá um tapa no univídro e ajoelha ao lado de Cat. Coloca o braço dela em volta do seu ombro e faz menção de erguê-la de novo. Só que Cat sacode a cabeça, coloca uma das mãos no peito dele.

— N-não — ela sussurra. — Me deixe aqui, Ty.

Ele ergue a sobrancelha com a cicatriz, e por um instante, o meu irmão charmoso de sempre volta à vida.

— Não sabia que você estava tentando entrar pro circo com essas piadas.

— Estou falando s-sério — ela murmura. — Me d-deixe aqui.

— De jeito nenhum.

Ele fica em pé em um único movimento fluido, Cat ainda nos braços dele. A cabeça dela cai para trás, o corpo inerte. Com um esforço visível, ela consegue se erguer para olhar para ele.

— C-consigo ver, Ty — ela sussurra. — E consigo ver todos vocês... a--través de mim. — Ela sacode a cabeça, um maravilhamento aparecendo em sua voz. — É tão imenso, Ty. É tão i-imenso e estou caindo direto, e você tem que me deixar a-aqui.

— Não — ele diz.

— *Por favor* — ela implora.

— Vê se me escuta, Brannock — Ty diz, a voz dele dura como aço mesmo quando as lágrimas brilham nos seus olhos. — Nós somos a Legião Aurora e nós não deixamos os nossos para trás. Você me entendeu?

Ela umedece os lábios, os olhos fechando.

— Legionária Brannock, eu te fiz uma pergunta! — ele grita.

Os olhos de Cat estremecem e abrem, e ela respira fundo, estremecendo.

— Ademais — continua Ty, em sua melhor voz de marcha de demonstração —, eu não preciso te lembrar de que sou seu oficial superior. Então se você está considerando ficar deitada aqui, se você sequer *considerar* largar a gente aqui, eu vou te bater tanto que esse nó na sua garganta vai ser a *porra* do meu calcanhar, entendido?

Tyler Jones, Líder do Esquadrão, Primeira Classe, não fala palavrões. Tyler Jones não usa drogas e não bebe e não faz nada do que nós, meros mortais, fazemos para nos divertir. Não consigo me lembrar da última vez que ouvi ele usar um palavrão. Aposto que Cat também não consegue.

— Está *entendido*? — grita Ty.

As palavras tem o efeito desejado. Cat engole em seco e um pouco de foco volta ao seu rosto. O aperto no ombro dele ficando mais forte quando ela sussurra.

— Sim, sen...

— Eu não estou te ouvindo, Legionária Brannock!

Cat pisca com força, assente lentamente.

— Sim, senhor.

Ty olha para mim e Zila, o olhar duro com os comandos. Posso ver o líder dentro dele, consigo ver o reflexo do nosso *pai* queimando com tanta força que eu quero chorar. Quero estender minha mão e o abraçar, falar que estou muito orgulhosa. Em vez disso, fico mais atenta. Porque é isso que legionários fazem.

— Scar, você vai na frente — Ty ordena. — Zila, você fica na retaguarda. Nós vamos rápido e sem parar para a torre do reator na colônia e vamos encontrar o resto do esquadrão. Se alguma coisa interromper nosso caminho, nós atiramos até que a coisa volte para o inferno. Ninguém no nosso esquadrão morre aqui hoje, fui claro?

— Sim, senhor — nós respondemos.

— Certo. Vamos embora.

33

AURI

Tyler e o esquadrão dele estão transformando o reator ao nosso redor no campo onde faremos nosso acampamento. Eles carregam móveis para bloquear as entradas, atiram em trepadeiras para não entrarem pelas janelas, tentando aumentar as defesas com o que nos restou por aqui.

Estou lutando contra uma mesa pesada, virando-a de lado para colocar na frente de Cat, como se fosse um escudo improvisado caso eles decidam chegar até nós pelas janelas. O meu olhar encontra o de Kal a cada dois ou três minutos — apesar de ocupado fazendo uma força maior do que nós todos juntos, ele ainda está esperando por mim quando olho para ele.

Meu nervosismo está agitado enquanto posiciono a mesa na frente de Cat. Os agentes da AIG estão atrás de mim, mas eu sei que eles matarão todos aqui. Não tem jeito de voltar para a Longbow sem uma batalha, sem jeito de consertá-la, sem chance de escapar. Esse é o lugar em que travaremos nosso confronto, e eu estou apavorada.

— A nave da AIG está vindo na nossa direção. — Perto da janela, Zila abaixa os binóculos, calma como sempre. — Tempo de chegada estimado em três minutos.

— Eu tenho uma ideia — diz Scarlett. — Conseguiríamos usar a nave deles pra sair desse planeta?

Finian se ergue de onde está abaixado perto de um sistema de computadores semidissecado, movendo-se com um protesto baixinho do seu traje. A unidade de contenção dele está conectada ao núcleo, em um emaranhado de cabos e canos que parecem estar intactos apenas com o poder de reza e fita crepe. Aparentemente, a improvisação está sintetizando os elementos que precisaremos para reparar o reator da Longbow para quando finalmente conseguirmos sair daqui.

Se conseguirmos sair daqui.

Mancando até a janela, ele estreita os olhos para a nave que se aproxima, então sacode a cabeça.

— Essa nave só é capaz de pular umas poças — ele diz. — Só serve para viagens atmosfera-até-superfície, e de curta distância. Se quisermos voltar pela Dobra, precisamos da Longbow. — Ele olha para Tyler. — Mas a nave consegue nos levar até ela, e rápido. Caso nós tenhamos um estrategista genial com lindos cabelos e um excelente plano para roubar a nave.

Tyler levanta o olhar de onde ele e Kal estão montando um rifle disruptivo em um tripé improvisado perto da janela.

— Estou trabalhando nisso — murmura ele.

— Bem, enquanto você procura sua escova de cabelo, eu vou subir para o controle principal — declara Fin. — Vou ver se consigo impulsionar a potência e passar por cima dos protocolos de segurança do fluxo de energia.

— Pra quê? — Scar pergunta.

— Eu posso fazer uma corrente percorrer a parte metálica da estrutura. Os pórticos, as escadas, esse tipo de coisa. Cortar completamente o acesso. Deixar tudo eletrificado.

— Isso não vai nos eletrocutar também?

Ele sacode a cabeça.

— Enquanto estivermos no concreto, ficaremos bem. Antes de eu me juntar a vocês, desajustados, eu estava mexendo um pouco nos laboratórios de propulsão da Academia durante meu tempo livre. Eu arranjei um jeito de dar aos circuitos DeBray básicos um aumento de sete por cento de energia, e estou vendo uns componentes semelhantes por aqui.

— Os laboratórios de propulsão com que você estava mexendo — diz Tyler — seriam aqueles que você *explodiu*?

— Ei, sem reclamações. Você também conseguiu se safar da prova de aerodinâmica.

Ele está tentando mostrar seu sorriso de sempre, mas nenhum de nós está comprando isso no momento.

— Parece uma má ideia — diz Ty.

— É, mas é o único tipo que nos resta. Eu consigo fazer isso, Garoto de Ouro.

Tyler mordisca o lábio e suspira.

— Zila, vá com ele. Veja se consegue ajudar.

— Sim, senhor — diz Zila baixinho, virando-se da janela.

Tyler pega o braço de Finian conforme ele sai mancando para o andar de cima.

Ele olha para mim e abaixa a voz, mas não o bastante.

— Os agentes estão aqui pela Auri. — Ele olha para Cat, depois de novo para Fin. — Deixar que eles a peguem não é uma boa ideia. Você consegue improvisar alguma coisa rápido? Se chegarmos a uma escolha entre sermos capturados e...

Fin encontra o olhar de Tyler, e todas as piadas e coragem se vão.

— Eu consigo fazer isso.

Tyler assente. E sem mais palavras, Fin e Zila sobem as escadas.

Minha respiração acelera, meu coração tilintando. As novas partes de mim estão tentando abrir um caminho para a superfície, mas eu não sei como controlá-las, ou como simplesmente deixá-las assumirem-me.

Se chegarmos a uma escolha entre sermos capturados e...

Como isso aconteceu? Como foi que chegamos aqui?

Flexiono meus dedos e cerro meus punhos, tentando ficar sob controle conforme ando em volta da mesa e me sento de pernas cruzadas ao lado de Cat.

Tudo ao meu redor grita com o meu nervosismo, e meus membros estremecem, a minha nuca zumbindo com o perigo que se aproxima. Estou certa de que as plantas e vinhas estão nos monitorando, de que o pólen que entra pela janela quebrada e sai por outra também é parte do planeta que está vigiando cada um dos nossos movimentos.

Está me empurrando mais perto do limite da minha coragem, mas também consigo sentir me empurrando mais perto do limite de outra coisa.

Consigo sentir que estou a ponto de...

Cat se mexe ao meu lado, e pego a mão dela na minha, apertando de leve. Os cílios dela se levantam, e ela fixa as pupilas em forma de flor em mim, os olhos de um azul incandescente. Nós nos olhamos por um longo momento, e então ela solta uma respiração baixa que parece um gemido.

— Eu consigo sentir — ela sussurra, e eu não sei o que dizer, porque eu também consigo sentir. — Está me levando.

— Nós não vamos deixar — sussurro de volta.

Ela me olha com um olhar cheio de medo, de dor, de "ei, qual é, não vamos mentir uma para a outra", e meu coração se aperta porque nada que está escrito em seu rosto — em seu rosto que cada vez mais fica prateado — deveria estar estampado no rosto de uma garota da minha idade.

Só que ela não é da minha idade, é?

As folhas ao nosso redor estremecem mesmo que não haja nenhuma brisa, e consigo sentir os séculos embaixo da minha pele. O poder que descansa embaixo dela.

Conforme Kal passa ao meu lado, ele coloca a mão no meu ombro, só por um segundo. Só por um instante. Eu penso no que ele disse, sobre percorrer o caminho verdadeiro. E apesar de não saber exatamente como, eu sei que tudo isso, tudo que aconteceu, tem a ver comigo. Com o poder dentro de mim.

Há uma razão para essa colônia estar escondida dos olhos do mundo todo.

Há uma razão para a AIG me querer, tentando me apagar também.

Há uma razão para eu me tornar outra coisa, algo que é mais do que humano.

Há uma razão para eu ter nos levado até a Nave do Mundo, até o Gatilho.

E há uma razão para o Gatilho ter nos trazido até aqui.

De alguma forma, tudo isso está conectado. E apesar de ser assustador, eu sei que não posso continuar assustada.

Tudo que aconteceu, tudo que me tornei... eu não posso mais parar isso.

Em vez disso, eu preciso ter a coragem de controlar o que sou.

Penso neste lugar, e nas pessoas que ficaram aqui. Penso na minha família. Penso em minha mãe e Callie, quando receberam a notícia de que eu havia desaparecido. Penso em meu pai quando ouviu isso, nas coisas que deveriam ter sido ditas na nossa última conversa.

Penso em tudo que perdi. Penso em ser a garota fora do tempo, tendo esse poder que eu não entendo. E quando olho para baixo, quando cruzo o olhar com Cat de novo, e vejo as flores em seus olhos, rodeadas por folhas e trepadeiras desse planeta predatório, meu nervosismo ansiando por fugir, a ânsia crescendo dentro de mim...

... algo muda.

É como fogo derretendo gelo. Como correntes positivas e negativas colidindo. Como se eu estivesse acordando pela primeira vez em duzentos anos. Sinto minha mente se esticar, sinto o espreguiçar alongado de músculos que estão dormentes há muito tempo, um surto de poder percorrendo meu corpo. Repentinamente, estou *maior* estou *mais forte*, e apesar de ser exatamente a mesma — ainda estou sentada de pernas cruzadas ao lado de Cat, segurando sua mão —, há uma dimensão extra em tudo.

É essa a sensação de controlar isso.

Eu posso não saber o que *isso* é, mas tudo o que fiz quando estava dormindo, tudo que me fez ser apenas uma passageira, uma prisioneira dentro do meu próprio corpo — agora sinto que é uma parte de mim. Algo maior. Algo a mais. Tomado do vazio com minhas próprias mãos.

Eu viro a cabeça para encarar o resto do esquadrão. Consigo sentir um ardor de empatia em Kal — uma presença inquieta com uma sensação violeta. Está quase soterrado debaixo do resto de sua natureza. Ele o percorre como linhas finas de ouro em uma pedra, quase escondidas. Ele muda e estremece em resposta quando minha mente passa pela dele.

Consigo ver também em Scarlett, e um pouco, bem menos, em Tyler, fluindo debaixo da superfície da sua mente. Os gêmeos Jones são humanos, e por um momento, há uma ponta de dúvida — o planeta também os tocou? — mas um segundo depois, sei que não é verdade. O poder percorrendo as plantas e folhas e vinhas ao nosso redor, conectando-os via uma corrente que agora estala para mim como se fosse eletricidade, é completamente diferente de tudo dentro de Scarlett, ou Tyler, ou Kal, ou eu.

Só que quando olho para baixo, consigo ver percorrendo Cat em um emaranhado complexo e desesperançoso de trepadeiras, como uma teia de capilárias. Invadindo cada parte dela.

Por onde eu sequer começo a desemaranhar isso?

Eu sei, mesmo tentando me afastar dessa certeza, que não poderei fazer isso.

É coisa demais, é profundo demais.

Ela foi conquistada.

Eu tento, de toda forma, pegar mentalmente um punhado de energia psíquica que a prende, queimando até virar nada, segurando no punho da minha mente até virar cinzas. Ela geme, e quando olho para baixo, a energia azul-esverdeada ladeada de prata serpenteia por ela para cobrir o buraco, como se nunca estivesse ali.

Como as vinhas, está por toda a parte.

Tento de outro jeito, me aproximando da mente de Cat. Talvez eu possa começar por ali e fazer uma varredura, queimar tudo até não sobrar nenhum pensamento. Conforme olho dentro dela, sou atingida por um turbilhão de emoções. A dor dela, o medo, a raiva fluindo por mim, e eu estremeço por um instante, lutando contra a vontade de me retirar. E então me aproximo mais, porque ninguém deve ficar sozinho quando tem sentimentos desse tipo.

Estou aqui, estou aqui.

Aperto a mão dela, empurrando as defesas pontiagudas. E dentro delas eu encontro a Cat de verdade, o redemoinho de vida e amor e energia, os vermelhos e laranja e dourados de sua identidade mental espiralando em formas elaboradas que me lembram de torvelinhos de vento, que me lembram da sensação de voar.

Encontro o amor dela por Scarlett, a dor pela perda da mãe, a alegria voraz em subir aos céus. Eu encontro o amor dela por Tyler, forte e profundo, e cheio de frustrações.

E como resposta, sem querer — mas também de uma maneira perfeitamente natural, como é pra ser —, a minha mente dança com a dela.

Não estamos mais no reator. Ninguém está ao nosso redor.

Estamos em outro lugar, só nós duas, e nada mais importa.

Minha mente é azul meia-noite, e brilho prateado, poeira de estrelas e nébulas para seus ventos acalorados. Para tocá-la, eu também preciso estar aberta, meus próprios amores e memórias tão livres quanto os dela. Ela vê o amor que tenho pela minha irmã, Callie, ela sente o cheiro de pedras quentes e folhas secas no topo da minha trilha de caminhada favorita. Meu lugar favorito. Por meio de mim, ela sente o ardor das pimentas que meu pai coloca sempre na comida. Ela está comigo na dor de ver minha mãe depois que ele partiu, e então, em vez de assistir a tudo, ela se move. Pegando essa memória e empurrando para longe.

Por um momento, fico estarrecida. Só que sem usar palavras, apenas com um turbilhão de imagens, ela está mostrando seu propósito — ela não quer saber dessas coisas, porque não quer compartilhar delas.

Quando isso a levar.

Nós focamos na porta entre nós — ela puxa, eu empurro — e juntas nós a fechamos, e suor percorre o meu corpo quando meus olhos se abrem, minha respiração acelerada.

O olhar dela está esperando por mim.

— V-você n-não... d-deveria es-estar aqui — ela sussurra.

As vozes estão atrás de mim.

— Tente agora — Fin está gritando lá de cima.

— Está funcionando — Kal responde, inclinando a cabeça para trás para gritar de volta para o teto.

— Eu sei — sussurro para Cat. — Tudo nesse lugar está errado. Mas o mapa estelar nos mostrou esse lugar, o Gatilho...

— Oh, Auri... v-você não en-entendeu? O Ga-Gatilho... é...

Os olhos dela se abrem, e a arfada é o único aviso que recebo antes da mente dela invadir a minha — mas agora os vermelhos são escarlates como o sangue, o amarelo brilhante demais, chamativo demais. Essa é a mente de Cat, só que não é Cat que está comandando.

Eu ergo minhas defesas, tento empurrá-la para trás, as paredes mentais tão fortes quanto consigo criar. Imaginando que sejam feitas de pedra, me rodeando por uma minúscula fortaleza, minha mente bem no meio. Consigo ver o inimigo em toda minha volta, e consigo sentir algo de sua consciência tentando alcançar minha mente através da dela.

Um ser.

Um único ser. Impossível. Colossal.

Ele vem de todo lugar, uma rede espalhada por todo o planeta — é todas as plantas, todas as trepadeiras, todas as flores, todos os esporos flutuando pelo ar. Consigo ver a história de tudo, seu propósito e potencial. É como se o tempo não significasse nada, também consigo ver o seu futuro.

Eu sou um grão de poeira enquanto tento entender a linha do tempo na qual essa jornada está sendo medida. Isso me faz lembrar do teto do salão de baile de Casseldon Bianchi, da dança lenta das galáxias conforme passavam, movendo-se através e em volta umas das outras em uma escala cósmica.

Essa... *coisa* estava se preparando, primeiro ficando adormecida, e lentamente acordando, até que agora está no topo de uma onda que se estica por milhões de anos. Esse planeta, todos os planetas naquele mapa estelar, irão crescer e inchar, amadurecer até que explodam como sementes, atirando seus esporos, a infecção, em todos aqueles portões naturais da Dobra, impossíveis de serem fechados. Para dentro da própria Dobra, e dali...

Dali, para todos os lugares.

Esse é o instante antes de um tsunami quebrar.

Esse é o Ra'haam.

— Você *pode* parar isso. — A arfada de Cat me arranca da paralisia, e o ataque à minha fortaleza desaparece, os vermelhos e dourados voltando à cor dela, e depois desaparecendo. Sangue escorre de seu nariz, o peito crescendo e decrescendo, olhos azuis fixos no meu rosto. — Eles pararam isso antes. E agora você pode parar, Aurora.

— Sim — eu falo.

Porque agora eu entendo o quão antiga é essa história. Eu entendo a arrogância de pensar que, nos 13,8 bilhões de anos em que o universo estava se expandindo, esse lugar e esse instante — agora, na Via Láctea — é a primeira vez que a vida foi obrigada a lutar nessa guerra.

Eu vejo a última vez que Ra'haam acordou.

Quando tentou engolir toda galáxia.

Tentou e falhou.

Ele se escondeu depois disso, percebo. Ferido. Quase morto. Porque além do dilúvio, além do barulho dessa coisa impossível à minha volta, dentro de mim, consigo sentir outra coisa. A voz que me chama. A voz que tem chamado meu nome esse tempo todo.

Dizendo quem eu sou.

Quem *eles* eram.

Aqueles que lutaram. Aqueles que viram o que Ra'haam se tornaria se fosse deixado livre, e que viram suas individualidades como algo pelo que lutar.

Os Antigos.

Eshvaren.

E apesar de terem partido, mortos há eras

eles deixaram para trás

a arma que precisamos

para derrotar isso

de novo.

E o Gatilho não é apenas uma estátua antiga ou uma joia escondida dentro dele. Não é só um mapa estelar feito de pedras preciosas roubado da casa de um gângster.

O Gatilho...

— Auri — Cat ofega.

— O Gatilho... sou *eu*.

As folhas ao nosso redor estremecem, e consigo ouvir um motor rugindo do lado de fora. O zumbido de uma descida lenta, o amassar dos aparelhos de aterrisagem tocando a terra. Eu sei que Tyler vai falar antes mesmo dele fazer isso.

— Eles chegaram.

Cat cerra os dentes, e sei que ela está tentando impedir, impedir tudo, a coisa que está fazendo um caminho por ela e tentando torná-la parte disso, impedir que a coisa saiba o que ela sabe. A voz que vem do lado de fora é monótona, amplificada, sem gênero, e sem idade.

— Estamos aqui para levar Aurora O'Malley.

Princeps.

A voz de Finian ecoa pelo canal de comunicação.

— *Alguém quer avisar Sua Alteza Real que é educado falar "por favor"?*

Scarlett deixa o irmão perto da janela e se apressa para ficar no meu lugar, caindo de joelhos.

— Vá — ela murmura para mim, e eu solto a mão de Cat. A outra garota a pega.

Eu vou até onde Tyler está olhando a janela. As vinhas ao redor dele foram queimadas, e consigo ver um dos tentáculos chamuscados se mexendo, tentando serpentear pela beira da janela, procurando um lugar novo para se afixar enquanto eu me agacho ao lado dele. Se ficar perto da parede, consigo olhar para baixo sem deixar que as figuras lá embaixo me vejam.

Uma nave aterrissou na vegetação azul-esverdeada do lado de fora do reator. Está marcada com a identificação da *Belerofonte*, e uma rampa de aterrisagem se estende de suas entranhas. Princeps está de pé no fim da rampa em seu traje branco intocado, o pólen caindo ao redor. Ao seu lado há um segundo agente da AIG no traje cinza-escuro de sempre, e em volta da nave estão dezenas e dezenas de outras figuras.

Eles não são agentes da AIG. E há muitos deles.

Há alguns chimpanzés na multidão, o pelo deles coberto de musgo e tubérculos. Debaixo da cobertura das trepadeiras prateadas, debaixo das flores esparramadas por seus cabelos e florescendo de suas íris, eu consigo reconhecer o resto deles.

Humanos.

Colonos.

— Ah, Aurora. — Mesmo com a proteção da janela, Princeps olha diretamente para mim. — Aí está você.

Eu arrisco tentar lançar uma onda da minha mente azul meia-noite, coberta de estrelas, indo diretamente para o verde-prata-azul-cinza das plantas e das trepadeiras do lado de fora. Estou tentando encontrar a mente de Princeps, mas quanto mais vejo, mais é como uma interferência do rádio — há coisas demais para sentir, e não consigo encontrar meu alvo no meio de tudo.

Está tão sem expressão quanto sempre quando fala novamente, e não tenho ideia se conseguiu sentir minha tentativa.

— Estávamos esperando por você há tanto tempo, Aurora.

— Esperem um pouco mais — grito de volta, deixando minha voz firme. Ela não estremece. — Tentem daqui a uns duzentos anos.

— Nós perdemos você de vista. Não conseguíamos te encontrar.

— Eu nunca fui sua para ser encontrada!

— Você foi escondida na Dobra, vemos isso agora. Os Eshvaren foram covardes em te esconder ali. Sempre foi a maneira deles. A

FRAQUEZA DELES. A MESMA FRAQUEZA QUE SINTO AGORA EM VOCÊ. VOCÊ DEVERIA SIMPLESMENTE TER DEIXADO QUE NÓS A QUEIMÁSSEMOS NA ÓRBITA. VOCÊ FOI TOLA DE SE ENTREGAR PARA NÓS.

Atrás de mim, Ty repousa a mão no meu ombro, como se ele tivesse medo de eu me mostrar, de ficar de pé na janela para brigar, mas eu fico parada e observo, porque Princeps está erguendo as mãos até o capacete, e com um revirar dos polegares, ele libera o selo.

Estou congelada no lugar enquanto lentamente, muito lentamente, em um movimento que leva duas batidas do coração e também 13,8 bilhões de anos, ele levanta o capacete e me mostra o rosto embaixo dele.

Eu sei, no instante antes de olhar, o que eu verei ali.

Ainda assim, me atinge como um golpe, me roubando o ar, os pensamentos, a resolução.

Embaixo das folhas gordas que florescem do olho direito, embaixo do musgo prateado que passa pela pele acinzentada e desaparece dentro da gola do traje branco, ainda consigo distinguir as linhas do seu rosto. As bochechas redondas, as rugas na testa que minha mãe costumava brincar que haviam aparecido quando ele tinha apenas quinze anos, porque o mundo continuava o surpreendendo tanto.

— *Papai...*

As palavras dobram de tamanho dentro da minha cabeça, como cortes feios e cheios de pus dentro da minha nébula de estrelas prateadas. É como se eu estivesse de volta ao instante da nossa última conversa.

Primeiro, obrigada pelos parabéns, pai.

Obrigada por me dar parabéns por vencer as Interestaduais de novo.

Mas mais do que tudo, obrigada por isso.

Eu desliguei na cara dele antes de ver a resposta da transmissão. Antes de conseguir ver a dor no seu rosto, ou o jeito que minhas palavras iam penetrar sua armadura.

— Senti sua falta, Jie-Lin — diz ele.

Meu coração implode, colapsando dentro de si mesmo.

— Foi tão difícil — diz ele, sacudindo a cabeça. — Ficar longe de você quando você deveria estar conosco esse tempo todo. Há tantas coisas que não foram ditas entre nós dois.

Ouço meu soluço. Sinto minha fortaleza mental começar a implodir, as pedras caindo. Achei que ele tinha partido para sempre. Achei que estava totalmente sozinha. E agora ele está aqui, e o peso total do meu luto finalmente cai para me enterrar, uma avalanche a qual não consigo resistir. Minha visão embaça com as lágrimas, minha respiração tão acelerada que começa a embaçar a parte de dentro do meu capacete.

O capacete que me separa dele.

— Todos nós estamos conectados — diz meu pai, estendendo a mão para mim. — Todos estamos perfeitamente juntos. Nós seremos completos quando você se juntar a nós.

— Auri — diz Ty, baixinho, ao meu lado. — Aquele não é seu pai.

— Ele é sim — consigo dizer. — Você não entende, eu consigo s-sentir todos eles na minha mente. Se n-não fosse ele, seria fácil.

Só que é tão, tão difícil. Porque agora, entre o verde-prata-azul-cinza do plano mental desse lugar, eu consigo sentir, eu consigo ver, eu consigo sentir os lindos vermelhos e dourados de Cat se tornando marrons lamacentos conforme eles se fundem com a Gestalt que nos rodeia.

E eu consigo ver muito mais.

Meu pai estende a mão para mim. Mostrando a conexão que pode ser minha. O brilhantismo disso. A complexidade e a beleza. E apesar de todos serem um, todas essas vidas, todas essas mentes que essa coisa engoliu ao longo das eras, fundidas em um único ser completo, eu ainda consigo sentir *ele* dentro desse coletivo.

Eu consigo ver os fios do tecido completo que uma vez pertenceram a ele. Que ainda são *dele*. Eu consigo sentir as partes que são *ele* dentro dessa mente coletiva.

Ele ainda está aqui. Eu poderia pedir desculpas. Sentir meu pai me abraçar e me puxar para mais perto enquanto ri. *Você ainda está se preocupando com essa bobagem depois desse tempo todo?*, ele vai dizer.

— Jie-Lin — ele chama. — Eu preciso de você.

Kal olha para mim de onde ele está encostado contra a parede, os olhos roxos encontrando os meus. E mesmo tendo certeza de que ele não sabe disso, as ondas douradas de sua mente esticam na minha direção, me dando forças, se entrelaçando com as minhas azuis meia-noite.

— Eu sei o que é perder a família, be'shmai.

Há uma compaixão infinita nele, mas seu rosto é desolado. Eu consigo sentir a dor em sua memória — eu consigo sentir uma história ali que eu quero conhecer.

A perda dele é como minha perda.

É uma história sobre perder pessoas que ainda não se foram.

— Quando nós formos embora deste lugar — e Kal se apoia nessa palavra, *quando* —, nós vamos procurar o que aconteceu com sua irmã. Com sua mãe. Vamos descobrir o que aconteceu com elas. Talvez alguma parte do seu sangue ainda exista. Mas você não tem família aqui, be'shmai. Porque aquele ali não é seu pai.

E nesse momento de calmaria, eu sei que ele está certo. Meu pai um dia esteve nesse lugar que foi tomado pelo Ra'haam, um dia ele foi parte deste coletivo.

Só que ele não está aqui agora.

Eles são apenas ecos.

Eu assinto lentamente, as lágrimas rolando pelas bochechas, e empurro o que restou das minhas forças para roborar as minhas paredes mentais, afastando o toque desse planeta e a coisa dentro dele.

Eu nunca fui destinada ao Ra'haam, e eu não me tornarei parte dele.

Eu sou dos Eshvaren agora.

— Jie-Lin — diz a coisa lá fora. — Venha conosco.

— Não! — grito.

— É inútil resistir. Junte-se a nós.

— Nunca!

E finalmente, naquela voz suave do Princeps, da coisa que foi o meu pai, algo muda. E eu consigo ouvir a conformação nela quando ele recoloca o capacete e fala uma última vez.

Uma palavra.

Um sussurro.

— Cat.

34

CAT

Eu sou tudo.
Eu sou nada.
Eu sou eu.
Eu sou...
— Cat.
Sou um bebê embrulhado em um lençol branco e limpo e estou descansando contra o peito de minha mãe e eu estou com frio e com medo e essa é a primeira voz que eu realmente ouvi e de alguma forma está tudo bem porque sei que é alguém que me ama
— *Catherine, mas vou chamá-la de Cat.*
Sou uma garotinha no primeiro dia do jardim de infância e um garoto me empurra e caio de costas e eu me viro para ver cabelos loiros e um sorriso com covinhas e eu pego uma cadeira e lanço com tudo em cima da cabeça dele e de alguma forma está tudo bem porque sei que algum dia ele vai me amar
— *Ai, Cat!*
Tenho quinze anos e estou sentada em frente de uma chamada de vídeo e consigo ver a morte nos olhos de mamãe e mesmo que ela esteja a sessenta mil anos-luz de distância e essa é a última vez que eu vou falar com ela sei que de alguma forma está tudo bem porque sei que ela me ama
— *Estou orgulhosa de você, Cat.*
Temos dezoito anos e os copos vazios estão empilhados na nossa frente e as tatuagens são novas na nossa pele e nós sabemos exatamente para onde vamos e de alguma forma está tudo bem porque lá no fundo eu sei que você me ama
— *Ah, Cat...*

E estou deitada ali na manhã seguinte e mesmo fazendo dez minutos desde que ele foi embora ainda consigo sentir o gosto dele nos meus lábios e o cheiro dele na minha pele e mesmo que tudo que ele tenha dito faça sentido não consigo parar de chorar porque

    porque
    ele
    não
    me
    ama

Eu consigo ver tão longe. Eu tenho mil olhos. Os olhos dentro do crânio com o qual eu nasci, a carne lentamente sucumbindo ao veneno

    corrupção

               infecção

      salvação

no meu sangue.

Mais do que isso, consigo ver através *deles*. As vinhas que serpenteiam e desdobram ao redor do prédio onde meu corpo está sendo corroído. As sementes que dançam pela brisa de azul luminescente no ar ao nosso redor. A casca que ele habita, envolta nas formas de primatas simples e uniformes da AIG ou peles dos colonos.

Tudo que já foi tocado.
Absorvido.
Entrelaçado.
Eu sou tudo.
Eu sou nada.
Eu sou eu.
Eu sou...
... *nós*.
— Cat.

Consigo ouvir a voz de Ra'haam através dos fios que ele entrelaçou pelo meu corpo. Consigo sentir sua grandeza. A sua antiguidade impossível. Uma consciência vasta, esticando-se por inúmeras estrelas. Uma Legião de um e bilhões, crescendo dentro de cada mente que abraçou.

Circundou.
Convidou.

— Por que está lutando contra nós, Cat? — ele diz, dentro da minha cabeça.

— Porque estou com medo — respondo. — Porque não quero me perder.

— Não há perda através da comunhão. Somente ganhos. Você será muito mais dentro de nós. Você nunca será descartada, e nunca faltará amor. Você será nós. Nós seremos você. Sempre.

— Mas os outros... Scarlett e...

— Ele se juntará a nós. Um dia, nós abrigaremos tudo isso. Tudo.

— Abrigar? — Eu sacudo a cabeça. — Você quer dizer devorar.

— Nós não somos destruidores. Nós somos livradores. Nós livraremos tudo da prisão de ser um só, indo para a liberdade da união. Nós somos aceitação. Nós somos amor.

É a mesma voz que ouvi quando eu era nova e tinha frio e medo, encarando o mundo pela primeira vez da fortaleza que era o peito de minha mãe.

Só que agora eu não tenho frio ou medo.

Eu me sinto aquecida.

Eu me sinto acolhida.

Aniquilar.

Assimilar.

E estou ali deitada no chão do reator em uma colônia esquecida em um setor no meio do nada e eu estou esquecendo tudo que eu sou e o que eu serei e de alguma forma está tudo bem porque eu sei

Eu *sei*

EU SEI

que

isso

me

ama.

· · · · · · · · · · · ·

Nós estamos aqui. Na pele que era Cat.

Ela é nossa e nós somos dela.

Outrora nós abrigamos mundos inteiros. Entramos em comunhão com sistemas diversos. Há tão pouco do que sobrou de nós agora. Uma rede empobrecida, que mal lembra a grandeza que veio antes. Nós dormimos por incontáveis eras. Existe tão pouco de nós acordado — só um pouco para entrelaçar algumas ondas pelas peles minúsculas que tropeçaram nesse berço séculos atrás. Enviando-os para nos proteger enquanto dormíamos por mais algumas centenas de anos.

Logo nós germinaremos. Começaremos de novo.

Floresceremos e explodiremos.

Nós olhamos pelos olhos da pele-Cat. A pele chamada Scarlett olha para nós. Uma coisa pequena e assustada, enclausurada por uma prisão de sua própria pele e osso.

— ... Cat?

Nós a ignoramos. Encaramos em vez disso a outra.

A inimiga.

— Aurora — nós dizemos.

Nós sentimos a marca de nosso velho inimigo em seus genes. Em sua mente. Os últimos Eshvaren morreram há milhões de anos, mas nós sabíamos que eles encontrariam uma maneira de nos atingir além de suas merecidas covas. Algum tipo de subterfúgio adormecido, escondido na Dobra. Esperando pelo momento certo. Esperando por um catalisador.

Esperando por ela.

Nós somos Cat. Cat somos nós. E dessa forma sabemos que as peles chamadas Finian e Zila estão no andar de cima, arrumando o reator para implodir em vez de ver Aurora ser consumida por nós. Se nós a tivermos, nós teremos os meios de encontrar a arma dos Eshvaren. Se nós a tivermos, nós teremos a única pessoa que consegue operá-la. A única que sabe quem nós somos, e onde dormimos, e como pode nos parar.

Se nós a tivermos, nós teremos a galáxia.

— Cat?

A pele chamada Tyler fala. O ápice na tolice de sua hierarquia, olhando para nós de perto da janela. Ele está sozinho.

Todos eles estão.

Tão inconcebivelmente sozinhos.

— Aquela ali não é mais Cat — sussurra Aurora.

Nós atacamos. Movendo com as muitas peles que abraçamos desde que os primeiros colonos de Octavia tropeçaram em nós, escondidos nas profundezas do manto do planeta. Nós nos contorcemos. Nós nos desdobramos. Nós fluímos. Aquele chamado Kaliis é nosso objetivo principal — o protetor de Aurora. As trepadeiras e folhas serpenteiam, agarrando, cheias de espinhos e pontas. Nós somos muitos, ele é apenas um. E apesar de ele ser superior a nós nesse estado nascente, nós precisamos simplesmente rasgar um minúsculo pedaço do biotraje e ele será nosso.

Ele sabe disso. Ele flui e irrompe como água. Os outros membros do esquadrão se desdobram em movimentos frenéticos. A pele-Scarlett ergue sua arma.

Nós a empurramos para longe. A pele-Finian e a pele-Zila no andar de cima gritam quando nós atacamos, arrancando as armas de suas mãos. Embrulhando-os em vinhas retorcidas e cobertores de flores.

A pele-Tyler está paralisada. Olhando apenas para o que era a pele-Cat. Sem conseguir ver o que ela se tornou.

Mais.

— Cat, pare com isso!

Do lado de fora, a pele-Princeps ergue os braços. Nossa vegetação no reator estremece. Agarram. Puxam. O concreto na estrutura estremece e geme, e rachaduras se esparramam. A corrente elétrica que a pele-Finian enviou pelo metal crepita e nos queima. Porém, nós somos muitos — as partes queimadas e pretas de nós caem ao chão, e são substituídas por outras. O prédio começa a ruir, as paredes se afastando, o telhado caindo. As pele-coisas gritam conforme a estrutura se rompe em meio à chuva de pó de concreto e aos gritos de metal morto.

As vinhas caem.

As cascas colapsam.

O chão se rompe debaixo deles.

Mas eles não caem.

— Não.

A pele-Aurora flutua no ar. O olho direito brilhando em branco. Braços esticados. A luz dela nos queima. O poder dos Eshvaren ecoa dentro dela. Só uma fração do seu potencial verdadeiro.

Mas tão agudo.

Tão brilhante.

Nós a atacamos — a pele-Cat, a pele-Princeps, a pele-agente, as muitas formas que nós integramos e abraçamos em nossos anos aqui. Ela nos enfrenta com ondas de raiva psíquica, arrancando pedaços de nós, tirando as amarras que enviamos na direção das suas pele-amigos e depositando-os suavemente no chão.

Porém, tão imponente quanto ela é o poder que acabou de despertar. Ela não entende sua extensão. Não compreende o que ela pode se tornar. E ela é uma só.

Nós somos muitos.

Nós somos em excesso.

Nós a atingimos. Agarramos. Arranhamos. Os tiros disruptivos da suas pele-amigos são só uma chuva de veraneio contra nossa totalidade. Para cada pedaço que eles queimam, outro se ergue no lugar. Gestalt. Miríade. Hidra.

E ela olha para nós, nosso inimigo ancião brilhando por trás de seus olhos.

E ela implora.

— Cat, me ajude!

Nós rimos. Sentimos o pulso da energia psíquica que ela manda na direção da mente da pele-Cat. Mas se sentindo amada e acolhida, envolta no calor da singularidade, na vida complexa, respirando dentro de nós, não há mais Cat.

Há apenas Ra'haam.

... mas

então...

...

... não.

NÃO.

・・・・・・・・・・・・

Eu sou nada.

Eu sou tudo.

Eu sou nós.

Mas apesar da coisa estar dentro de mim agora

entrelaçada irremediavelmente com quase tudo que eu era

ainda há uma pequena chama em um canto escuro

que

ainda

sou

eu.

Estou de volta ao simulador de voo na Academia. O dia em que fui qualificada para seguir o caminho Ás. Entrando na rede ao meu redor, me mexendo mais rápido do que eles conseguem me atingir. Consigo ouvir a voz dos outros cadetes em minha mente. Os gritos ficando mais altos quando consigo atingir mais e mais inimigos, passando rapidamente por mãos cheias de musgo que tentam me alcançar e me pegar, tentando me segurar.

Eu controlo tudo. Aperto com força. Segurando tudo — Princeps, o outro agente, os chimpanzés, os colonos, as ondas, tudo — até ficarem imóveis. Há tantos deles. É tão grande. É tanto. É tão pesado.

E eu olho em volta para eles, através dos olhos que sei que serão meus por alguns momentos até minha chama se extinguir para sempre.

Essas pessoas que eram minha família. Essas pessoas que eram minhas amigas. Auri brilhante, Zila quieta e Fin sarcástico, Kal taciturno, Scarlett serena, e meu lindo e triste Tyler. Eu estico uma das mãos, tremendo, para eles.

Consigo sentir a escuridão que me cerca cada vez mais. Determinada a me engolir. E eu me lembro do Almirante Adams em sua despedida, olhando diretamente para mim quando ele falava o lema da Academia, as palavras e a memória agora quase cegam minha mente.

Nós somos Legião
Nós somos luz
Iluminando o que a escuridão conduz
— Você não pode lutar contra nós, Cat.
Pode apostar.
— Você não pode nos impedir para sempre.
Eu não preciso.
— Nós somos uma legião.
E
eu
também

Eu me estico na direção da rede. Para os fios de energia que conectam tudo. Todos nós. Virando a força de muitos de volta para si mesma. Eu só preciso de um pouco mais de tempo. Tempo para que eles corram, fujam, escapem daqui. Tempo para que consigam cair fora dessa porra de pedra infectada, se juntar novamente, reconhecer o que Auri é de verdade e o que ela precisa fazer.

Essa derrota é uma vitória.

Eu consigo senti-la na minha mente. Esticando na minha direção, irradiando azul meia-noite, brilhando incandescente contra nosso azul-esverdeado escaldante.

Eu não vou aguentar por muito tempo, O'Malley...

— Cat, eu...

VÃO!

Princeps e os outros estremecem no lugar. Lutando contra o pequeno exército que eu sou. Aurora consegue senti-los colidindo contra mim, onda atrás de onda sufocante. Ela sabe melhor do que ninguém que não há nada que pode ser feito. E então ela vira para Tyler, que ainda está olhando para mim horrorizado.

— Tyler, nós temos que ir — diz ela.

Ele pisca para ela, compreendendo o que quer dizer.
Tyler, nós temos que deixá-la.
Eu tento alcançar os músculos que eram eu. Sentir as lágrimas que acumulam nos meus novos olhos azuis conforme faço meus pulmões se mexerem, forço as palavras a saírem da minha boca.

— Eu te disse, Ty — sussurro. — Você tem que me deixar ir.
— Cat, *não.*
— Por favor...

Consigo senti-los. Todos eles. Essas pessoas que eram minha família. Essas pessoas que eram minhas amigas. Eles são membros da Legião Aurora, e eles não deixam os seus para trás. Mas cada um deles sabe, do seu próprio jeito, que eu não serei um dos seus por muito mais tempo.

Sinto meu domínio escorregando. Perco meu controle. A vegetação, Princeps, os colonos, todos vão para a frente, e Aurora ergue as mãos, uma esfera de força telecinética mantendo o fluxo no lugar. Não consigo mais segurá-los. Consigo apenas segurar esse pequeno fragmento de mim — essa última pequena ilha em um mar de doce e calorosa escuridão.

Eu não quero deixá-los, mas olhando para dentro do Ra'haam — tudo que ele é e pode se tornar — eu percebo com uma pequena fagulha horrorizada que eu também não quero deixar isso.

Olho para Tyler. Para a cicatriz que eu dei a ele quando éramos crianças. Para as lágrimas nos olhos dele. E eu consigo ver. Aqui no fim. Brilhando pura contra a escuridão que conduz.

— Cat... — sussurra ele. — Eu...
— Eu sei — respondo.

Sinto um calafrio na espinha.
Sinto tudo fechar ao meu redor.

— Vão — imploro. — Enquanto ainda dá tempo.

Eles correm. Mancando. Soluçando. Finian carregando o núcleo sintetizado, Kal e Zila ajudando a suportar o peso dele. Scarlett, de braços dados com seu gêmeo, talvez entendendo melhor do que ele. Aurora os leva até a nave da AIG, os braços estendidos, uma bolha de força telecinética empurrando contra os tentáculos ondulantes, as mãos esticadas, todos nós tentando engolir os seis que restam deles.

Eu os sigo a distância. Andando pela vegetação que repuxa e agarra, pelos destroços do reator quebrado, pelas ruínas dessa colônia em escombros. Um vento azul dança ao meu redor. Consigo senti-lo passando por dentro de mim, tentando se enroscar na pequena fagulha que restou. A última centelha. Tudo que resta de mim.

Consigo sentir seu poder.

Consigo sentir seu calor.

Consigo sentir seu acolhimento.

Eu tiro meu capacete.

E eu tenho dezenove e um milhão de anos e estou em pé em um oceano de azul-esverdeado ondulante conforme as pessoas que eram minhas amigas entram dentro daquela pequena nave. E eu consigo sentir os esporos dançando no ar ao meu redor e borbulhando sob o manto embaixo de mim e toda a compreensão na singularidade que espera para me abraçar. Eu estou a um milhão de anos-luz de onde eu nasci e, no entanto, estou em casa. E estou extasiada e aterrorizada e estou rindo e gritando e sou tudo e sou nada e eu sou Cat e sou Ra'haam e quando a porta da nave se fecha, quando eu olho para eles com os olhos que são meus pela última vez, eu o vejo virar e olhar para mim.

E, de alguma forma, está tudo bem.

— Adeus, Tyler.

Porque

eu

sei

que

ele

me

ama

.

35

TYLER

Ela se foi.

Nós estamos no espaço acima de Octavia III, flutuando na órbita. Nosso voo da colônia dentro da nave roubada foi só um borrão. Nossa jornada mancando da superfície do planeta na nossa Longbow danificada é ainda mais distorcida. As ruínas da *Belerofonte* e da frota furtiva de Bianchi pairam na escuridão ao nosso redor, a luz das estrelas brilhando entre os destroços.

Estou sentado na ponte, na minha cadeira de copiloto, olhando para o assento de piloto ao meu lado. Trevo está sentado ali, o pelo desgrenhado verde e pontos abertos, olhando para mim com olhos de plástico acusadores. Um único pensamento incendeia minha mente.

Eu não consegui salvá-la, e agora ela se foi.

O mapa estelar de Aurora está projetado no display central. Um retrato holográfico de toda Via Láctea, rodopiando para sempre ao redor do seu coração de buraco negro. Por fora, nas espirais de seus braços, vinte e dois planetas estão iluminados em vermelho dentro da escuridão. Vinte e dois avisos de perigo. Vinte e dois pontos de interrogação.

Finian e Zila terminaram nossos reparos — a Longbow é digna de voltar novamente para a Dobra. Eu só preciso colocar as coordenadas no navegador, dar o comando, e estaremos a caminho. Exceto que eu não estou fazendo isso. Estou sentado aqui, os cotovelos apoiados nos joelhos, sem conseguir me mexer.

Os outros se juntaram ao meu redor. Cansados da batalha e exaustos. Machucados e ensanguentados. Silenciosos em nosso luto.

Sete, e agora seis.

Todos estão olhando para mim.

E eu não sei o que fazer.

Nós ainda somos fugitivos. Um esquadrão foragido, perseguido pela FDT e pela AIG e provavelmente pelo resto da Legião também. Mesmo se não tivermos status de extermínio assim que formos avistados pelo pessoal da Terra, não podemos voltar para a Academia Aurora — a AIG certamente estará nos esperando por lá. E com tudo o que descobrimos em Octavia, sobre Ra'haam, sobre os vinte e dois planetas nos quais essa coisa está... incubada, não podemos arriscar que Auri seja capturada. Não depois de tudo que já perdemos.

Não podemos voltar para casa.

— Essa derrota é uma vitória.

Todos olhamos para Auri quando ela fala. Ela parece mais velha de algum jeito, essa garota fora do tempo. Endurecida. Algo mais feroz queimando atrás dos olhos díspares. Ela está de pé, pequena e magra, mas de postura ereta, com Kal ao seu lado. E ela está olhando para mim, as mãos fechadas em punhos.

— O quê? — eu digo.

— Foi o que Cat disse para mim. — Os olhos estranhos dela brilham com a perda, a voz estremecendo com a memória dos últimos momentos que tiveram juntas. — Uma das últimas coisas que ela disse, Tyler: "Essa derrota é uma vitória."

Scarlett sacode a cabeça, as bochechas molhadas com as lágrimas.

— Como? — Ela passa as mãos pelos olhos, borrando o rímel na sua pele. — *Como?*

— Agora nós conhecemos nosso inimigo — responde Aurora, apontando para o mapa. — Nós sabemos onde Ra'haam está adormecido. E nós sabemos que quer consumir todas as coisas vivas na galáxia, até que nós sejamos parte do seu todo. Nós sabemos que os Eshvaren já lutaram uma guerra contra ele, um milhão de anos atrás, e eles o *derrotaram*. Nós sabemos que eles suspeitavam que ele poderia voltar, e deixaram uma arma para combatê-lo. Sabemos que eu sou o Gatilho para essa arma. — Ela olha ao redor da ponte para nós. — E nós sabemos que precisamos impedi-lo.

— Como? — Finian pergunta. — Todos os agentes da AIG que nós encontramos estão infectados por essa coisa. Sabe-se lá quanto mais isso se espalhou? Sem querer pôr vocês pra baixo, amigos, mas todo o governo Terráqueo de vocês é suspeito.

O rosto de Aurora empalidece com o lembrete. Eu sei que ela está pensando no pai dela — no que sobrou dele — esticando a mão na direção dela, lá na superfície do planeta.

Jie-Lin, eu preciso de você.

Só que os olhos dela endurecem. Ela sacode a cabeça.

— Os sinais de uma infecção no corpo de uma pessoa são evidentes. Os colonos infectados aqui em Octavia devem ter se infiltrado na AIG e conseguido uma Interdição para que o planeta ficasse escondido. Se eles conseguissem espalhar a infecção de pessoa para pessoa, não haveria nenhum humano sobrando depois de duzentos anos. — Ela olha para o mapa estelar, para os pontos pulsando em vermelho. — Não acho que Ra'haam seja forte o bastante para se espalhar quando ainda está dormindo. Acho que só consegue infectar pessoas que tropeçam em um dos berços planetários. Ele ainda está dormindo. Está fraco. Nós ainda temos uma chance.

— Para fazer o quê? — A voz de Zila é baixa. — Como lutaremos contra algo como isso?

— Com a arma que os Eshvaren deixaram. Comigo. Se conseguirmos impedir essa germinação da qual aquilo falou, se conseguirmos impedir que esses vinte e dois planetas espalhem a infecção através dos portões da Dobra, nós conseguiremos impedir essa coisa de uma vez por todas.

— Nós somos criminosos procurados — Scarlett aponta. — Nós atacamos naves militares Terráqueas e quebramos uma Interdição Galáctica. Nós vamos ser perseguidos por todos os governos da galáxia. Nós não podemos contar com a ajuda de ninguém.

Kal cruza os braços.

— Então faremos isso sozinhos.

— Só nós seis? — Finian bufa. — Contra toda a galáxia?

Eu pego o anel de meu pai debaixo da camiseta, pendurado em uma corrente em volta do pescoço. Sinto o metal contra a minha pele, me pergunto o que ele diria caso estivesse me vendo agora. Estou encarando o mapa estelar. Pensando em todas as adversidades que estão contra nós. A impossibilidade e a insanidade de tudo isso.

Me perguntando se eu ainda acredito.

— Precisaríamos de um milagre — eu finalmente murmuro.

Ficamos em silêncio por um momento. Olho para Trevo, enquanto traço, com a ponta dos dedos, a linha da sobrancelha com a cicatriz que Cat me deu. Meu peito está doendo tanto que eu levanto a camisa para checar se estou sangrando. A ponte está quieta com exceção do zumbido dos motores. Da batida dos nossos corações partidos.

E dentro desse silêncio, é Zila que fala.

— Quase todas as partículas do universo já foram parte de uma estrela — ela diz baixinho. — Cada átomo no seu corpo. O metal dessa cadeira, o oxigênio nos seus pulmões, o carbono em seus ossos. Todos esses átomos foram forjados em uma fornalha cósmica que tem mais de um milhão de quilômetros de comprimento, a um bilhão de anos-luz daqui. A convergência de todos esses acontecimentos que nos trouxeram a esse momento é tão remota quanto quase impossível. — Ela coloca a mão no meu ombro. O toque dela é estranho, como se ela não soubesse o que fazer. Mesmo assim, ela aperta gentilmente. — Nossa própria existência é um milagre.

— O que você está dizendo? — eu sussurro, olhando para ela.

Ela encontra meu olhar sem hesitar.

— Estou te lembrando de uma sabedoria que você já compartilhou conosco.

— Que é?

— Que, em algumas ocasiões, é preciso ter fé.

Eu olho para ela. Para o meu esquadrão. Para o espaço onde Cat deveria sentar, como se fosse um buraco no meu peito. E então eu olho para os olhos de minha gêmea, tão cheios de lágrima e dor quanto os meus. E ela fala sem dizer nenhuma palavra.

Mostre o caminho, irmãozinho.

Fico em pé. Percorro o meu olhar por esses cinco que ousaram voar para dentro da barriga do monstro por mim. Pode até ser que tenha uma galáxia inteira atrás de nós. Pode até ser que não duremos mais um dia. Quando ando até a cadeira de piloto, porém, e pego Trevo para colocá-lo no display em cima do console de Cat, sei que estão todos pensando o mesmo que eu. É nosso dever com Cat lutar contra essa coisa. Com tudo o que temos.

— Nós não precisamos fazer isso sozinhos, Kal — digo.

Olho para os cinco, um por um.

— Nós faremos isso juntos.

Aurora sorri, fraca e cheia de lágrimas, mas ainda um sorriso verdadeiro.

— Esquadrão 312, para sempre.

Kal sustenta meu olhar. E lentamente, ele acena com a cabeça.

— Nós somos Legião — diz ele.

— Nós somos luz — responde Scarlett.

— Iluminando o que a escuridão conduz — nós dizemos em uníssono.

Eu sento na cadeira de piloto, coloco as coordenadas para a Dobra. A ponte começa a se mexer, meu esquadrão tomando os seus lugares, os motores acelerando, a luz ondulando pelos consoles em todas as cores do arco-íris.

— Para onde vamos, Garoto de Ouro? — pergunta Finian.

Eu encaro o mapa na frente dos meus olhos.

Vinte e dois avisos de perigo.

Vinte e dois pontos de interrogação.

Vinte e dois *alvos*.

— Parece que estamos no meio de uma guerra aqui. — Aceno com a cabeça para Aurora. — E parece que já temos nosso Gatilho.

Nossos motores acendem, brilhando contra a escuridão.

— Vamos lá encontrar nossa Arma.

MEMBROS DO ESQUADRÃO

▶ DÍVIDAS DE SANGUE
▼ AGRADECIMENTOS

É de conhecimento geral que escrever um livro requer mais cérebros que o Coletivo Hajji de Een III e mais mãos do que uma partida de Uno infinita. Os autores não possuem essa quantidade de cérebros ou mãos requeridas e, portanto, precisaram de ajuda considerável. As seguintes formas de vida foram identificadas como grandes contribuidoras para a existência dessa história:

MEMBROS DO ESQUADRÃO: Desde a jornada que começou com *Illuminae*, nós estamos constantemente gratos e abismados antes do esquadrão que encontramos ao longo do caminho. Livreiros, bibliotecários e leitores — estamos tão, tão gratos por todos vocês. Vocês nos permitem fazer o que amamos, e nós amamos dividir isso com vocês. Um muito obrigado também para todos os vlogueiros, blogueiros, twitteiros e o pessoal dos instagrans de livros, e todos os outros que ajudaram a espalhar a palavra sobre nossas histórias — não poderíamos fazer o que fazemos sem vocês!

EXPERTS: Para os muitos experts em assuntos médicos, culturais, científicos, sociais, e outros assuntos que ofereceram sua ajuda na nossa caminhada, um muito, muito obrigado — e como sempre, qualquer erro é só nosso. Para aqueles que não foram nomeados aqui, e para Jess Healy Walton, Amy McCulloch, Yulin Zhuang, C.S. Pacat, Dr. Kate Irving, Lindsay "LT" Ribar e Claerie Kavanaugh: nós devemos uma a vocês. Nós estamos devendo *várias*. Professor Brian Cox, Professor Carl Sagan, Dr. Neil DeGrasse Tyson, Comandante Scott Kelly, Comandante Chris Hadfield, Hank Green e o SciShow e seus times espaciais: vocês mudaram esse livro sem sequer saber. Obrigado pela inspiração!

EDITORES: Almirante Barbara Marcus e todo o time na Random House: obrigado, obrigado, e obrigado. Nossa incrível editora, Melanie Nolan, os maravilhosos Karen Greenberg, Ray Shappel, Kathleen Go, Artie Bennett, Aisha Cloud, John Adamo, Josh Redlich e Judith Haut, e todas as lendas que trabalham nas vendas, marketing, publicidade, produção, preparadores e outros que tornaram esse livro o que ele é. Nós confiaríamos em vocês para uma situação que exigisse um roubo elaborado a qualquer hora. Internacionalmente, somos tão sortudos de ter como casas muitas editoras incríveis, incluindo a Allen & Unwin, onde estamos gratos por Anna McFarlane, Radhiah Chowdhury, Jess Seaborn, e todo o time australiano, e também a Rock the Boat, onde a capitã Juliet Mabey lidera uma excelente equipe. Um grande obrigado a todos esses times, e também aos tradutores que levam esses livros até vocês em seus próprios idiomas.

AGENTES: Nossa Longbow jamais teria decolado sem Josh e Tracey Adams, Cathy Kendrick e Stephen Moore no nosso esquadrão. Muito obrigado por tudo o que fazem por nós, e por todas as vezes que vocês vão muito além — e um muito obrigado a todos os maravilhosos agentes internacionais que ajudaram a expandir a Legião Aurora ao redor do mundo.

CRIADORES DE MÚSICAS: A trilha sonora desse livro foi providenciada pelos seguintes gênios: Joshua Radin, Matt Bellamy, Chris Wolstenholme, Dominic Howard, Buddy, Ben Ottewell, The Killers, Weezer, The Scissor Sisters, Marcus Bridge & Northlane, Ludovico Einaudi, Oliver Sykes & BMTH, Ronnie Radke & FIR, Trent Reznor & NIN, Danny Worsnop & AA, Maynard James Keenan & Tool, Winston McCall & PWD, Ian Kenny & The Vool, Robb Flynn & MH, Chris Motionless & MIW, Anthony Notarmaso & ATB, Jamie Hails & Polaris, e especialmente Sam Carter, Tom Searle & Architects.

EQUIPE DE SUPORTE E MANUTENÇÃO: Nós enfrentaríamos o Grande Ultrassauro de Abraaxis IV pelas seguintes pessoas: Meg, Michelle, Marie, Leigh, Kacey, Kate, Soraya, Eliza, Peta, Kiersten, Ryan, Cat, a gangue Roti Boti, a equipe do House of Progress, Marc, Surly Jim, B-Money, o maldito Batman, Rafe, Weez, Sam, Orrsome, e os Hidden City Rollers. Como sempre, muito obrigado a Nic por nos apresentar e começar tudo isso, e Sarah Rees Brennan, extraordinária parteira de histórias.

UNIDADE FAMILIAR: Para nossas famílias, como sempre, obrigado por seu apoio que nunca tem fim e por seu entusiasmo, e por tudo que fazem por nós, pedido ou não. Nós somos tão gratos a vocês. Nós amamos vocês e devemos mais Indultos a vocês que nem um Betraskano seria capaz de contá-los.

CÔNJUGES: Amanda e Brendan — sem vocês nós não poderíamos fazer isso, e nem gostaríamos de fazer. Com amor, gratidão, e sempre chocados que vocês continuam nos aturando, obrigado por nos recrutar para seus esquadrões.